O LIVRO ESSENCIAL DE UMBANDA

Universo dos Livros Editora Ltda.
Avenida Ordem e Progresso, 157 — 8º andar — Conj. 803
CEP 01141-030 — Barra Funda — São Paulo/SP
Telefone/Fax: (11) 3392-3336
www.universodoslivros.com.br
e-mail: editor@universodoslivros.com.br
Siga-nos no Twitter: @univdoslivros

ADEMIR BARBOSA JÚNIOR
Presidente da Associação Brasileira de Escritores Afrorreligiosos

O LIVRO ESSENCIAL DE UMBANDA

São Paulo
2025

UNIVERSO DOS LIVROS

Diretor editorial
Luis Matos

Editora-chefe
Marcia Batista

Assistentes editoriais
Aline Graça
Nathalia Fernandes
Rafael Duarte
Rodolfo Santana

Revisão
Thiago Dias
Carolina Zuppo

Arte e capa
Francine C. Silva
Valdinei Gomes

Ilustração de capa
Caio Cacau

Dados Internacionais de Catalogação na Publicação (CIP)
Angélica Ilacqua CRB-8/7057

B195Ld
Barbosa Júnior, Ademir

O livro essencial de Umbanda / Ademir Barbosa Júnior. – São Paulo: Universo dos Livros, 2014.
336 p.

Bibliografia
ISBN: 978-85-7930-744-7

1. Umbanda 2. Religião I. Título

14-0563 CDD 299.67

Índices para catálogo sistemático:
1. Umbanda

Sumário

Agradecimentos

Agradeço a Zâmbi, aos Sagrados Orixás, a todos os Guias, Guardiões e a tantos amigos do Plano Espiritual e deste planeta pela oportunidade de, mais uma vez, partilhar o amor pela Espiritualidade e pela querida Umbanda.

Dedico este livro ao Caboclo Pena Branca, que me mostra o caminho. À Babá Paula e à Mãe Pequena (e minha *Madlinha*) Vânia, que me ajudam a trilhá-lo. À Babá e também minha Madrinha Marissol Nascimento, presidente da Federação de Umbanda e Candomblé Mãe Senhora Aparecida, pela confiança e pelo amor. A todos os irmãos da Tenda de Umbanda Caboclo Pena Branca e Mãe Nossa Senhora Aparecida, casa da qual sou filho. À Iya Senzaruban, dirigente do Ilê Iya Tunde, casa de onde saí como Ogã. A Sávio Gonçalves, irmão de Mucuiú, irmão de Saravá. À Mara Tozatto e Rogério Xoroqqe, radialistas. Aos irmãos de tantas casas de Umbanda e Candomblé visitadas ao longo de tantos anos. Aos meus pais Ademir e Laís, à minha irmã Arianna e à querida Tia Nair Barbosa, dirigente espiritual do antigo Terreiro Caboclo Sete Flechas (na rua Almirante Barroso), de Piracicaba, onde eu ia pequenininho. A primeira vez que vi o mar foi numa festa de Iemanjá, com o povo dessa casa.

A Banda que habita em mim saúda a Banda que habita em você!

Saravá!

Axé!

Ademir Barbosa Júnior (Dermes)
Umbandista, escritor, pesquisador da Cultura Afro-brasileira e presidente da Associação Brasileira de Escritores Afrorreligiosos (Abeafro).

Orixá é amor verdadeiro, e amor verdadeiro nunca faz mal.

Orixás, Guias e Guardiões caminham conosco na expectativa de que nós também caminhemos com eles.

Introdução

Este livro tem como objetivo apresentar um mosaico sobre a Umbanda, respeitando sua pluralidade e diversidade. Não se trata de um manual ou de um livro sobre Teologia. Também não pretende chancelar os fundamentos desta ou daquela casa. Na Umbanda, há variações de ordem teológica, quanto à liturgia, fundamentos específicos, modos de organização, vestuários, cores, etc. Conforme ensina o Caboclo Pena Branca, "ser espiritualizado é aprender a conviver com as diferenças". Particularmente, creio que diferenças não precisam ser divergências.

Conhecida nos meios esotéricos como a "Senhora da Luz Velada", a Umbanda se revela à compreensão humana pouco a pouco, de modo a acolher e agregar todos aqueles que desejem abrigar-se e/ou trabalhar sob sua bandeira sincrética.

Na Umbanda não se faz nada que fira o livre-arbítrio, assim como na Espiritualidade nada acontece que fira as Leis Divinas, cujos pressupostos conhecemos apenas palidamente. Conforme um lindo ponto cantado: *na minha aldeia/lá na Jurema/ninguém faz nada sem ordem suprema.*

A Umbanda é uma religião inclusiva, acolhendo a todos, no plano astral e no plano físico, indistintamente. Todos os que desejem engrossar suas fileiras de serviço ao próximo, concomitante ao auto-aperfeiçoamento, são bem-vindos. Não há distinção de cor, classe social, gênero, orientação sexual, etc.

As portas estão sempre abertas a todos que desejem frequentar as giras, os tratamentos espirituais, as festas. Contudo, a Umbanda não faz proselitismo. A decisão de se tornar umbandista e filiar-se a determinada casa é pessoal e atende, também, à identificação ou não dos Orixás com a casa em questão.

Tanto para entrar como para sair, as portas estão abertas. Se algum desequilíbrio ocorre com o médium, em especial se ele resolve deixar a casa, certamente não é "castigo" do Orixá, mas consequência de estar "com a coroa aberta". Imagine um rádio mal sintonizado, captando sons confusos; às vezes até mesmo incompreensíveis. Quando se trabalha responsavelmente com energias, o que se abre, se fecha. Dessa forma, se alguém decide encerrar suas atividades como médium de qualquer categoria, é necessário (e certamente mais prudente) não desaparecer do terreiro, mas pedir que o dirigente espiritual "retire a mão", como se diz comumente.

Cuidar do *Ori* (cabeça) de alguém é uma grande responsabilidade. A fim de não haver choques energéticos, o médium deve ser disciplinado, não "pular de casa em casa". Também deve, em caso de falecimento do/da dirigente espiritual, buscar auxílio seguro com quem possa assumir os cuidados de seu *Ori*.

Por vários métodos seguros, que se completam, um médium conhece seus Orixás, Guias e Guardiões. Em uma casa de Umbanda, por exemplo[1]; pela orientação e supervisão seguras do Guia da casa; pelos pontos riscados pelas Entidades quando o médium incorpora; pela terceira visão (acompanhada pelo Guia da casa) e, sobretudo, pelo jogo de búzios feito pelo dirigente espiritual ou pelo próprio Guia da casa onde essa prática é comum.

Infelizmente, a diversidade de fundamentos por vezes é confundida com irresponsabilidade. Promessas de amarração e de se trazer o amor de volta (querendo ele ou não), mistificações diversas, animismo de médiuns indisciplinados e outras situações gravíssimas acirram o desconhecimento e o preconceito contra a Umbanda e as religiões de matriz africana como um todo. Como um exemplo de combate a esse tipo de situação problemática, podemos citar uma campanha

1 Pois há quem tenha mediunidade ostensiva, mas talvez nunca chegue a um templo umbandista

extremamente saudável que circula nas redes sociais, cujo slogan é "Respeite a Umbanda que seu irmão cultua!".

Pelo fato de ter nascido no Brasil e ser intrinsecamente sincrética, a Umbanda é chamada de religião genuinamente brasileira. Evidentemente, não é a única religião a nascer no Brasil. O próprio Candomblé não existia em África tal qual o conhecemos, uma vez que, naquele continente, o culto aos Orixás era segmentado por regiões (cada região e, portanto, cada grupo de famílias/clãs cultuavam determinado Orixá ou apenas alguns). No Brasil, os Orixás tiveram seus cultos reunidos em terreiros, com variações, evidentemente, assim como com interpenetrações teológicas e litúrgicas das diversas nações. Há outras religiões que nasceram em solo brasileiro, como por exemplo, mais recentemente, o Vale do Amanhecer, que também cultua, à sua maneira, Orixás, Pretos-Velhos e Caboclos.

UMBANDA

SIGNIFICADO

Em linhas gerais, etimologicamente, Umbanda é um vocábulo que decorre do umbundo e do quimbundo, duas línguas africanas, com o significado de "arte de curandeiro", "ciência médica", "medicina". O termo passou a designar, genericamente, o sistema religioso que, dentre outros aspectos, assimilou elementos religiosos afro-brasileiros ao espiritismo urbano (kardecismo) [2].

Quanto ao sentido espiritual e esotérico, Umbanda significa "luz divina" ou "conjunto das leis divinas". A magia branca praticada pela Umbanda remontaria, assim, a outras eras do planeta, sendo denominada pela palavra sagrada "Aumpiram", transformada em "Aumpram" e, finalmente, "Umbanda".

De qualquer maneira, teria havido alguém que anotou, durante a incorporação do Caboclo das Sete Encruzilhadas, anunciando o nome da nova religião, o nome "Allabanda", substituído por "Aumbanda", em sânscrito, "Deus ao nosso lado" ou "ao lado de Deus".

2 Embora não seja consenso o uso do termo "Kardecismo" como sinônimo de "Espiritismo", ele é aqui empregado por ser mais facilmente compreendido.

FORMAÇÃO

A Umbanda é uma religião constituída com fundamentos, teologia própria, hierarquia, sacerdotes e sacramentos. Não é uma "seita", portanto, pois este termo geralmente refere-se pejorativamente a grupos de pessoas com práticas espirituais que destoem das ortodoxas. Suas sessões são gratuitas, voltadas ao atendimento holístico (corpo, mente, espírito), à prática da caridade (fraterna, espiritual, material), sem proselitismo. Em sua liturgia e em seus trabalhos espirituais, vale-se do uso dos quatro elementos básicos: fogo, terra, ar e água.

É muito interessante fazer o estudo comparativo da utilização dos elementos, tanto por encarnados como pela Espiritualidade, na Umbanda, no Candomblé, no Xamanismo, na Wicca, no Espiritismo (vide obra de André Luiz), na Liturgia Católica (leia-se o trabalho de Geoffrey Hodson, sacerdote católico liberal), etc.

HISTÓRICO

Este é um breve histórico do nascimento oficial da Umbanda, embora, antes da manifestação do Caboclo das Sete Encruzilhadas e do trabalho de Zélio Fernandino, houvesse atividades religiosas semelhantes ou próximas, no que se convencionou chamar de "macumba" [3]. No Astral, a Umbanda antecipa-se em muito ao ano de 1908 e diversos segmentos localizam sua origem terrena em civilizações e continentes que já desapareceram.

Zélio Fernandino de Moraes, um rapaz de 17 anos que se preparava para ingressar na Marinha, começou, em 1908, a ter aquilo que a família, residente em Neves, no Rio de Janeiro, considerava "ataques". Os supostos ataques colocavam o rapaz na postura de um velho, que parecia ter vivido em outra época e dizia coisas incompreensíveis para os familiares; noutros momentos, Zélio parecia uma espécie de felino que demonstrava conhecer bem a natureza.

Após minucioso exame, o médico da família aconselhou que ele fosse atendido por um padre, uma vez que considerava o rapaz

3 O termo aqui, evidentemente, não possui conotação negativa.

possuído. Um familiar achou melhor levá-lo a um centro espírita, o que realmente aconteceu: no dia 15 de novembro, Zélio foi convidado a tomar assento à mesa da sessão da Federação Espírita de Niterói, presidida à época por José de Souza.

Tomado por força alheia à sua vontade e infringindo o regulamento que proibia qualquer membro de ausentar-se da mesa, Zélio levantou-se e declarou: "Aqui está faltando uma flor". Deixou a sala, foi até o jardim e voltou com uma flor, que colocou no centro da mesa, o que provocou alvoroço. Na sequência dos trabalhos, manifestaram-se no médium espíritos apresentando-se como negros escravos e índios. O diretor dos trabalhos, então, alertou os espíritos sobre seu atraso espiritual, como se pensava comumente à época, e os convidou a se retirarem. Novamente uma força tomou Zélio e advertiu:

"Por que repelem a presença desses espíritos, se nem sequer se dignaram a ouvir suas mensagens? Será por causa de suas origens sociais e da cor?".

Durante o debate que se seguiu, procurou-se doutrinar o espírito, que demonstrava argumentação segura e sobriedade. Um médium vidente, então, lhe perguntou:

"Por que o irmão fala nestes termos, pretendendo que a direção aceite a manifestação de espíritos que, pelo grau de cultura que tiveram, quando encarnados, são claramente atrasados? Por que fala deste modo, se estou vendo que me dirijo neste momento a um jesuíta e a sua veste branca reflete uma aura de luz? E qual o seu nome, irmão?"

Ao que o interpelado respondeu:

"Se querem um nome, que seja este: sou o Caboclo das Sete Encruzilhadas, porque para mim não haverá caminhos fechados. O que você vê em mim são restos de uma existência anterior. Fui padre e o meu nome era Gabriel Malagrida. Acusado de bruxaria, fui sacrificado na fogueira da Inquisição em Lisboa, no ano de 1761. Mas em minha última existência física, Deus concedeu-me o privilégio de nascer como Caboclo brasileiro."

A respeito da missão que trazia da Espiritualidade, anunciou:

"Se julgam atrasados os espíritos de pretos e índios, devo dizer que amanhã estarei na casa de meu aparelho, às 20 horas, para dar início a um culto em que estes irmãos poderão dar suas mensagens e, assim, cumprir missão que o Plano Espiritual lhes confiou. Será uma religião que falará aos humildes, simbolizando a igualdade que deve existir entre todos os irmãos, encarnados e desencarnados."

Com ironia, o médium vidente perguntou-lhe:

"Julga o irmão que alguém irá assistir a seu culto?" O Caboclo das Sete Encruzilhadas lhe respondeu:

"Cada colina de Niterói atuará como porta-voz, anunciando o culto que amanhã iniciarei." E concluiu:

"Deus, em sua infinita bondade, estabeleceu na morte o grande nivelador universal; rico ou pobre, poderoso ou humilde, todos se tornariam iguais na morte, mas vocês, homens preconceituosos, não contentes em estabelecer diferenças entre os vivos, procuram levar essas mesmas diferenças até mesmo além da barreira da morte. Por que não podem nos visitar esses humildes trabalhadores do espaço, se, apesar de não haverem sido pessoas socialmente importantes na Terra, também trazem importantes mensagens do além?"

No dia seguinte, 16 de novembro, na casa da família de Zélio, à rua Floriano Peixoto, 30, perto das 20h, estavam os parentes mais próximos, amigos, vizinhos, membros da Federação Espírita e, fora da casa, uma multidão. Às 20h manifestou-se o Caboclo das Sete Encruzilhadas e declarou o início do novo culto, no qual os espíritos de velhos escravos, que não encontravam campo de atuação em outros cultos africanistas, bem como de indígenas nativos do Brasil, trabalhariam em prol dos irmãos encarnados, independentemente de cor, raça, condição social e credo. No novo culto, encarnados e desencarnados atuariam motivados por princípios evangélicos e pela prática da caridade.

O Caboclo das Sete Encruzilhadas também estabeleceu as normas do novo culto: as sessões seriam das 20h às 22h, com atendimento gratuito e os participantes uniformizados de branco. Quanto ao nome, seria *Umbanda: Manifestação do Espírito para a Caridade.* A casa que se fundava teria o nome de Nossa Senhora da Piedade, inspirada em Maria, que recebeu os filhos nos braços. Assim, a casa receberia todo aquele que necessitasse de ajuda e conforto. Após ditar as normas, o Caboclo respondeu a perguntas em latim e alemão formuladas por sacerdotes ali presentes. Iniciaram-se, assim, os atendimentos, com diversas curas, inclusive a de um paralítico.

No mesmo dia, manifestou-se em Zélio um Preto-Velho chamado Pai Antônio, o mesmo que havia sido considerado efeito da suposta loucura do médium. Com humildade e aparente timidez, recusava-se a sentar-se à mesa, com os presentes, argumentando:

"Nego num senta não, meu sinhô, nego fica aqui mesmo. Isso é coisa de sinhô branco e nego deve arrespeitá". Após insistência dos presentes, respondeu:

"Num carece preocupá, não. Nego fica no toco, que é lugá de nego"[4].

Continuou com palavras de humildade, quando alguém lhe perguntou se sentia falta de algo que havia deixado na Terra, ao que ele respondeu:

"Minha cachimba. Nego qué o pito que deixou no toco. Manda mureque buscá".

Solicitava, assim, pela primeira vez, um dos instrumentos de trabalho da nova religião. Também foi o primeiro a solicitar uma *guia*, até hoje usada pelos membros da Tenda, conhecida carinhosamente como "Guia de Pai Antônio".

No dia seguinte houve verdadeira romaria à casa da família de Zélio. Enfermos encontravam a cura, todos se sentiam confortados, médiuns até então considerados loucos encontravam terreno para desenvolver os dons mediúnicos.

O Caboclo das Sete Encruzilhadas dedicou-se, então, a esclarecer e divulgar a Umbanda, auxiliado diretamente por Pai Antônio e pelo Caboclo Orixá Malê, experiente na anulação de trabalhos de baixa magia. No ano de 1918, o Caboclo das Sete Encruzilhadas recebeu ordens da Espiritualidade para fundar sete tendas, assim denominadas: Tenda Espírita Nossa Senhora da Guia, Tenda Espírita Nossa Senhora da Conceição, Tenda Espírita Santa Bárbara, Tenda Espírita São Pedro, Tenda Espírita Oxalá, Tenda Espírita São Jorge e Tenda Espírita São Jerônimo. Durante a encarnação de Zélio, a partir dessas primeiras tendas, foram fundadas outras 10.000.

---

4 Certamente trata-se de um convite à humildade, e não de submissão e dominação racial.

Mesmo não seguindo a carreira militar, pois o exercício da mediunidade não lhe permitiu, Zélio nunca fez da missão espiritual uma profissão. Pelo contrário: chegava a contribuir financeiramente, com parte do salário, para as tendas fundadas pelo Caboclo das Sete Encruzilhadas, além de auxiliar os que se albergavam em sua casa. Também pelo conselho do Caboclo, não aceitava cheques e presentes.

Por determinação do Caboclo, a ritualística era simples: cânticos baixos e harmoniosos, sem palmas ou atabaques, sem adereços para a vestimenta branca e, sobretudo, sem *corte* (sacrifício de animais). A preparação do médium pautava-se pelo conhecimento da doutrina, com base no Evangelho, banhos de ervas, amacis e concentração nos pontos da natureza.

Com o tempo e a diversidade ritualística, outros elementos foram incorporados ao culto, no que tange ao toque, canto e palmas, às vestimentas e, mesmo, a casos de sacerdotes umbandistas que passaram a dedicar-se integralmente ao culto, cobrando, por exemplo, pelo jogo de búzios; porém, sem nunca deixar de atender àqueles que não podem pagar pelas consultas. As sessões permanecem públicas e gratuitas, pautadas pela caridade, pela doação dos médiuns. Algumas casas, por influência dos Cultos de Nação, também praticam o corte, contudo essa é uma das maiores diferenças entre a Umbanda dita tradicional e as casas que se utilizam de tal prática.

Depois de 55 anos à frente da Tenda Nossa Senhora da Piedade, Zélio passou a direção para as filhas Zélia e Zilméa, continuando, porém, a trabalhar juntamente com sua esposa, Isabel (médium do Caboclo Roxo), na Cabana de Pai Antônio, em Boca do Mato, em Cachoeira de Macacu, no Rio de Janeiro.

Zélio Fernandino de Moraes faleceu no dia 03 de outubro de 1975, após 66 anos dedicados à Umbanda, que muito lhe agradece.

MATRIZES

Embora chamada popularmente de religião de matriz africana, na realidade a Umbanda é um sistema religioso formado de diversas matrizes, com diversos elementos cada:

MATRIZES	ELEMENTOS MAIS CONHECIDOS
Africanismo	Culto aos Orixás, trazido pelos negros escravos, em sua complexidade cultural, espiritual, medicinal, ecológica, etc.; culto aos Pretos-Velhos.
Cristianismo	Uso de imagens, orações e símbolos católicos (a despeito de existir uma Teologia própria da Umbanda, algumas casas vão além do sincretismo, utilizando-se mesmo de dogmas católicos).[5]
Indianismo	Pajelança; emprego da sabedoria indígena ancestral em seus aspectos culturais, espirituais, medicinais, ecológicos, etc.; culto aos Caboclos indígenas ou de pena.
Kardecismo	Estudo dos livros da Doutrina Espírita, bem como de sua vasta bibliografia; manifestação de determinados espíritos e suas egrégoras, mais conhecidas no meio Espírita (como os médicos André Luiz e Bezerra de Menezes); utilização de imagens e bustos de Allan Kardec, Bezerra de Menezes e outros; estudo sistemático da mediunidade; palestras públicas.
Orientalismo	Estudo, compreensão e aplicação de conceitos como prana, chacra e outros; culto à Linha Cigana (que em muitas casas vem, ainda, em linha independente, dissociada da chamada Linha do Oriente).

Por seu caráter ecumênico, de flexibilidade doutrinária e ritualística, a Umbanda é capaz de reunir os elementos mais diversos, como exemplificados acima. Mais adiante, ao tratar das *Linhas da Umbanda*, veremos que esse movimento agregador é incessante: como a Umbanda permanece de portas abertas aos encarnados e aos espíritos das mais diversas origens étnicas e evolutivas, irmãos de várias religiões chegam aos templos em busca de saúde, paz e conforto espiritual, bem como outras falanges espirituais juntam-se à sua organização.

5 Há, por exemplo, casas de Umbanda com fundamentos teológicos próprios, enquanto outras rezam o terço com os mistérios baseados nos dogmas católicos e/ou se utilizam do Credo católico, em que se afirma a fé na Igreja Católica (conforme indicam Guias, Entidades e a própria etimologia, leia-se "católica" como "universal", isto é, a grande família humana), na Comunhão dos Santos, na ressurreição da carne, dentre outros tópicos da fé católica. Isso em nada invalida a fé, o trabalho dos Orixás, das Entidades, das Egrégoras de Luz formadas pelo espírito, e não pela letra da recitação amorosa e com fé do Credo católico.

MOMENTOS

São muitos os momentos marcantes da história da Umbanda. Abaixo estão elencados alguns deles, pelo significado nacional que tiveram e têm.

Congressos

Importantes para firmar a Umbanda no cenário nacional, discutir aspectos organizacionais (como as federações), religiosos, ritualísticos e outros, ocorreram em 1941, 1961 e 1973 (Rio de Janeiro – RJ). Houve outros congressos nacionais, inclusive com a participação efetiva, temática, etc. de outras religiões de matriz africana, como as cinco edições do *Congresso Brasileiro de Umbanda do Século XXI* (2008, 2009, 2010, 2011, 2012), organizadas pela Faculdade de Teologia Umbandista (São Paulo – SP), que os agregou às duas edições do *Congresso Internacional de Religiões Afro-brasileiras* (2011 e 2012) - nomeado *Congresso Internacional das Religiões Afro-americanas* na edição de 2011. Em 2014 ocorreu em São Paulo o *Congresso Nacional de Umbanda pela Renovação.*

Primado de Umbanda

O *Primado de Umbanda* foi fundado no Rio de Janeiro, em 05 de outubro de 1952. Dentre seus objetivos está a formação sacerdotal e iniciática dos *Comandantes Chefes de Terreiro das Instituições Federadas e Simpatizantes do Primado de Umbanda.* Idealizado pelo *Caboclo Mirim* e concretizado por meio de seu *médium*, o C. C. T. (*Comandante Chefe de Terreiro*) Sr. Benjamin Figueiredo, o Primado se vale da terminologia da língua nhengatu (língua geral dos indígenas brasileiros) para designar os graus de evolução espiritual, de modo a resgatar os fundamentos esotéricos da *Grande Lei de Umbanda.* Conta com diversas tendas, muitas já na terceira geração de comando.

Santuário Nacional de Umbanda

Fundado e administrado por Pai Ronaldo Linares, o *Santuário Nacional de Umbanda* é uma reserva ecológica mantida pela *Federação*

Umbandista do Grande ABC, com vistas a oferecer local apropriado para a prática dos rituais umbandistas.

Com 645.000 m² de mata nativa recuperada, possui diversos lotes que podem ser utilizados por terreiros (alguns o fazem de modo permanente), loja de artigos religiosos, espaço para oferendas de Umbanda e Candomblé (não é permitido o corte no *Santuário*), cantina, banheiros, cachoeira e outros.

Vale dos Orixás

Local destinado a rituais umbandistas e de outras religiões de matriz africana em Juquitiba, SP, num sítio de 21 alqueires mantido por Pai Jamil Rachid e fundado há mais de duas décadas.

Faculdade de Teologia de Umbanda

A Faculdade de Teologia de Umbanda, localizada na capital de São Paulo, oferece o curso de Bacharelado em Teologia, com 3350 horas de atividades, com duração mínima de quatro e máxima de sete anos. Oferece também cursos de extensão e coordena uma farta produção acadêmica e cultural.

Dentre as várias disciplinas, destacam-se: Botânica Umbandista, Biologia Geral e Espiritual, Biologia Humana e Umbandista e Teologia VII (*Umbanda* – meio e fim para a paz mundial; Restauração da Tradição do Saber; Convergência planetária; Diálogo interdisciplinar).

Não se deve, porém, confundir o Bacharelado em Teologia com a função de sacerdote. Nas palavras do fundador e primeiro diretor da Faculdade de Teologia de Umbanda, Pai Rivas Neto (Arhapiagha),

> "(...) Grassando que todas as Escolas umbandistas têm a mesma importância, tomamos para nós a tarefa de fundarmos uma instituição de Ensino Superior regulamentada pelo Ministério da Educação (MEC). Assim, fundamos em 2004 a primeira Faculdade de Teologia do mundo com ênfase nas Religiões afro-brasileiras ou Umbanda, cuja missão é formar teólogos umbandistas ou das religiões afro-brasileiras. O MEC permite que as faculdades de teologia formem sacerdotes,

mas entendemos que, pela tradição, o sacerdote deve ser formado no templo, tendo uma vivência mínima que varia de sete a dezesseis anos, por isso não formamos sacerdotes na FTU, mas teólogos".

Guerreiros do Axé

Com raízes na Umbanda, no Candomblé e em outras religiões de matriz africana, o movimento *Guerreiros do Axé* busca reconhecimento social legítimo para essas religiões, bem como representatividade política. Fundado em 07 de setembro de 2005, espalha-se por todo território nacional e, além da intensa movimentação religiosa e política, tem lançado candidatos próprios, por diversos partidos, a cada campanha eleitoral. Seu principal líder é Pai Heraldo Guimarães.

Dia Nacional da Umbanda

No dia 16 de maio de 2012 foi instituído pela presidenta Dilma Rousseff o dia Nacional da Umbanda (Lei 12.644). O projeto original é do deputado federal Carlos Santana (PL 5.687/2005). A data celebra as comunicações do Caboclo das Sete Encruzilhadas, por meio de Zélio Fernandino de Moraes, naquela sessão espírita em que o referido Caboclo anunciou sua missão.

Mesmo antes da instituição da lei federal, diversas cidades brasileiras, amparadas por leis municipais, já comemoravam oficialmente a data.

Outros marcos legais

Trata-se de legislação de suma importância para as religiões de matriz africana e, consequentemente, para a Umbanda.

– Constituição Federal de 1988 – artigos 3º., 4º., 5º., 215 e 216;

– Lei 9.459, de 13 de maio de 1997 (injúria racial);

– Lei 10.639, de 09 de janeiro de 2003 (obrigatoriedade da inclusão da temática História e Cultura Afro-brasileira no currículo oficial da rede de ensino);

– Lei 10.678, de 23 de maio de 2003 (cria a Secretaria de Políticas de Promoção da Igualdade Racial);

– Decreto 4.886, de 20 de novembro de 2003 (instituição da Política Nacional de Promoção da Igualdade Racial);

– Decreto 5.051, de 19 de abril de 2004 (promulgação da Convenção 169 da Organização Internacional do Trabalho);

– Resolução número 1, de 17 de junho de 2004, do Conselho Nacional de Educação (diretrizes curriculares para educação das relações étnico-raciais e para o ensino de História e Cultura Afro-brasileira e Africana);

– Decreto 6.040, de 07 de fevereiro de 2007 (instituição da Política Nacional de Desenvolvimento Sustentável dos Povos e Comunidades Tradicionais);

– Decreto 6.177, de 1º. de agosto de 2007 (promulga a Convenção sobre a Proteção e Promoção da Diversidade das Expressões Culturais da Organização das Nações Unidas para a Educação, a Ciência e a Cultura – UNESCO);

– Portaria 992, de 13 de maio de 2009 (instituição da Política Nacional de Saúde Integral da População Negra);

– Decreto 6.872, de 04 de junho de 2009 (instituição do Plano Nacional de Promoção da Igualdade Racial);

– Lei 12.288, de 20 de julho de 2010 (Estatuo da Igualdade Racial);

– Decreto 7.271, de 25 de agosto de 2010 (diretrizes e objetivos da Política Nacional de Segurança Alimentar e Nutricional).

Movimento Político Umbandista

O *Movimento Político Umbandista* (MPU) agrega umbandistas, candomblecistas e praticantes de outras religiões de matriz africana, com o intuito de melhorar a visibilidade dessas religiões e dá-las maior representatividade político-eletiva. Para tanto, redigiu-se a *Carta Magna de Umbanda*, que, em 2013, foi bastante discutida em fóruns em diversos pontos do país e pelas redes sociais e outros meios eletrônicos, com sugestões e aprimoramentos. O MPU lançou, ainda em 2013, as bases para o *Congresso Nacional de Umbanda pela Renovação*, ocorrido em novembro de 2014. Seu principal líder é Pai Ortiz Belo.

Associação Brasileira de Escritores Afrorreligiosos

Fundada em 24 de dezembro de 2013, tem como membros escritores, editores, blogueiros dirigentes espirituais, leitores e interessados em geral, umbandistas, candomblecistas e de outras religiões de matriz africana. Um dos objetivos da *Associação Brasileira dos Escritores Afrorreligiosos (Abeafro)* é dar maior visibilidade do trabalho dos escritores na mídia, nas feiras de livros, no contato com o público em eventos em livrarias, terreiros, centros comunitários, etc.

Seu primeiro presidente é Ademir Barbosa Júnior (Dermes).

Hino da Umbanda

O *Hino da Umbanda*, cantado em quase todas as casas (no início ou no final das giras, bem como em ocasiões especiais), foi composto por José Manuel Alves, que, vindo de São Paulo em 1960, procurou o Caboclo das Sete Encruzilhadas, em Niterói, vindo de São Paulo, desejoso de ser curado da cegueira (o que não aconteceu, em virtude de compromissos cármicos de José Manuel).

Tempos depois, José Manuel tornou a procurar o Caboclo das Sete Encruzilhadas e lhe apresentou uma canção em homenagem à Umbanda, tomada pelo Caboclo como *Hino da Umbanda*. Em 1961, o *Hino* foi oficializado no *2º. Congresso de Umbanda.*

A letra:

Refletiu a Luz Divina
Com todo seu esplendor
É do reino de Oxalá
Onde há paz e amor
Luz que refletiu na terra
Luz que refletiu no mar
Luz que veio de Aruanda
Para tudo iluminar
A Umbanda é paz e amor
É um mundo cheio de Luz
É a força que nos dá vida

E à grandeza que nos conduz.
Avante, filhos de fé
Como a nossa lei não há
Levando ao mundo inteiro
A bandeira de Oxalá.

O Hino sintetiza as características gerais da Umbanda, bem como sua missão. A Umbanda vem do plano espiritual para iluminar e acolher; vem na linha de Oxalá, sob as bênçãos do Mestre Jesus, para fortalecer a todos e auxiliar cada um a desenvolver o Cristo interior.

No acolhimento que faz a encarnados e desencarnados, a Umbanda convida todos a encontrar paz individual e coletiva. O exercício do amor em todos os níveis, – a verdadeira caridade que não se reduz apenas ao assistencialismo – vibra em consonância com os ensinamentos do Mestre Jesus.

A mensagem de Umbanda espalha-se pela terra e pelo mar, abençoada e orientada pelos Orixás. Trilha espiritual e religião ecológica, valoriza a magia e o poder dos elementos em favor do equilíbrio e da evolução de cada um e do planeta. A luz (fogo) vem de Aruanda (ar, dimensões), reflete na terra, no mar (água), disponibiliza-se a todos: a mesma luz que brilha em Aruanda (plano espiritual elevado) brilha também, guardadas as proporções e adequações a cada plano e a cada indivíduo, para todo espírito, encarnado ou desencarnado.

As portas dos templos estão sempre abertas a todos, sem distinção. Há quem prefira participar de algumas giras, receber conselhos, sugestões, Axé e voltar agradecido para sua casa, sua religião, suas práticas espirituais. A lei da Umbanda é o amor/a caridade e, de fato, como essa lei (evidentemente, não exclusiva à Umbanda), não existe outra. Nesse sentido, levar ao mundo inteiro a bandeira de Oxalá significa compartilhar no cotidiano, nas mais diversas circunstâncias, o amor e a paz, e não forçar alguém/o mundo à conversão ou ao comparecimento a giras (o que, aliás, nenhum umbandista consciente faz), nem tentar impor *a minha* Umbanda como *verdadeira*. A graça da Umbanda está na diversidade. Se conjugar *a minha* Umbanda à *sua*, à *dele*, à *dela*, juntos, teremos Umbanda.

Que a bandeira de Oxalá cubra a todos nós, auxiliando cada um a cultivar o Cristo interno! Que o *Hino da Umbanda* vibre sempre em nossos corações!

Bandeira da Umbanda

Saul de Medeiros (Saul de Ogum), presidente da *Associação de Umbanda de Caxias do Sul*, idealizou uma bandeira que, no dia 1º. de junho de 2008, teve seu lançamento oficial no Teatro Municipal Dr. Paulo Machado de Carvalho. Nas palavras de Pai Saul, a imagem da bandeira representa "A imagem de um lindo sol radiante e, de seu núcleo, sai uma figura que, no primeiro instante, parece a de um enorme pombo branco, mas, olhando com mais atenção, a forma se modifica, deixando transparecer um espectro humano angelical com enormes asas, voando como se se dirigisse a um destino, determinado a realizar uma missão". Pretende-se que a bandeira seja reconhecida por todos os umbandistas.

SEGMENTOS UMBANDISTAS

Na realidade, a Umbanda é uma só. Contudo, há ramificações diversas, nas quais cada sacerdote, filho e consulente se sentem mais à vontade para trabalhar sua conexão com o divino e desenvolver a mediunidade.

Embora não haja consenso ou mesmo reconhecimento de alguns segmentos, a lista abaixo apresenta alguns dos mais conhecidos.

Umbanda de Almas e Angola	Em linhas gerais, conjuga a Umbanda Tradicional e os ritos africanistas do Candomblé Angola.
Umbanda Branca e/ou de Mesa	Geralmente, não utilizam elementos africanos (em algumas casas, nem mesmo o culto direto aos Orixás), não trabalham diretamente com Exus e Pombogiras nem se utilizam de fumo, álcool, imagens e atabaques. Por outro lado, trabalha com Caboclos, Pretos-Velhos e Crianças, bem como se valem de livros espíritas como base doutrinária.
Umbanda de Caboclo	Forma de Umbanda na qual o foco são os Caboclos, prevalecendo a influência das culturas indígenas.
Umbanda Esotérica	Seu maior representante e difusor foi W. W. Mata Pires (Mestre Yacapany). A Umbanda vista como conjunto de leis divinas.
Umbanda Iniciática	Derivada da Umbanda Esotérica, foi fundamentada por Pai Rivas (Mestre Arhapiagha), com grande influência oriental, como uso de mantras indianos e do sânscrito.
Umbanda Omolocô	Genericamente, conjugação do culto africanista aos Orixás ao culto dos Guias e das Linhas de Umbanda.
Umbanda Popular	Praticada antes do trabalho de Zélio Fernandino, conhecida também como macumba, de forte sincretismo entre Orixás e santos católicos. Alguns consideram o chamado Candomblé de Caboclo também uma forma de Umbanda Popular.
Umbanda de Preto-Velho	Forma de Umbanda na qual o comando cabe aos Pretos-Velhos.
Umbanda Traçada (Umbandomblé)	O sacerdote ora toca para Umbanda, ora para Candomblé, em sessões com dias e horários diferenciados.
Umbanda Tradicional	Genericamente, refere-se à Umbanda organizada por Zélio Fernandino.

ASPECTOS DA TEOLOGIA DE UMBANDA

Alguns dos elementos da Teologia de Umbanda que figuram como consensuais nos diversos segmentos da religião:

Monoteísmo

Crença num Deus único (Princípio Primeiro, Energia Primeira, etc.), conhecido principalmente como Olorum (influência iorubá) ou Zâmbi (influência de Angola).

Em linhas gerais, a Trindade representa nascimento, vida (e/ou morte) e renascimento, estando presente nas mais diversas culturas. A Trindade Católica é a mais comum na Umbanda (Pai, Filho, Espírito Santo), embora algumas casas se valham de Olorum, Oxalá e Ifá. Por sua vez, a Umbanda de Almas e Angola concebe a Trindade Divina dessa maneira: Zâmbi (Deus, criador do universo), Orixás (divindades) e Guias ou Entidades Espirituais (espíritos de luz).

Crença nos Orixás

Divindades/ministros de Deus, ligados a elementos e pontos de força da natureza, orientadores dos Guias e dos Guardiões, bem como dos encarnados.

Crença nos Anjos

Enquanto figuras sagradas (e não divinas), os anjos são vistos como seres especiais criados por Deus (influência do Catolicismo) ou como espíritos bastante evoluídos (influência do Espiritismo/Kardecismo).

Crença em Jesus Cristo

Vindo na Linha de Oxalá e, por vezes, confundido com o próprio Orixá, Jesus é visto como Filho Único e Salvador (influência do Catolicismo/do Cristianismo mais tradicional) ou como o mais evoluído dos espíritos que encarnaram no planeta, do qual, aliás, é governador (influência do Espiritismo/Kardecismo).

Crença na ação dos espíritos

Os espíritos, com as mais diversas vibrações, agem no plano físico. A conexão com eles está atrelada à vibração de cada indivíduo, razão pela qual é necessário estar sempre atento ao *Orai e vigiai* preconizado por Jesus.

Crença nos Guias e Guardiões

Responsáveis pela orientação dos médiuns, dos terreiros, dos consulentes e outros. A atuação dos Guias e Guardiões é bastante ampla. Ao auxiliarem a evolução dos encarnados, colaboram com a própria evolução.

Crença na reencarnação

Segundo essa crença, as sucessivas vidas contribuem para o aprendizado, o equilíbrio e a evolução de cada espírito.

Crença na Lei de Ação e Reação

Tudo o que se planta, se colhe. A Lei de Ação e Reação é respaldada pelo princípio do livre-arbítrio.

Crença na mediunidade

Segundo esta visão, todos somos médiuns, com dons diversos (de incorporação, de firmeza, de intuição, de psicografia, etc.).

Sincretismo

"(...)
Quando os povos d'África chegaram aqui
Não tinham liberdade de religião
Adotaram o Senhor do Bonfim:
Tanto resistência, quanto rendição

Quando, hoje, alguns preferem condenar
O sincretismo e a miscigenação

Parece que o fazem por ignorar
Os modos caprichosos da paixão

Paixão que habita o coração da natureza-mãe
E que desloca a história em suas mutações
Que explica o fato de Branca de Neve amar
Não a um, mas a todos os Sete Anões
(...)"

(Gilberto Gil)

A senzala foi um agregador do povo africano. Escravos muitas vezes apartados de suas famílias e divididos propositadamente em grupos culturais e linguisticamente diferentes, por vezes antagônicos, para evitar rebeliões, organizaram-se de modo a criar uma pequena África, o que posteriormente se refletiu nos terreiros de Candomblé, onde Orixás procedentes de regiões e clãs diversos passaram a ser cultuados numa mesma casa religiosa.

Entretanto, o culto aos Orixás era velado, uma vez que a elite branca católica considerava as expressões de espiritualidade e fé dos africanos e seus descendentes como associada ao mal, ao Diabo cristão, caracterizando-a pejorativamente como primitiva. Para manter sua liberdade de culto, ainda que restrita ao ambiente da senzala, ou, de modo escondido, nos pontos de força da natureza ligados a cada Orixá, os escravos recorreram ao sincretismo religioso, associando cada Orixá a um santo católico. Tal associação também apresenta caráter plural e continuou ao longo dos séculos, daí a diversidade de associações sincréticas.

Hoje há um movimento de "reafricanização" do Candomblé, dissociando os Orixás dos santos católicos; por outro lado, muitas casas ainda mantêm o sincretismo e muitos zeladores de santo se declaram católicos. No caso da Umbanda, algumas casas não se utilizam de imagens de santos católicos, representando os Orixás em sua materialidade por meio dos otás; entretanto, a maioria ainda se vale de imagens católicas, entendendo o sincretismo como ponto de convergência de diversas matrizes espirituais.

De certa forma, o sincretismo também foi chancelado pelo fato de popularmente Orixá passar a ser conhecido como "Santo" (Orixá de energia masculina/pai/aborô) ou "Santa" (Orixá de energia feminina/mãe/iabá), o que reforça a associação e correspondência com os santos católicos, seres humanos que, conforme a doutrina e os dogmas católicos, teriam se destacado por sua fé ou seu comportamento. A energia masculina e a energia feminina de cada Orixá não têm necessariamente relação com gênero e sexualidade tal qual conhecemos e vivenciamos, tanto que, por exemplo, em Cuba, o Orixá Xangô é sincretizado com Santa Bárbara.

Ainda sobre o vocábulo "Santo" como sinônimo de Orixá, as traduções mais próximas para os termos *babalóòrìsá* e ìyálorìsa seriam Pai ou Mãe-**no**-Santo, contudo, o uso popular consagrou Pai ou Mãe-**de**-Santo. Para evitar equívocos conceituais e/ou teológicos, alguns sacerdotes utilizam-se do termo zelador ou zeladora de santo.

Registros

ITÃS

A oralidade é bastante privilegiada no Candomblé, tanto para a transmissão de conhecimentos e segredos (os *awós*) quanto para a aprendizagem de textos ritualísticos. Nesse contexto, entre cantigas e rezas (que recebem nomes diversos conforme a Nação), destacam-se os *itãs* e os *orikis*. Nem todas as casas de Umbanda trabalham com os *itãs*. Com os *orikis*, muito poucas, certamente com maior ocorrência nas ditas cruzadas com os Cultos de Nação.

Itãs são relatos míticos da tradição iorubá, notadamente associados aos 256 Odus (16 Odus principais x 16).Conforme a tradição afro-brasileira, cada ser humano é ligado diretamente a um Odu, que lhe indica seu Orixá individual, bem como sua identidade mais profunda. Variações à parte (Nações, casas etc.), os dezesseis Odus principais são assim distribuídos:

CAÍDAS	ODUS	REGÊNCIAS
01 búzio aberto e 15 búzios fechados	Okanran	Fala: Exu Acompanham: Xangô e Ogum
02 búzios abertos e 14 búzios fechados	Eji-Okô	Fala: Ibejis Acompanham: Oxóssi e Exu
03 búzios abertos e 13 búzios fechados	Etá-Ogundá	Fala: Ogum
04 búzios abertos e 12 búzios fechados	Irosun	Fala: Iemanjá Acompanham: Ibejis, Xangô e Oxóssi
05 búzios abertos e 11 búzios fechados	Oxé	Fala: Oxum Acompanha: Exu
06 búzios abertos e 10 búzios fechados	Obará	Fala: Oxóssi Acompanham: Xangô, Oxum, Exu
07 búzios abertos e 09 búzios fechados	Odi	Fala: Omolu/Obaluaê Acompanham: Iemanjá, Ogum, Exu e Oxum
08 búzios abertos e 08 búzios fechados	Eji-Onilé	Fala: Oxaguiã
09 búzios abertos e 07 búzios fechados	Ossá	Fala: Iansã Acompanham: Iemanjá, Obá e Ogum
10 búzios abertos e 06 búzios fechados	Ofun	Fala: Oxalufã Acompanham: Iansã e Oxum
11 búzios abertos e 05 búzios fechados	Owanrin	Fala: Oxumaré Acompanham: Xangô, Iansã e Exu
12 búzios abertos e 04 búzios fechados	Eji-Laxeborá	Fala: Xangô
13 búzios abertos e 03 búzios fechados	Eji-Ologbon	Fala: Nanã Buruquê Acompanha: Omolu/Obaluaê
14 búzios abertos e 02 búzios fechados	Iká-Ori	Fala: Ossaim Acompanham: Oxóssi, Ogum e Exu
15 búzios abertos e 01 búzio fechado	Ogbé-Ogundá	Fala: Obá
16 búzios abertos	Alafiá	Fala: Orunmilá

O vocábulo *itã* quase não é empregado na Umbanda, contudo, os relatos míticos/mitológicos se disseminam, com variações, adaptações etc.

Uma das características da *Espiritualidade do Terceiro Milênio* é a (re)leitura e a compreensão do simbólico. Muitos devem se perguntar como os Orixás podem ser tão violentos, irresponsáveis e mesquinhos, como nas histórias aqui apresentadas. Com todo respeito aos que crêem nesses relatos ao pé da letra, as narrativas são caminhos simbólicos riquíssimos encontrados para tratar das energias de cada Orixá e de valores pessoais e coletivos. Ao longo do tempo, puderam ser ouvidas e lidas como índices religiosos, culturais, pistas psicanalíticas, oratura e literatura.

Para vivenciar a espiritualidade das religiões de matriz africana de maneira plena, é preciso distinguir a letra e o espírito, não apenas no tocante aos mitos e às lendas dos Orixás, mas também aos pontos cantados, aos *orikis,* etc. Quando se desconsidera esse aspecto, existe a tendência de se desvalorizar o diálogo ecumênico e inter-religioso, assim como a vivência pessoal da fé. O simbólico é um grande instrumento para a reforma íntima, o auto-aperfeiçoamento, a evolução.

Ressignificar esses símbolos, seja à luz da fé ou da cultura, é valorizá-los ainda mais, em sua profundidade e também em sua superfície, ou seja, em relação ao espírito e ao corpo, à transcendência e ao cotidiano, uma vez que tais elementos se complementam.

Um ouvinte/leitor mais atento à interpretação arquetípica psicológica (ou psicanalítica) certamente se encantará com as camadas interpretativas da versão apresentada, por exemplo, para o relato do ciúme que envolve Obá e Oxum em relação ao marido, Xangô. Os elementos falam por si: Oxum simula cortar as duas orelhas para agradar ao marido; Obá, apenas uma (o ciúme, como forma de apego, é uma demonstração de afeto distorcida e unilateral, embora, geralmente, se reproduza no outro, simbioticamente, pela lei de atração dos semelhantes - segundo a qual não há verdugo e vítima, mas cúmplices, muitas vezes inconscientes). A porção mutilada do ser é a orelha, a qual, na abordagem holística, associa-se ao órgão sexual feminino, ao aspecto do côncavo, e não do convexo. Aliás, *auricula* (*orelha*, em latim) significa, literalmente, *pequena vagina*. O fato de não haver relação direta entre latim e iorubá apenas reforça que o inconsciente coletivo e a sabedoria ancestral são comuns a todos e independem de tempo e espaço.

ORIKIS

Conforme já mencionado, não é comum encontrar *orikis* na Umbanda, entretanto, por seu valor cultural e pela carga de significação/ressignificação dos Orixás que representam, vale mencionar que, segundo a definição de Nei Lopes, *oriki* é "uma espécie de salmo, o cântico de louvor da tradição iorubá, usualmente declamado ao ritmo de um tambor, composto para ressaltar atributos e realizações de um orixá, um indivíduo, uma família ou uma cidade".

Enquanto gênero, o *oriki* é constantemente trazido da oratura para a literatura, sofrendo diversas alterações.

PONTOS CANTADOS

Na Umbanda, os pontos cantados são alguns dos responsáveis pela manutenção da vibração das giras e de outros trabalhos. Verdadeiros mantras, mobilizam forças da natureza, atraem determinadas vibrações, Orixás, Guias e Entidades.

Com diversas finalidades, o ponto cantado impregna o ambiente de determinadas energias enquanto o libera de outras, representa imagens e traduz sentimentos ligados a cada vibração, variando de Orixá para Orixá, Linha para Linha, circunstância para circunstância, etc. Aliado ao toque e às palmas, o ponto cantado é um fundamento bastante importante na Umbanda e em seus rituais.

Em linhas gerais, dividem-se os pontos cantados em pontos de raiz (trazidos pela Espiritualidade) e terrenos (elaborados por encarnados e apresentados à Espiritualidade, que os ratifica).

MPB

Há pontos cantados que migraram para a Música Popular Brasileira (MPB) e canções de MPB que são utilizadas como pontos cantados em muitos templos.

ORAÇÕES

Na oração, mais importantes que as palavras são a fé e o sentimento. Entretanto, as palavras têm força e servem como apoio para expressar devoção, alegria, angústias, etc.

Vale lembrar que, tanto na letra (palavras) quanto no espírito (motivação, sentimento), JAMAIS uma prece deve ferir o livre-arbítrio de outrem. Ademais, ao orar, deve-se também abrir o coração para ouvir as respostas e os caminhos enviados pela Espiritualidade de várias maneiras, durante a própria prece e ao longo de inúmeros momentos e oportunidades no decorrer da caminhada evolutiva de cada um.

Na apresentação de alguns Orixás, a título de exemplo, são acrescidas orações dedicadas a eles ou aos santos católicos com os quais são sincretizados.

ORIXÁS NA UMBANDA

Etimologicamente e em tradução livre, Orixá significa "a divindade que habita a cabeça" (em iorubá, *ori* é cabeça, enquanto *xá* é rei, divindade), associado comumente ao diversificado panteão africano, trazido à América pelos negros escravos. A Umbanda Esotérica, por sua vez, reconhece no vocábulo Orixá a corruptela de *Purushá*, significando "Luz do Senhor" ou "Mensageiro do Senhor".

Cada Orixá relaciona-se a pontos específicos da natureza, os quais são também pontos de força de sua atuação. O mesmo vale para os chamados quatro elementos: fogo, terra, ar e água. Portanto, os Orixás são agentes divinos, verdadeiros ministros da Divindade Suprema (Deus, Princípio Primeiro, Causa Primeira, etc.), presentes nas mais diversas culturas e tradições espirituais/religiosas, com nomes e cultos diversos, como os Devas indianos, por exemplo. Visto que o ser humano e seu corpo estão em estreita relação com o ambiente (o corpo humano em funcionamento contém em si água, ar, componentes associados à terra, além de calor, relacionado ao fogo), seu Orixá pessoal tratará de cuidar para que essa relação seja a mais equilibrada possível. Tal Orixá, "Pai" ou "Mãe de Cabeça", é conhecido comumente como *Eledá* e será responsável pelas características físicas, emocionais, espirituais, dentre outras de seu filho, de modo a espelhar nele os arquétipos de suas características, encontrados nos mais diversos mitos e lendas dos outros Orixás. Estes auxiliarão o *Eledá* nessa tarefa conhecidos como *Juntós*, ou *Adjuntós*, conforme a ordem de influência sobre o filho, e ainda outros.

Na chamada *coroa* de um médium de Umbanda ainda aparecem os Guias e as Entidades, em trama e enredo bastante diversificados (embora, por exemplo, geralmente se apresente para cada médium um Preto-Velho, há outros que o auxiliam, e esse mesmo Preto-Velho poderá, por razões diversas, dentre elas missão cumprida, deixar seu médium e partir para outras missões, inclusive em outros planos).

De modo geral, a Umbanda não considera os Orixás que descem ao terreiro energias e/ou forças supremas desprovidas de inteligência e individualidade. Para os africanos (e tal conceito reverbera fortemente no Candomblé), Orixás são ancestrais divinizados, que incorporam conforme a ancestralidade, as afinidades e a coroa de cada médium. No Brasil, teriam sido confundidos com os chamados *Imolês*, isto é, Divindades Criadoras, acima das quais aparece um único Deus: Olorum ou Zâmbi. Na linguagem e na concepção umbandistas, portanto, quem incorpora numa gira de Umbanda não são os Orixás propriamente ditos, mas seus falangeiros, em nome dos próprios Orixás. Tal concepção está de acordo com o conceito de ancestral (espírito) divinizado (e/ou evoluído) vivenciado pelos africanos que para cá foram trazidos como escravos. Mesmo que essa visão não seja consensual (há quem defenda que tais Orixás já encarnaram, enquanto outros segmentos umbandistas – a maioria, diga-se de passagem – rejeitam esse conceito), ao menos se admite no meio umbandista que o Orixá que incorpora possui um grau adequado de adaptação à energia dos encarnados, o que seria incompatível para os Orixás hierarquicamente superiores. Na pesquisa feita por Miriam de Oxalá a respeito da ancestralidade e da divinização de ancestrais, aparece, dentre outras fontes, a célebre pesquisadora Olga Guidolle Cacciatore, para quem:

> "os Orixás são intermediários entre Olorun, ou melhor, entre seu representante (e filho), Oxalá e os homens. Muitos deles são antigos reis, rainhas ou heróis divinizados, os quais representam as vibrações das forças elementares da Natureza – raios, trovões, ventos, tempestades, água, fenômenos naturais como o arco-íris, atividades econômicas do homem primitivo – caça, agricultura – ou minerais, como o ferro que tanto serviu a essas atividades de sobrevivência, assim como às de extermínio na guerra".

Entretanto, como o tema está sempre aberto ao diálogo, à pesquisa, ao registro de impressões, há outros pontos de vista, como o do médium umbandista e escritor Norberto Peixoto, para quem é possível incorporar a forma-pensamento de um Orixá, que seria plasmada e mantida pelas mentes dos encarnados. Em um relato, diz:

> "Era dia de sessão de Preto(a)-Velho(a). Estávamos na abertura dos trabalhos, na hora da defumação. O congá 'repentinamente' ficou vibrado

com o orixá Nanã, que é considerado a mãe maior dos orixás e o seu axé (força) é um dos sustentadores da egrégora da Casa desde a sua fundação, formando par com Oxóssi. Faltavam poucos dias para o amaci (ritual de lavagem da cabeça com ervas maceradas), que tem a finalidade de fortalecer a ligação dos médiuns com os orixás regentes e guias espirituais. Pedi um ponto cantado de Nanã Buruquê, antes dos cânticos habituais. Fiquei envolvido com uma energia lenta, mas firme. Fui transportado mentalmente para a beira de um lago lindíssimo e o orixá Nanã me 'ocupou', como se entrasse em meu corpo astral ou se interpenetrasse com ele, havendo uma incorporação total. (...) Vou explicar com sinceridade e sem nenhuma comparação, como tanto vemos por aí, como se a manifestação de um ou outro (dos espíritos na Umbanda versus dos Orixás em outros cultos) fosse mais ou menos superior, conforme o pertencimento de quem os compara a uma ou outra religião. A 'Entidade' parecia um 'robô', um autômato sem pensamento contínuo, levado pelo som e pelos gestos. Sem dúvida, houve uma intensa movimentação de energia benfeitora, mas durante a manifestação do Orixá minha cabeça ficou mentalmente vazia, como se nenhuma outra mente ocupasse o corpo energético do Orixá que dançava, o que acabei sabendo depois tratar-se de uma forma-pensamento plasmada e mantida 'viva' pelas mentes dos encarnados".

No cotidiano dos terreiros, por vezes o vocábulo Orixá é utilizado também para Guias. Nessas casas, por exemplo, é comum ouvir alguém dizer antes de uma gira de Pretos-Velhos: "Precisamos preparar mais banquinhos, pois hoje temos muitos médiuns e, portanto, aumentará o número de Orixás em terra."

São diversas as classificações referentes aos Orixás na Umbanda. A título de exemplo, observe-se a tabela abaixo:

1. Orixás Virginais	Responsáveis pelo reino virginal.
2. Orixás Causais	Aferem carma causal.
3. Orixás Refletores	Responsáveis pela coordenação da energia (massa).
4. Orixás Originais	Recebem dos três graus anteriores as vibrações universais.

5. Orixás Supervisores	Supervisionam as leis universais.
6. Orixás Intermediários	Senhores dos tribunais solares do Universo Astral.
7. Orixás Ancestrais	Senhores da hierarquia planetária.

Há também diversas classificações sobre os graus de funções dos Orixás, como a que segue abaixo:

Categoria	Grau	Denominação
Orixá Maior	-	-
Orixá Menor	1º.	Chefe de Legião
Orixá Menor	2º.	Chefe de Falange
Orixá Menor	3º.	Chefe de Subfalange
Guia	4º.	Chefe de Grupamento
Protetor	5º.	Chefe Integrante de Grupamento
Protetor	6º.	Subchefe de Grupamento
Protetor	7º.	Integrante de Grupamento

Os Orixás conhecidos na Umbanda são os Ancestrais, subordinados a Jesus Cristo, governador do Planeta Terra. Os mais comuns na Umbanda são Oxalá, Ibejis, Obaluaê, Ogum, Oxóssi, Xangô, Iansã, Iemanjá, Nanã, Oxum (desses, apenas os Ibejis não assumem a chamada *Tríade do Coronário* dos médiuns, isto é, Eledá e Adjuntós).

Orixás pessoais compõem a banda visível e/ou invisível de um médium. São Orixás (bem como Guias e Guardiões, na terminologia cotidiana dos terreiros) individualizados, que trabalharão com determinado médium, em fundamento e/ou manifestação explícita, em especial na incorporação, por meio da intuição e outros tantos meios.

CARACTERÍSTICAS DO ESTUDO DOS ORIXÁS

Características

Após a apresentação de cada Orixá, especialmente os que são cultuados na Umbanda de modo geral, seguem algumas informações básicas, conforme a lista abaixo, que permitem a identificação e o reconhecimento do Orixá. Evidentemente, tais informações variam da Umbanda para o Candomblé, de região para região, de templo para templo.

Animais: associados aos Orixás.

Bebidas: as mais comuns na Umbanda.

Chacras: centros de energia regidos pelo Orixá.

Cor: a mais característica na Umbanda (entre parênteses, as cores mais comuns no Candomblé).

Comemoração: data mais comum para a festa do Orixá.

Comidas: as mais comuns na Umbanda (lembrando que, mesmo quando a Umbanda se utiliza de carne, não realiza sacrifícios). As comidas são oferecidas como presentes, agradecimentos, reforço do Axé. Além disso, a Espiritualidade manipula tais elementos para o bem, a defesa, a proteção, o fortalecimento dos indivíduos e da comunidade.

Contas: cores mais características das guias na Umbanda (entre parênteses, as cores mais comuns no Candomblé)

Corpo humano e saúde: partes do corpo regidas pelo Orixá ou mais suscetíveis a doenças (somatização de desequilíbrios).

Elemento: o mais característico dentre fogo, água, terra e ar.

Elementos incompatíveis: as chamadas quizilas (Angola), os euós (iorubá) ou contra-axé são energias que destoam das energias dos Orixás, seja no tocante à alimentação, aos hábitos, às cores, etc. No caso da Umbanda, as restrições alimentares, de bebidas, cores, etc. ocorrem nos dias de gira, em períodos e situações específicas. Fora isso, tudo pode ser consumido, sempre de modo equilibrado. Contudo, como no Candomblé, há elementos incompatíveis em fundamentos, cores, banhos, etc.

Ervas: as mais utilizadas (os nomes variam conforme as regiões).

Essências: associadas ao Orixá.

Flores: associadas ao Orixá.

Metal: associado ao Orixá (às vezes, mais de um metal).

Pedras: associadas ao Orixá.

Planeta: astro relacionado ao Orixá (neste item, nem todo astro, segundo a Astronomia, é planeta, contudo, essa é a terminologia mais comum nos estudos espiritualistas, esotéricos, etc.).

Pontos da natureza: pontos de força regidos pelo Orixá.

Saudação: fórmula de invocação e cumprimento ao Orixá.

Símbolos: ícones que remetem ao Orixá e/ou a suas características.

Sincretismo: associação com santos católicos, por aproximação, conforme as diversas qualidades do Orixá.

OXALÁ

Orixá maior, responsável pela criação do mundo e do homem. Pai de todos os demais Orixás, Oxalá (Orinxalá ou Obatalá) foi quem deu ao homem o livre-arbítrio para trilhar seu próprio caminho.

Possui duas qualidades básicas: Oxalufã (o Oxalá velho) e Oxaguiã (o Oxalá novo). Enquanto o primeiro é sincretizado com Deus Pai cristão, o segundo encontra correspondência com Jesus Cristo e, de modo especial, com Nosso Senhor do Bonfim. Também há uma correlação entre Oxalá e Jesus menino, daí a importância especial da festa do Natal para algumas casas.

Oxalá representa sabedoria, serenidade, a pureza do branco (o funfun), o respeito.

Características

Animais: caramujo, pombo branco.

Bebidas: água, água de coco.

Chacra: coronário.

Cor: branco.

Comemoração: Festa do Senhor do Bonfim.

Comidas: canjica (talvez seja sua comida mais conhecida); arroz--doce.

Contas: brancas leitosas.

Corpo humano e saúde: todo o corpo, em especial o aspecto psíquico.

Dias da semana: sexta-feira e domingo.

Elemento: ar.

Elementos incompatíveis: bebida alcoólica, dendê, sal, vermelho.

Ervas: a mais conhecida talvez seja o tapete-de-oxalá (boldo).

Essências: aloés, laranjeira e lírio.

Flores: brancas, especialmente o lírio.

Metal: ouro (para alguns, prata).

Pedras: brilhante, cristal de rocha, quartzo leitoso.

Planeta: Sol.

Pontos da natureza: praia deserta ou colina descampada.

Saudação: *Epa Babá*!

Símbolo: opaxorô (cajado metálico de Oxalufã, com discos prateados paralelos em cujas bordas são colocados pequenos objetos simbólicos).

Sincretismo: Deus Pai, Jesus Cristo (em especial, Senhor do Bonfim).

SINCRETISMO

SENHOR DO BONFIM

(Lavagem do Bonfim: terceira quinta-feira de janeiro).

A devoção ao Senhor do Bonfim, em Salvador, destaca-se no século XVIII por uma promessa feita por um capitão de mar e guerra que, cumprindo-a, fez trazer uma imagem de Setúbal (Portugal). A imagem ficou na Igreja da Penha até 1754, quando foi transferida para a parte interna da Capela do Bonfim, que já estava pronta.

A Festa da Lavagem do Bonfim é um ritual sincrético que remonta às chamadas Águas de Oxalá, celebradas especialmente no Candomblé com ritual próprio.

REGISTROS

Itãs

Oxalá e Exu disputavam para ver quem era o Orixá mais antigo. Então, foi-lhes proposta uma luta. Os dois foram até Ifá; contudo, apenas Oxalá realizou oferendas.

Numa praça em Ifé, no dia combinado, Oxalá derrubou Exu três vezes. Três vezes Exu se levantou.

Os que acompanhavam a luta diziam para Exu usar seus poderes mágicos. Então, Exu pegou uma pequena cabaça, abrindo-a na direção de Oxalá. Uma fumaça branca descoloriu a pele de Oxalá, que tentou voltar à cor original, mas não conseguiu.

O golpe da vitória foi de Oxalá, que obrigou Exu a lhe entregar a cabaça de onde saíra a fumaça branca. Exu assim o fez.

Assim, Oxalá foi aclamado vencedor. Para sempre ficou com a cabaça de Exu. Desde então, Oxalá passou a marcar seus devotos como albinos.

* * *

Oxalá perguntou a Ifá, por meio dos babalaôs, qual o melhor caminho para sua vida. Os babalaôs o aconselharam a fazer uma oferenda com uma cabaça de sal e um pano branco para não sofrer dificuldades. Oxalá desconsiderou o conselho.

Enquanto Oxalá dormia, Exu entrou em sua casa e amarrou uma cabaça de sal nas costas de Oxalá, que, quando acordou pela manhã, estava corcunda.

Oxalá tornou-se protetor dos corcundas, dos aleijados e dos albinos e nunca mais consumiu sal.

Na África, sobretudo, afirma-se que albinos, corcundas e outros são regidos por Oxalá.

* * *

Oxalá era rei de Ejigbô, estava sempre guerreando e tinha um grande apetite. Comia pombos, caracóis e canjica; contudo, seu prato predileto era o inhame. Como era demorado amassar o inhame, as refeições duravam um longo período.

Então, após consultar os babalôs e oferendar Exu, inventou o pilão. Pôde, assim, comer à vontade e dedicar-se à guerra. Ele, que já era conhecido por muitos nomes, também passou a ser chamado de Oxaguiã, ou seja, "Orixá que come inhame pilado".

O pilão é associado ao Orixá e aparece como elemento simbólico em rituais como as celebrações das Águas de Oxalá.

* * *

Dois irmãos disputavam o reino do pai. O príncipe mais novo venceu a disputa e, conforme o costume, deveria matar o irmão para evitar futuras vinganças. Por amar demais o irmão, não o matou, mas cortou-lhe o pênis - evitando, assim, que tivesse descendentes. E, para que o príncipe derrotado não vivesse sozinho, deu-lhe uma esposa; porém, costurou-lhe a vagina, para que não tivesse relações sexuais com outros homens.

O casal foi viver em um lugar afastado, trabalhando para Oxaguiã. O homem cultivava os inhames e a esposa os pilava para Oxaguiã, que percebia o quanto o casal vivia triste.

No reino do irmão vencedor, a peste aniquilou a todos.

Oxaguiã, com pena do casal, abriu a vagina da mulher e fez um pênis para o homem com a massa do inhame. O casal teve relações sexuais e teve muitos filhos.

Em dias de preceito, homem e mulher não mantêm relações sexuais em lembrança ao tempo em que não podiam sentir os prazeres do corpo e ter filhos, situação revertida pelo Orixá, que deve ser honrado e reverenciado.

Oxalá, Pai da Vida e aquele que formou o corpo humano, também aparece aqui como patrono da reprodução.

* * *

Antes, o mundo era cheio de água, um verdadeiro pântano sem terra firme. No Orum (em tradução livre: Plano Espiritual, Céu) viviam, além de Olorum, os Orixás, que vez ou outra vinham ao Aiê (em tradução livre: Terra) para brincar nos pântanos, descendo por teias de aranha. Até que, um dia, Olorum chamou Oxalá, dizendo querer criar terra firme no Aiê e encarregando dessa tarefa o grande Orixá - a quem deu uma concha, uma pomba e uma galinha com cinco dedos em cada pé.

Oxalá desceu até o pântano e verteu a terra da concha, colocando sobre ela a pomba e a galinha, que começaram a ciscar, espalhando a terra da concha até se formar terra firme por toda parte. Oxalá foi até Olorum e lhe comunicou o resultado da tarefa. Olorum enviou um camaleão ao Aiê, o qual não pôde andar no solo pois ainda não era tão firme. O camaleão relatou a experiência a Olorum e tornou a voltar ao Aiê, onde encontrou terra realmente firme e ampla, podendo a vida ali se desenvolver.

O lugar ficou conhecido como Ifé ("ampla morada"). Oxalá prosseguiu em sua tarefa de criar o mundo e tudo o que ele contém.

Relato cosmogônico iorubá da criação do mundo. Obviamente, há outras versões.

Oriki

O oriki abaixo é uma transcriação (processo mais complexo e profundo que a tradução) do iorubá feita por Antonio Risério.

Oriki de Oxalá

Obatalá Obatarixá
Grande comedor de caracol
Faz o vivo virar vários
Verso e reverso do universo
Oleiro de crianças
Pedra no fundo da água

Oliuá ió xenxém
Cuida do ori de quem merece
Faz o estéril fértil
Cuida do ori de quem merece

Envolto no branco do branco
Dorme no branco do branco
De dentro do branco rebrilha
Ilumina o rumo do rumo.

Senhor completo
Senhor total
Pai

PONTOS CANTADOS

Pombinha branca
Pombinha que corta o ar
Meu Divino Espírito Santo
Mensageiro de Oxalá
Rezo esta prece
A Ti peço proteção
Para os filhos de Umbanda
Paz, Amor e União

Oxalá, meu Pai
Aceita esta romaria (2X)
Teus filhos que vêm de longe, meu Pai
Não podem vir todo dia (2X)

Na Umbanda, todos se reúnem sob as bênçãos de Oxalá, conforme registram os dois pontos cantados acima.

MPB

Toda sexta-feira
(Adriana Calcanhoto)

Toda sexta-feira, toda roupa é branca
Toda pele é preta
Todo mundo canta
Todo céu magenta
Toda sexta-feira, todo canto é santo
E toda conta
Toda gota
Toda onda
Toda moça
Toda renda
Toda sexta-feira
Todo o mundo é baiano junto

Na sexta-feira, o Povo de Santo, sobretudo os candomblecistas, vestem-se de branco. A cidade de Salvador adotou essa tradição - a qual, aliás, vem dos antigos *haussás*[6] escravizados no Brasil.

Hino do Senhor do Bonfim
(Arthur de Salles e João Antônio Wanderley)

Glória a ti neste dia de glória
Glória a ti, Redentor, que há cem anos
Nossos pais conduziste à vitória
Pelos mares e campos baianos

Refrão
Desta sagrada colina

6 *Haussá: relativo aos haussás*, povo que vive no oeste do Sahel

Mansão da misericórdia
Dai-nos a graça divina
Da justiça e da concórdia

Glória a ti nessa altura sagrada
És o eterno farol, és o guia
És, senhor, sentinela avançada
És a guardo imortal da Bahia.

Aos teus pés que nos deste o direito
Aos teus pés que nos deste a verdade
Trata e exulta num férvido preito
A alma em festa da nossa cidade

O hino foi composto em 1923, e trata da relação sincrética entre Oxalá e o Senhor do Bonfim.

OGUM

Filho de Iemanjá, irmão de Exu e Oxóssi, deu a este último suas armas de caçador. Orixá do sangue que sustenta o corpo, da espada, da forja e do ferro, é padroeiro daqueles que manejam ferramentas, tais como barbeiros, ferreiros, maquinistas de trem, mecânicos, motoristas de caminhão, soldados e outros. Patrono dos conhecimentos práticos e da tecnologia, simboliza a ação criadora do homem sobre a natureza, a inovação, a abertura de caminhos em geral. Foi casado com Iansã e posteriormente com Oxum, entretanto, vive só, pelas estradas, lutando e abrindo caminhos.

Senhor dos caminhos (isto é, das ligações entre lugares, enquanto Exu é o dono das encruzilhadas, dos caminhos em si) e das estradas de ferro, protege as portas de casas e templos. Sendo senhor da faca, no Candomblé, suas oferendas rituais vêm logo após as de Exu. Vale lembrar que, tradicionalmente, o Ogã de faca, responsável pelo corte (sacrifício animal), chamado Axogum, deve ser filho de Ogum.

Responsável pela aplicação da Lei, é vigilante, marcial, atento. Na Umbanda, Ogum é o responsável maior pela vitória contra demandas (energias deletérias) enviadas contra alguém, uma casa religiosa etc. Sincretizado com São Jorge, assume a forma mais popular de devoção, por meio de orações, preces, festas e músicas diversas a ele dedicadas.

Características

Animais: cachorro, galo vermelho.

Bebida: cerveja branca.

Chacra: umbilical.

Cor: vermelha (azul rei, verde).

Comemoração: 23 de abril.

Comidas: cará, feijão mulatinho com camarão e dendê, manga espada.

Contas: contas e firmas vermelhas leitosas.

Corpo humano e saúde: sistema nervoso, mãos, pulso, sangue.

Dia da semana: terça-feira.
Elemento: fogo.
Elemento incompatível: quiabo.
Ervas: peregum verde, são-gonçalinho, quitoco, mariô, lança--de-Ogum, coroa-de-Ogum, espada-de-Ogum, canela-de-macaco, erva-grossa, parietária, nutamba, alfavaquinha, bredo, cipó-chumbo.
Essência: violeta.
Flores: cravos, crista de galo, palmas vermelhas.
Metais: ferro, aço e manganês.
Pedras: granada, rubi, sardio, lápis-lazúli, topázio azul.
Planeta: Marte.
Pontos da natureza/de força: estradas e caminhos, estradas de ferro, meio da encruzilhada.
Saudação: *Ogum iê!*; *Patacori!* – esta saudação a Ogum significa "Cabeça coroada!" ou "Aquele que corta cabeças!". A segunda acepção pode parecer violenta, mas, na Umbanda, entende-se que Ogum corta o Ori dos pensamentos velhos, para que o Ori renovado cresça, se desenvolva.
Símbolos: espada, ferramentas, ferradura, escudo, lança.
Sincretismo: São Jorge, Santo Antônio.

SINCRETISMO

SÃO JORGE
(23 de abril)
Mártir da fé cristã do século IV, cavaleiro da Capadócia que, segundo a lenda, teria vencido um dragão.

REGISTROS

Itãs

Em Ifé, Orixás e seres humanos conviviam, caçavam e plantavam com instrumentos de madeira, metal mole ou pedra.

A população cresceu de tal forma que começou a escassear alimento. Os Orixás se reuniram para deliberar sobre o aumento da lavoura.

Ossaim se dispôs a limpar o terreno; porém seu instrumento de trabalho não tinha a firmeza suficiente, era de metal mole.

Assim aconteceu com os demais Orixás.

Ogum, que conhecia o segredo do ferro, manteve-se calado.

Quando os demais Orixás já haviam tentado limpar o terreno, Ogum conseguiu realizar a tarefa com seu facão de ferro.

Todos ficaram admirados. Ogum revelou que havia recebido de Orunmilá o segredo do ferro.

Ogum tornou-se rei e, em troca, ensinou aos Orixás e aos homens o segredo do ferro, importante para a agricultura, a caça e a guerra. Mesmo rei, Ogum continuou um caçador a embrenhar-se na mata.

Certa ocasião, voltou da floresta depois de muitos dias, sujo, foi desprezado pelos Orixás, que resolveram não tê-lo mais como rei.

Ogum banhou-se e vestiu-se com mariô (folhas de palmeiras desfiadas) depois partiu com suas armas para Irê.

Os humanos não o esqueceram e sempre o celebram como senhor do ferro. Orixá da tecnologia e da cultura (tudo o que é criado pelo homem), Ogum é patrono do progresso e do aprendizado humano.

* * *

Ogum havia partido para uma de tantas guerras das quais voltava vitorioso. Chegou a Irê, sua cidade, faminto e com sede, mas ninguém parecia notar sua presença, não falavam com ele ou mesmo olhavam em seus olhos.

A cidade toda guardava silêncio em ritual, mas Ogum não se deu conta disso. Sentindo-se ofendido, sacou sua espada e cortou a cabeça dos filhos de seu próprio povo.

Quando o período de silêncio em terminou, o filho de Ogum e os súditos que sobreviveram à matança vieram prestar-lhe homenagens. Ogum, então, se deu conta do engano e não se deu mais sossego.

Achando que não podia mais ser rei, cravou sua espada no chão, que se abriu e o engoliu. Com sua ira incontida, Ogum encontra sua sombra. Mas não se deixa paralisar pela dor e galga novo degrau evolutivo, tornando-se Orixá. Sacraliza-se e diviniza-se, assim, por meio do aprendizado doloroso, integrando sua sombra e sua luz, para poder adentrar num novo reino. Ogum foi para o Orum e, assim, tornou-se Orixá.

* * *

Ogum vivia com seus irmãos Exu e Oxóssi na casa de seu pai, Obatalá, e sua mãe, Iemanjá. Sentindo-se atraído por sua mãe, tentou violentá-la diversas vezes, sendo impedido pelos irmãos.

Um dia, o próprio pai o surpreendeu numa de suas tentativas. Antes que Obatalá o castigasse, Ogum pediu que deixasse que ele mesmo escolhesse seu castigo.

Assim, passou a viver solitário, inclusive sem os cães que tanto adorava, trabalhando. Apenas Oxóssi sabia de seu paradeiro. Ogum preparava pós especiais, e o mundo todo acabou por conhecer seu talento.

Um dia, Oxum chegou a sua casa e Ogum, tendo experimentado seus encantos, dela se enamorou.

Revogou-se, assim, seu castigo.

Este é outro relato que trata da integração de sombras e luz da personagem, por meio de aprendizado doloroso e solitário. O tema tabu do incesto e de tentativas (concretizadas ou não) de ultrapassá--lo aparece nos itãs de diversos Orixás.

Oriki

O oriki abaixo foi transcriado do iorubá por Antonio Risério:

Silêncio. Cale-se a fala.
Nada na casa em nada bata.
Inhame novo ninguém vai pilar.

Ninguém vai moer nada.
Não quero ouvir menino vagindo.
Cada mãe que amamente o seu filho.

Quando Ogum despontou
Vestido de fogo e sangue
O pênis de muitos queimou
Vagina de muitas queimou.

Senhor do ferro
Que enraivecido se morde
Que fere, ferroa e engole
Não me morda.

Ogum foi a Pongá - Pongá ruiu
Foi a Akô Irê - Irê ruiu
Chegou ao rio - e as águas dividiu.

Terror que golpeia a vizinhança.
Ogum Oboró, comedor de cães, toma teus cães.
Ogum Onirê sorve sangue.
Molamolá fareja farelos.
Dono da lâmina, cabelo come
Senhor da circuncisão, come caracol
Ogum entalhador, madeira come.
Suminiuá, Ajokeopô.
Não me torture, Ogum terror.
Mão comprida
Que livra teus filhos do abismo
Livra-me.

Ogum é retratado em seus aspectos mais terríveis e devastadores, com sua força geralmente incontida.

PONTOS CANTADOS

Querem destruir o meu reinado
Mas Ogum tá de frente
Mas Ogum tá de frente
Eu sou filho de Ogum
Tenho o meu corpo fechado
Eu sou filho de Ogum
Mal nenhum vai virar pro meu lado

Quando Oxalá criou a Umbanda
Ogum tomou conta do congá (2X)
Olhe os espinhos da roseira, Ogum iê
Não deixe seus filhos sofrer, Ogum Megê (2X)

Os dois pontos cantados acima evidenciam Ogum como cavaleiro protetor, tradicionalmente "o que vence demandas", protegendo os filhos das energias deletérias.

MPB

Ogum
(Zeca Pagodinho)

Eu sou descendente Zulu
Sou um soldado de Ogum
Um devoto dessa imensa legião de Jorge
Eu sincretizado na fé
Sou carregado de axé
E protegido por um cavaleiro nobre

Sim, vou à igreja festejar meu protetor
E agradecer por eu ser mais um vencedor
Nas lutas, nas batalhas

Sim, vou ao terreiro pra bater o meu tambor
Bato cabeça, firmo ponto sim senhor
Eu canto pra Ogum

Ogum
Um guerreiro valente que cuida da gente que sofre demais

Ogum
Ele vem de aruanda ele vence demanda de gente que faz

Ogum
Cavaleiro do céu, escudeiro fiel, mensageiro da paz

Ogum
Ele nunca balança, ele pega na lança, ele mata o dragão

Ogum
É quem dá confiança pra uma criança virar um leão

Ogum
É um mar de esperança que traz abonança pro meu coração

<u>Cowboy Jorge</u>
(Jorge Benjor)

Toca, Toca, Toca, Jorge
Toca, Toca, Toca, Jorge
Ogum [Ogum] Ogum [Ogum] Ogum [Ogum]

Dia 23 continua sendo
Dia de cowboy Jorge
Dia 23 continua sendo
Dia de cowboy Jorge

Na terra, no mar, na terra, no ar
Na terra, no mar, na terra, no ar

Jorge toca com 23 tambores
Jorge toca pra 23 amores
Jorge toca com 23 batuqueiros
Jorge toca para 23 terreiros

Na terra, no mar, na terra, no ar
Na terra, no mar, na terra, no ar

Jorge toca para Deus e para os Santos
Toca pra as crianças e para os anjos
Toca para seu amigo que sofre do coração
Toca para o bem geral da nação

Toca para alegria dominical
Toca para o homem e o animal
Toca para um gol de placa
Para a sensualidade da sua amada

Na terra, no mar, na terra, no ar
Na terra, no mar, na terra, no ar

Jorge toca para a lua e para o sol
Toca para a chuva e para o vento
Toca para o acontecimento do nascimento
Dessa criança, dessa esperança
Dessa bonança, salve essa criança

Na terra, no mar, na terra, no ar
Na terra, no mar, na terra, no ar

Toca, Toca, Toca, Jorge
Toca, Toca, Toca, Jorge
Ogum [Ogum] Ogum [Ogum] Ogum [Ogum]

Ogum de ronda
(Roque Ferreira e Paulo César Pinheiro)

Na ronda de Ogum
Meu Santo protetor
Com o poder de sua espada
Eu defendo meu amor
É o guardião da Terra
O maior dos Orixás
Ogum é o deus da guerra
Mas guerreia pela paz
Onde eu for que o mal se esconda
E não saia de onde está
Porque eu tenho Ogum de Ronda
No clarão do meu olhar.

Tem samba no mar
(Roque Ferreira e Paulo César Pinheiro)

O cavalo de São Jorge foi passear na areia
Vamos fazer samba que o santo guerreiro hoje está na aldeia
Tem samba no mar, sereia
Tem samba no mar, sereia
Oi, tem samba no mar, sereia
Tem samba no mar, sereia

É que diz o povo
Que hoje a poliça não "contrareia"
Tem samba no mar, sereia
Tem samba no mar, sereia

Quando o cavalo de São Jorge "corcoveia"
O que é que cai de seu alforje, lua cheia
Luz que "alumeia" quem samba na beira do mar, sereia
Luz que clareia no samba só me faz lembrar candeia

Vem sambar, que tem samba no mar
Vem sambar que tem samba no mar
Não "vadeia" "quelé" Clementina, não "vadeia"

Eu queria poder pegar na cintura dela
Eu queria poder pegar na cintura dela
Mas seu namorado está de olho nela
Mas seu namorado está de olho nela

O cavalo de São Jorge foi passear na areia
Vamos fazer samba enquanto o cavalo de Ogum passeia
Tem samba no mar, sereia
Tem samba no mar, sereia
Oi, tem samba no mar, sereia
Tem samba no mar, sereia...

Na Música Popular Brasileira, Ogum foi sincretizado com São Jorge, figura como o grande cavaleiro protetor, defensor, força potente a isolar e proteger de energias negativas, abrindo os caminhos de todos e auxiliando a caminhar com mais firmeza.

ORAÇÕES

Orações populares de devoção católica, umbandista e outros. Geralmente, quando se fala em "Oração de São Jorge", pensa-se logo na primeira parte da primeira oração transcrita abaixo:

Oração de São Jorge

Eu andarei vestido e armado com as armas de São Jorge. Para que meus inimigos, tendo pés, não me alcancem; tendo mãos, não me peguem; tendo olhos, não me enxerguem; que nem pensamentos eles possam ter para me fazerem mal. Armas de fogo o meu corpo não alcançarão; que faca e lanças se quebrem sem ao meu corpo chegar; cordas e correntes se quebrem sem ao meu corpo amarrar.

São Jorge, cavaleiro corajoso, intrépido e vencedor; abre os meus caminhos. Ajuda-me a conseguir um bom emprego; fazei com que eu seja bem quisto por todos: superiores, colegas e subordinados. Que a paz, o amor e a harmonia estejam sempre presentes no meu coração, no meu lar e no meu serviço. Vela por mim e pelos meus, protegendo-nos sempre, abrindo e iluminando os nossos caminhos, ajudando-nos também a transmitirmos paz, amor e harmonia a todos que nos cercam. Amém.

(Após a oração, rezar um Pai Nosso, uma Ave Maria e uma Glória ao Pai)

Oração da Espada-de-São Jorge

Oh! Glorioso Guerreiro São Jorge! Eu te suplico, confiante de que serei atendido. Neste momento difícil da minha vida, em nome de Nosso Senhor Jesus Cristo, com Vossa Espada de Luta, venha cortar todo o mal e, principalmente, (fazer o pedido).

Com a força do teu poder de defesa, eu me coloco na proteção do teu escudo, para o bom combate contra todo o mal ou influência negativa que estiver em meu caminho. Amém.

São Jorge Cavaleiro, guia-me. São Jorge Guerreiro, defende-me. São Jorge Mártir, protege-me.

Todo devoto de São Jorge deve usar a espada sempre que rezar esta oração.

Oração da vela de São Jorge

Glorioso São Jorge! Pelos vossos merecimentos, pelas vossas virtudes, pela grandiosa fé em nosso Senhor Jesus Cristo; por Deus fostes constituído em protetor de todos que a Ti recorrem. Necessitando de vossa proteção, vinde em meu auxílio e levai à presença de Deus o apelo que agora vos faço. (Fazer aqui o pedido)

São Jorge, ofereço esta vela e vos peço: protegei-me, guardai-me e guiai-me por todos os meus caminhos com felicidade, paz e salvamento; para que eu consiga rapidamente, através de vossa proteção, a graça que estou suplicando. Amém.

Oração a São Jorge

Ó, Deus Onipotente, que nos protegeis pelos méritos e as bênçãos de São Jorge, fazei com que este grande mártir, com sua couraça, sua espada e seu escudo, que representam a fé, a esperança e a inteligência, ilumine os nossos caminhos, fortaleça o nosso ânimo nas lutas da vida, dê firmeza à nossa vontade contra as tramas do maligno; para que, vencendo na terra, como São Jorge venceu, possamos triunfar no céu convosco e participar das eternas alegrias. Amém.

Oração poderosa da chave de São Jorge

Com esta chave abençoada, eu peço a Deus pela intercessão de São Jorge. Que me conceda a graça de abrir meu coração para o bem; meus caminhos para os bons negócios, as portas da prosperidade, da caridade e da paz para eu viver sempre feliz.

Com esta chave, em nome de Deus, eu fecho o meu corpo contra as maldades deste mundo; contra as perseguições e espíritos malignos. Que meu anjo da guarda sempre me ilumine e me guarde. Com o poder da fé, misericórdia de Deus e a ajuda de São Jorge. Amém.

Oração do Manto de São Jorge

São Jorge, Guerreiro vencedor do dragão, rogai por nós.

São Jorge, militar valoroso, que com a vossa lança abateste e venceste o dragão feroz, vinde em meu auxílio; nas tentações do demônio, nos perigos, nas dificuldades, nas aflições. Cobri-me com o vosso manto, ocultando-me dos meus inimigos, dos meus perseguidores. Protegido por vosso manto, andarei por todos os caminhos, viajarei por todos os mares, de noite e de dia, e os meus inimigos não me verão, não me ouvirão, não me acompanharão. Sob a vossa proteção, não cairei, não derramarei o meu sangue, não me perderei. Assim como o Salvador esteve nove meses no seio de Nossa Senhora, assim eu estarei bem guardado e protegido, sob o vosso manto, tendo sempre São Jorge à minha frente, armado de sua lança e do seu escudo. Amém.

OXÓSSI

Irmão de Exu e Ogum, filho de Oxalá e Iemanjá (ou, em outras lendas, de Apaoka, a jaqueira), rei de Ketu e Orixá da caça e da fartura. Associado ao frio, à noite e à lua, suas plantas são refrescantes. É ligado à floresta, à árvore, aos antepassados.

Oxóssi, enquanto caçador, ensina o equilíbrio ecológico, ao contrário do aspecto predatório da relação do homem com a natureza; a concentração, a determinação e a paciência necessárias para a vida ao ar livre.

Rege a lavoura e a agricultura. Na Umbanda, de modo geral, amalgamou-se ao Orixá Ossaim quanto aos aspectos medicinais, espirituais e ritualísticos das folhas e plantas. Como a figura mítica do indígena habitante da floresta é bastante forte no Brasil, a representação de Oxóssi pode aproximar-se mais do índio do que do negro africano. Não à toa, Oxóssi rege a Linha dos Caboclos - o Candomblé, em muitos Ilês, abriu-se para o culto aos Caboclos de maneira explícita (ou mesmo camuflada, para não desagradar aos mais tradicionalistas).

No âmbito espiritual, Oxóssi caça os espíritos perdidos, buscando trazê-los para a Luz. Sábio mestre e professor, representa a sabedoria e o conhecimento espiritual, com os quais alimenta os filhos, fortificando-os na fé.

Características

Animais: javali, tatu, veado e qualquer tipo de caça.
Bebidas: água de coco, aluá, caldo de cana, vinho tinto.
Chacra: esplênico (segundo chacra)

Cores: verde (azul celeste claro).

Comemoração: 20 de janeiro.

Comidas: axoxô, carne de caça, frutas.

Contas: verdes leitosas (azul turquesa, azul claro).

Corpo humano e saúde: aparelho respiratório.

Elemento: terra.

Elementos incompatíveis: cabeça de bicho (em cortes ou alimentos), mel, ovo.

Ervas: alecrim, guiné, vence-demanda, abre-caminho, peregum verde, taioba, espinheira-santa, jurema, jureminha, mangueira, desata-nó, erva-de-Oxóssi, erva-da-jurema.

Essência: alecrim.

Flores: flores do campo.

Metais: bronze, latão.

Pedras: amazonita, esmeralda, calcita verde, quartzo verde, turquesa.

Planeta: Vênus.

Pontos da natureza: matas.

Saudação: *Okê Arô*! ("Salve o Rei, que fala mais alto!")

Símbolos: arco e flecha (ofá), iruquerê.O iruquerê, símbolo da realeza de Oxóssi, à maneira de mata-moscas, é feito de pêlos de rabo de boi, em cabo de madeira ou metal. O vocábulo deriva do iorubá *ìrùkèrè*, que se refere à insígnia de poder real e sacerdotal.

Sincretismo: São Sebastião (predomina na Umbanda), São Jorge (predomina no Candomblé).

SINCRETISMO

SÃO SEBASTIÃO

(20 de janeiro)

Mártir da fé cristã, centurião que foi amarrado a um tronco e teve o corpo transpassado por flechas.

REGISTROS

Itãs

Oxóssi e Ogum são irmãos e Ogum nutre um carinho especial por Oxóssi.

Em uma ocasião em que Ogum voltava de uma batalha, encontrou Oxóssi cercado de inimigos que já haviam destruído quase toda a aldeia. Oxóssi estava paralisado e com medo. Embora estivesse cansado, Ogum lutou a favor do irmão até o amanhecer.

Vencedor, tranquilizou Oxóssi, dizendo que sempre ele poderia contar com o auxílio do irmão.

Ensinou Oxóssi a caçar e a abrir caminhos na mata. Também o ensinou a defender-se e a cuidar de si e dos seus.

Com o irmão seguro, Ogum podia voltar a guerrear.

Fraternidade, irmandade e parceria são conceitos-chave para a compreensão profunda da humanidade desse relato.

* * *

Na comemoração anual da colheita de inhames, um grande pássaro pousou no telhado do palácio, assustando a todos. O pássaro havia sido enviado pelas Mães Ancestrais, que não haviam sido convidadas.

Para abater a ave, o rei chamou os melhores caçadores do reino, dentre eles Oxotogum, o caçador das vinte flechas; Oxotogi, o caçador das quarenta flechas, e Oxotadotá, o caçador das cinquenta flechas. Todos erraram o alvo e foram aprisionados pelo rei.

Então Oxotocanxoxô, caçador de uma flecha só, auxiliado por um ebó votivo para as Mães Ancestrais/Feiticeiras, sugerido por um babalaô à mãe do caçador, disparou sua flecha e matou a ave.

Todos celebraram o feito. Honrarias foram concedidas ao caçador, que passou a ser conhecido como Oxóssi, isto é, "o caçador Oxô é popular".

Esta história é sobre escolhas. Um tiro certeiro vale mais do que fama, aparência. Além disso, observa-se a negação da ancestralidade, da *anima*, causando impacto negativo. Como observou Carl Gustav Jung, "aquilo a que resiste, persiste."

* * *

Não se podia caçar naquele dia, dedicado às oferendas a Ifá. Contudo, Oxóssi não se importou com isso e foi caçar.

Oxum, sua esposa, deixou o lar, pois não aguentava mais ver as desobediências do marido às interdições sagradas.

Na mata, Oxóssi ouviu um canto: *Não sou passarinho para ser morta por você...* O canto era de uma serpente – na verdade, Oxumaré.

Oxóssi não se importou e partiu a cobra com sua lança.

No caminho para a casa, continuou a ouvir o mesmo canto.

Cozinhou a caça e se fartou de comê-la.

No dia seguinte, pela manhã, Oxum retornou para ver como estava o marido e o encontrou morto. Ao seu lado, o rastro de uma serpente, que ia até a mata.

Oxum, então, procurou Orunmilá e lhe ofereceu sacrifícios.

Orunmilá deixou Oxóssi viver e lhe deu a função de proteger os caçadores.

Oxóssi era agora um Orixá.

Os interditos transgredidos trazem consequências. Uma delas é o amadurecimento por meio de experiências dolorosas que franqueiam uma nova realidade.

Oriki

O oriki abaixo foi transcriado do iorubá para o português por Antonio Risério:

Oriki de Oxóssi (fragmento)

Orixá, quando fecha, não abre caminho.
Caçador que come cabeça de bicho
Caçador que come coco e milho.

Mora em casa de barro
Mora em casa de folha
Orixá da pele fresca.

Quando entra na mata
O mato se agita.
Ofá – o seu fuzil.

Uma flecha contra o fogo
E o fogo apagou.
Uma flecha contra o sol
E o sol sumiu.

O caçador de uma flecha só, conhecedor do verde das matas, é aqui celebrado em algumas de suas principais características.

PONTOS CANTADOS

Eu vi chover, eu vi relampear
Mas mesmo assim o céu estava azul (2X)
Afirma o ponto nas folhas da jurema
Oxóssi reina de norte a sul (2X)

Ele atirou
Ele atirou e ninguém viu (2X)
Senhor Oxóssi é quem sabe
Onde a flecha caiu (2X)

Oxóssi é Orixá da fartura, do conhecimento e da espiritualidade. Os pontos cantados acima reforçam essas características.

MPB

Oxóssi
(Roque Ferreira)

Oxóssi, filho de Iemanjá
Divindade do clã de Ogum
É Ibualama, é Inlé
Que Oxum levou no rio
E nasceu Logun-Edé!
Sua natureza é da lua
Na lua Oxóssi é Odé Odé-Odé, Odé-Odé
Rei de Ketu, Caboclo da mata Odé-Odé.
Quinta-feira é seu ossé
Axoxó, feijão preto, camarão e amendoim
Azul e verde, suas cores
Calça branca rendada
Saia curta estampada
Ojá e couraça prateada
Na mão ofá, iluquerê
Okê okê, okê arô, okê
A jurema é a árvore sagrada
Okê arô, Oxóssi, okê okê
Na Bahia é São Jorge
No Rio, São Sebastião
Oxóssi é quem manda
Na banda do meu coração

Sincretizado com São Sebastião (sobretudo na Umbanda) ou com São Jorge (no Candomblé), Oxóssi é guerreiro e um Orixá bastante popular no Brasil, com suas matas, fauna e flora riquíssimas, e ancestralidade construída pelos indígenas, na Umbanda amalgamados e/ou representados pelos Caboclos de Pena.

XANGÔ

Um dos Orixás mais populares no Brasil, provavelmente por ter sido a primeira divindade iorubana a chegar às terras brasileiras, juntamente com os escravos. Além disso, especialmente em Pernambuco e Alagoas, o culto aos Orixás recebe o nome genérico de Xangô, donde se deriva também a expressão Xangô de Caboclo para designar o chamado Candomblé de Caboclo.

Orixá da Justiça, o Xangô mítico-histórico teria sido um grande rei (alafin) de Oyó (Nigéria), após ter destronado seu irmão Dadá-Ajaká. Na teogonia iorubana, é filho de Oxalá e Iemanjá. Representa a decisão, a concretização, a vontade, a iniciativa e, sobretudo, a justiça (que não deve ser confundida com vingança). Xangô é o articulador político, presente na vida pública (lideranças, sindicatos, poder político, fóruns, delegacias, etc.). Também é o Orixá que representa a vida, a sensualidade, a paixão, a virilidade. Seu machado bipene, o oxê, é símbolo da justiça, representando a ideia de que todo fato tem, ao menos, dois lados, duas versões, que devem ser pesadas, avaliadas.

Teve como esposas Obá, Oxum e Iansã.

<u>Características</u>

Animais: tartaruga, cágado, carneiro.
Bebida: cerveja preta.
Chacra: cardíaco.
Cores: marrom (branco e vermelho)
Comemoração: 24 de junho (São João Batista), 30 de setembro (São Jerônimo)
Comidas: agebô, amalá.
Contas: marrom leitosas.
Corpo humano e saúde: fígado e vesícula.
Dia da semana: quarta-feira.
Elemento: fogo.
Elementos incompatíveis: caranguejo e doenças.

Ervas: erva-de-são-joão, erva-de-santa-maria, beti-cheiroso, nega-mina, alevante, cordão-de-frade, jarrinha, erva-de-bicho, erva--tostão, caruru, pára-raio, umbaúba.
Essência: cravo (a flor).
Flores: cravos brancos e vermelhos.
Metal: estanho.
Pedras: jaspe, meteorito, pirita.
Planeta: Júpiter.
Ponto da natureza: pedreira.
Saudação: *Kaô Cabecilê!* ou *Kaô Cabecile!* ("Venham saudar o Rei!")
Símbolo: machado.
Sincretismo: Moisés, Santo Antônio, São Jerônimo, São João Batista, São José, São Pedro.

SINCRETISMO

SÃO JERÔNIMO

Nascido em Estridão, na Dalmácia, em aproximadamente 345 d.C., faleceu em Belém em 419 d.C.. Tradutor, foi responsável pela tradução da Bíblia para o latim (Vulgata). Erudito, estudioso e doutor da Igreja, foi também secretário do Papa Dâmaso. Após a morte do pontífice, sofrendo críticas e calúnias, retirou-se para Belém. Geralmente é representado como um ancião de barbas e cabelos brancos, com um leão (um dos animais símbolos de Xangô) e um livro (Bíblia). Trata-se certamente da forma mais popular de sincretismo do Orixá Xangô na Umbanda por meio de representação de imagens em seus altares, embora nos pontos cantados predomine a figura de São João Batista. Reza a lenda que, com senso de justiça, São Jerônimo defendeu um leão da acusação (sem provas e apressada por observações sobre a aparência dos fatos) de haver matado e comido um seu amigo jumento – o que depois se verificou não ser verdade. Sua festa é celebrada no dia 30 de setembro, Dia da Bíblia para a Igreja Católica. Sincretizado principalmente com Xangô Agodô.

SÃO JOÃO BATISTA

Nascido na Judeia, por volta do ano 02 a.C., foi morto aproximadamente em 27 d.C.. Primo de Jesus, foi o precursor de sua mensagem e acabou por batizar o próprio Jesus, de quem se declarava indigno de desatar as sandálias. Célebre por dizer o que pensava, não temia acusar o rei Herodes Antipas por haver se casado com a viúva de seu irmão, o que não era permitido por lei. Contudo, segundo consta, Herodes tolerava João Batista e lhe admirava o verbo. A astúcia de Herodíade, a esposa, colocou Salomé, filha de seu casamento anterior, para dançar para o rei, e este lhe prometeu o que desejasse, até mesmo a metade de seu reino - ao que a enteada, por influência da mãe, solicitou a cabeça de João Batista numa bandeja, tendo o rei de cumprir sua promessa. Sua festa é celebrada em 24 de junho com as célebres fogueiras, em especial na noite/madrugada do dia 23 para o dia 24.

SÃO PEDRO

Discípulo de João Batista e Apóstolo de Jesus Cristo, nasceu em Betsaida e morreu em Roma em 64 d. C., no reinado de Nero, crucificado de cabeça para baixo pelo fato de se sentir indigno de morrer como o Mestre. Seu nome foi dado por Jesus e significa "pedra", "rocha" ("Cefas", em aramaico), sobre a qual se edificou a comunidade cristã (para a Igreja Católica, Pedro foi o primeiro Papa). Fazendo parte do círculo íntimo de Jesus, Pedro foi o Apóstolo que prometeu segui-lo, porém o negou três vezes, por medo; impetuoso, cortou a orelha de um empregado do Sumo Sacerdote que acompanhava o grupo que havia ido prender Jesus, tendo o ferimento sido curado pelo Mestre. Distingue-se de João, o chamado "Discípulo Amado", que em tudo seria exemplar, e de Judas, que trairia o Mestre, sendo, assim, um dos Apóstolos cujo arquétipo mais se aproxima das oscilações da alma humana e bem representa o caminho das pedras até o amadurecimento, por meio de erros e acertos. Não à toa, arquetipicamente, Xangô Airá é associado a São Pedro. Em diversas imagens, além das chaves que ligam céu e terra, traz também um livro, elemento relacionado a diversas representações sincréticas de Xangô. Festa: 29 de junho.

MOISÉS

Não se trata propriamente de santo católico, mas de legislador, líder religioso e profeta do Antigo Testamento, responsável pela libertação do povo hebreu da escravidão no Egito. A Moisés se associam as Tábuas da Lei com os Dez Mandamentos que, segundo a tradição, teria recebido do próprio Deus. Por sua liderança, pela sabedoria e experiência (a representação mais conhecida de Moisés é a de um patriarca em idade madura, com barbas e cabelos brancos), pelo texto da Lei impresso em pedra e recebido no Monte Sinai, com ele é sincretizado Xangô.

SÃO JOSÉ

Esposo de Nossa Senhora e pai (segundo a tradição católica, putativo) de Jesus, é representado como homem maduro e grisalho, com barba. Trata-se de um patriarca que traz no colo o filho amado, ainda criança, e segura um lírio branco, flor de Xangô (também flor de Oxalá; de Xangô é também o cravo branco ou vermelho), o que favorece o sincretismo. Sua festa é celebrada em 19 de março.

SÃO JUDAS TADEU

Apóstolo de Jesus, viveu no século I, irmão de São Tiago Menor. Conhecido como "Tadeu", isto é, "aquele que tem peito largo". Pregou na Galileia, na Judeia, na Síria e na Mesopotâmia. Em muitas de suas representações, aparece como um homem maduro de barba e com um instrumento que lembra muito um machado ou uma foice e um livro (Evangelho) na mão. É invocado para casos impossíveis ou de desespero. Sua festa é celebrada em 28 de outubro.

Observa-se, não apenas no caso de Xangô Airá (sincretizado com São Pedro), a estreita ligação entre cada santo católico e Jesus

Cristo (sincretizado com Oxalá), bem como entre Moisés e Deus Pai (também sincretizado com Oxalá).

REGISTROS

Itãs

Xangô enfrentava um inimigo terrível e seus homens haviam sido capturados, o quadro era assustador. Subiu, então, até o alto de uma pedreira e pediu conselho e ajuda a Orunmilá. Com seu oxê (machado duplo), começou a bater nas pedras que soltavam faíscas e, no ar, formavam línguas de fogo que consumiam seus inimigos.

O vencedor da guerra foi Xangô, e os líderes inimigos que haviam mandado massacrar os soldados de Xangô foram mortos com um raio que ele havia mandado no ápice de fúria e descontentamento. Contudo, os soldados das tropas inimigas foram poupados.

Com esse gesto, Xangô passou a ser admirado e consultado como o Senhor da Justiça para resolver e administrar pendências, conflitos e discordâncias.

Os diversos relatos mitológicos sobre Xangô apresentam a justiça como aprendizado constante que muito contribuiu para o amadurecimento da personalidade do alafin de Oyó.

* * *

Um homem havia aprendido, com Olorum e Exu, os segredos do bem e do mal, podendo decidir como agir. Tornou-se, assim, muito poderoso.

Por esse motivo, os Orixás governantes do mundo, Obatalá, Xangô e Ifá, decidiram que esse homem deveria preparar uma grande festa, com um porém: a comida não deveria ser nem crua nem fria, pois os Orixás andavam enjoados. Deveria ser quente e cozida.

Os humanos ainda não sabiam fazer fogo ou cozinhar. Assim, o homem foi à encruzilhada e pediu ajuda a Exu. Aguardou três dias e três noites sem resposta até ouvir sons característicos de estalos:

parecendo rir do homem, as árvores esfregavam seus galhos umas nas outras.

Não gostando disso, o homem pediu ajuda a Xangô, que enviou raios sobre as árvores. Galhos incendiados caíram no chão, onde queimaram até ficarem apenas brasas.

Então, o homem pegou algumas brasas, cobrindo-as com galhos e, por cima, adicionando terra. Tempos depois, descobriu tudo e viu lascas pretas (ou seja, carvão) que foram acesas com a brasa restante. O homem soprou até o fogo crescer e, assim, pode cozinhar para os Orixás, para si e para os demais.

Todos ficaram satisfeitos.

O elemento do Orixá Xangô, por excelência, é o fogo, com sua força criadora, transformadora e vital.

A manipulação do fogo foi de suma importância para que os seres humanos aprendessem a conviver com as sombras (haja vista o mito da caverna, segundo Platão), a se proteger de ataques, a aperfeiçoar técnicas de alimentação (vide o célebre estudo de Claude Lévi-Strauss intitulado *O cru e o cozido*), de modo a garantir a sobrevivência da espécie. O fogo também é o elemento transformador da alquimia e símbolo da transcendência da energia do físico para o espiritual. Nas sociedades tribais (e em rodas de amigos que revivem esse ritual em luaus, acampamentos e outros), o fogo agrega, aproxima, aquece por meio da fogueira, sempre no centro.

Compreende-se, portanto, o porquê de Xangô ser Orixá da vida pulsante, da energia que precisa ser disciplinada para não ser destrutiva e, no lugar de vivificadora, tornar-se letal. É preciso saber lidar com o fogo: como reza célebre provérbio popular, "Quem brinca com fogo pode se queimar".

Na tradição iorubá, Xangô, menino atrevido, cai nas brasas e brinca com elas mas não se queima. Xangô também é aquele que ensina os homens a cozinhar. Adulto, é também aquele que incendeia sua cidade acidentalmente por não ter aprendido ainda a manipular seu elemento com sabedoria e discernimento - pendendo, assim, para a autosabotagem, a autodestruição. Contudo, a experiência não foi em vão: segundo os relatos mitológicos, a Oyó destruída acidentalmente por Xangô foi, como fênix renascida das cinzas, reconstruída.

* * *

Xangô, filho de Aganju, foi abandonado pela mãe e adotado por Iemanjá.

Casou-se com Obá, muito devotada aos serviços domésticos, que perdeu os encantos.

Casou-se com Iansã, sua aliada contra Ogum.

Depois se encantou por Oxum, que vivia com Orunmilá: deitaram-se, casaram e viveram um amor único.

Contudo, um dia Xangô se apaixonou por Iemanjá e lhe declarou seu amor.

Iemanjá o esbofeteou e o mandou embora, sem dinheiro.

Tentou novamente, e ela novamente o repudiou.

Com a ajuda dos gêmeos que tivera com Oxum, os Ibejis, Xangô preparou um feitiço e Iemanjá o recebeu de volta em sua casa.

Xangô, então, possuiu Iemanjá.

Tempestuoso e viril, o incesto, neste relato, é consumado por meio de artimanhas a que Xangô recorre, valendo-se da magia de seus próprios filhos (os gêmeos aqui podem representar a duplicação do poder mágico). O incesto, bem como cada parceira, pode ainda representar a busca pela mãe biológica que havia abandonado Xangô, rumo à integração masculino-feminino por parte da personagem principal do itã.

A propósito, por vezes, Xangô, marido de três esposas, é retratado como tirano e insensível ao feminino, a ele apenas se sobrepondo - como quando tenta tomar à força Euá (símbolo da virgindade) ou seduzindo e/ou violentando sua mãe adotiva, Iemanjá, ou Nanã, a esposa mais velha de Oxalá (símbolos da maternidade). Em outros momentos, está intimamente ligado ao feminino ou a ele submetido. Dos diversos relatos a respeito desse Orixá, existe um bastante significativo a respeito da integração entre o masculino e o feminino, recontado por Reginaldo Prandi[7]:

Xangô estava fugindo dos inimigos. Os inimigos queriam acabar com ele a qualquer custo. Se caísse em suas mãos, cortariam-lhe a cabeça. Xangô foi se esconder na casa de Oiá. Os inimigos sitiaram a casa; não havia como escapar. Oiá vestiu Xangô com as roupas dela. Cortou os cabelos e com eles cobriu a cabeça de Xangô. Ornou-o com apuro, com muitos colares, anéis e pulseiras. Então Oiá anunciou que ia sair para um passeio. E Xangô saiu à rua com toda a elegância de Oiá. Era Oiá, todos acreditaram, formosa e deslumbrante em seus ricos trajes. Os inimigos de Xangô abriram respeitosamente o caminho para Oiá.

Quando, mais tarde, Oiá saiu à rua, todos se deram conta do engodo, mas era tarde demais. Xangô escapara e da morte se livrara.

A astúcia de Oiá livrou Xangô dos inimigos.

O masculino travestido de feminino, no relato acima, pode ser lido como o ato de colocar-se no lugar do outro, com vista à compreensão de seu oposto complementar. Ao se vestir como Iansã (a esposa com quem Xangô mais apresenta compatibilidade de elementos, pois com ela divide os domínios do fogo, do raio e do trovão; ao mesmo tempo em que a ela se opõe, pois Xangô é Orixá que pulsa tão intensamente a vida que repulsa o mundo dos mortos, reino em que Iansã se sente à vontade), Xangô, por meio da representação do feminino, reforça o seu masculino de modo equilibrado e maduro. Assim, não perde sua cabeça (seu Ori, sua consciência)[8] e não se deixa vencer pelos inimigos (instintos, temores, inconsciência). Como na imagem da

---

7 A escolha pela transcrição literal se deve ao fato de Prandi, em seus textos literários, ser um verdadeiro griô (contador de histórias), mestre das palavras que busca honrar, na escrita, a oralidade africana.

8 A cabeça humana, na tradição iorubá, receptáculo do conhecimento e do espírito, é tão importante que cada Orixá tem seu Ori. É alimentado, como no caso do Bori, a fim de manter-se equilibrado. Trata-se, ainda, da consciência presente em toda a natureza e seus elementos, guiada pelo Orixá (força específica).

balança da justiça, domínio de Xangô, os pratos assumem posições equânimes ou com oscilações compreensíveis rumo ao equilíbrio.

Orikis

Os orikis abaixo são transcriações literárias de Antonio Risério a partir do iorubá:

Oriki de Xangô

Lasca e racha paredes
Racha e crava pedras de raio
Encara feroz quem vai comer
Fala com o corpo todo
Faz o poderoso estremecer
Olho de brasa viva
Castiga sem ser castigado
Rei que briga e me abriga

Outro oriki de Xangô (fragmentos)

Afonjá, chefe de Kossô, a folha já fortalece
Aquele que dansa[9] *entre crianças*
Faz o fogo vingar sem que se veja
E só notamos o talo das folhas estalando

Derruba no barro quem é burro
Ninguém pode corromper o nosso ori
Senhor do saber, olho brilhante
Ele fende além o alto céu

Murro no muro da mentira
Mata varando o olho do mentiroso

---

9 Risério opta pela grafia "dansa" por acreditar que a letra "s" esteja mais de acordo para o vocábulo, interpenetrando, assim, forma e conteúdo, em feliz coreografia.

Mata selando porta e porto
Mata quem não sabe pensar

Alaganju, destelha casa alheia e atelha a sua
Água ao lado do fogo no seio do céu
Alado escala rápido o alto céu
Faz o fogo cair do meio do céu

Nesses orikis, Xangô aparece como justiceiro, por meio das pedras e do fogo, num senso de justiça que se aproxima da Lei de Talião ("olho por olho, dente por dente"), a qual precisa ser compreendida no contexto cultural em que os orikis foram concebidos. Por outro lado, Xangô é também aquele que celebra a vida, "dansa entre crianças"[10] e "fala com o corpo todo", de modo elegante, viril e eloquente.

PONTOS CANTADOS

Pedra rolou, Pai Xangô, lá na pedreira
Afirma ponto, meu Pai, na cachoeira

Tenho meu corpo fechado
Xangô é meu protetor

Segura pemba, meu filho,
Pai de cabeça chegou

Xangô aparece em seus pontos de força (pedras/cachoeira com pedras). O ponto cantado sugere que o filho risque o ponto de Xangô (Pai) com pemba, espécie de giz comum em rituais em religiões de matriz africana, cuja origem (calcário), embora associada de modo geral aos Orixás, Guias e Entidades, não deixa de ligar-se diretamente aos elementos de Xangô.

10 Conforme citado na nota anterior.

Muito mais do que meio de identificação de Orixás, Guias e Entidades, os pontos riscados constituem fundamento de Umbanda, sendo instrumentos de trabalhos magísticos, riscados com pemba, bordados em tecidos, etc. Funcionam como chaves, meios de comunicação entre os planos, proteção, tendo diversas outras funções também tanto no plano dos encarnados quanto no da Espiritualidade.

Estava olhando a pedreira
Uma pedra rolou

Ela veio rolando
Bateu em meu pés
E se fez uma flor

Quem foi que disse
Que eu não sou filho de Xangô?

Ele mostra a verdade
Se atira uma pedra
Ela vira uma flor

Toda verdade de justiça e proteção
Filho de Pai Xangô ninguém joga no chão

Quantos lírios já plantei no meu jardim
Cada pedra atirada é um lírio pra mim

Ponto cantado em que Xangô aparece a ensinar que as pedras (seu elemento), geralmente associadas às dificuldades, pela força do Orixá, transformam-se em lírio (flor que evoca Xangô). As lições trazidas pelas dificuldades fortalecem e são belas. Xangô, Orixá que mostra a verdade (na África aparece em oposição à mentira), não permite que seus filhos (leia-se "todos os filhos") caiam no chão indevidamente e/ou aí fiquem sem se levantarem mais experientes e sábios.

Lá em cima daquela pedreira
Tem um lírio de meu Pai Xangô
Kaô, Kaô
Kaô Cabecile, meu Pai!

Há versões deste ponto em que, em vez de "lírio", aparece "livro". Já foi mencionada a importância do livro como elemento simbólico de Xangô, como aparece em diversas das relações sincréticas do Orixá com santos católicos e Moisés.

MPB

Canto de Xangô
(Vinícius de Moraes e Baden Powell)

Eu vim de bem longe, eu vim, nem sei mais de onde é que eu vim
Sou filho de rei, muito lutei pra ser o que eu sou
Eu sou negro de cor, mas tudo é só amor em mim
Tudo é só amor, para mim
Xangô Agodô
Hoje é tempo de amor
Hoje é tempo de dor, em mim
Xangô Agodô

Salve, Xangô, meu Rei Senhor
Salve meu Orixá
Tem sete cores sua cor
Sete dias para a gente amar

Salve Xangô, meu Rei Senhor
Salve meu Orixá
Tem sete cores sua cor
Sete dias para a gente amar

Mas amar é sofrer
Mas amar é morrer de dor
Xangô, meu Senhor, saravá!
Me faça sofrer
Ah, me faça morrer
Mas me faça morrer de amar
Xangô, meu Senhor, saravá!
Xangô Agodô!

Este é um dos mais célebres afrosambas de Vinícius de Moraes e Baden Powell, (*Os Afrosambas,* 1966). Em diversos projetos que coordenei, peço sempre que o verso *Eu sou negro de cor, mas tudo é só amor em mim* seja substituído por *Eu sou negro de cor e tudo é só amor em mim*, para que não haja interpretações equivocadas a respeito da exaltação do negro – em cuja cor, segundo o texto, haveria sete cores, o que pode ser lido e interpretado como a síntese, o amálgama da cultura popular, das religiões de matriz africana, do povo negro e da Bahia, que tanto encantou Vinícius de Moraes.

Xangô te xinga
(Leandro Medina)

Sim, você sabe
Por tudo que fiz
Basta você sentir saudades
Que eu tô na linha
Nesse caso dava pra dizer
Revigorou o fino frio
De longe, de onde o amor vinha

Aí fiz você pra ver e ouvir
Combinei melodias sutis
Maracatu correrás
Pro amor que eu vou dizer

Presente en toda mi vida
Segura o pranto quem chorou
Xangô te xinga
Segura o pranto, quem chorou fui eu

Virou no santo que baiou
Sambou neguinha
E, no entanto, quem dançou fui eu

Sucesso do disco *Quando o céu clarear* (2007), de Fabiana Cozza, esta canção usa das aliterações (XANgô te XINga) para tratar de amor interrompido de modo divertido, posto que incisivo (xingamento), chamando à razão a voz poética, ou para não se perder na mágoa e em lamentações, ou por haver, sim, perdido o amor, o sujeito de suas afeições.

Xangô
(Toni Costa, Lan Lan, Mart'nália)

Baba nagô
Xangô mandou chamar
Baba nagô
Xangô mandou chamar
Obá yaô
No toque de orixá
Xangô! Xangô!
Vem ver o sol raiar
Vem madrugar
Pras águas de oxalá
Logun-Edé tá de lança
Oxóssi vai caçar
Baba nagô também trança
Palha pra enfeitar

Xangô! Xangô!
Xangô mandou chamar
Oxum já vem
Cantando seu ylá
Vem pro tempo
Abre o leque pras moças sambar
Ela vem pro terreiro formosa
Partideiro vai se apaixonar

Babanagô
Xangô mandou chamar
Obá yaô
No toque de orixá
Iluminada noite,
Lua cheia que chegou
A madrugada trouxe
O batuque de Xangô

Faixa do disco *Hoje de noite* (2008) da Banda Moinho, Xangô é o grande agregador dos demais Orixás, todos chamados por ele para o batuque, o xirê, o samba.

Três Coruna
(Tradição afro brasileira - adaptação de Tatá Monalê e Carlinhos Brown)

Xangô três coruna
Vem da Ilha de Nagô
Ninguém sabe de onde
Eu venho

Ninguém sabe de onde
Eu sou

Xangô três coruna
Vem da Ilha de Nagô

Lindo registro/resgate no disco *Candombless* (2010), de Carlinhos Brown. Observe o neologismo criado por Brown: Candombless = Candomblé + *to bless* (benzer, em inglês). Nesse disco-bênção, não poderia faltar essa linda homenagem a Xangô.

Babá Alapalá
(Gilberto Gil)

Aganju, Xangô
Alapalá, Alapalá, Alapalá
Xangô, Aganju

O filho perguntou pro pai:
"Onde é que tá o meu avô
O meu avô, onde é que tá?"

O pai perguntou pro avô:
"Onde é que tá meu bisavô
Meu bisavô, onde é que tá?"

Avô perguntou bisavô:
"Onde é que tá tataravô
Tataravô, onde é que tá?"

Tataravô, bisavô, avô
Pai Xangô, Aganju
Viva Egum, babá Alapalá!
Aganju, Xangô
Alapalá, Alapalá, Alapalá
Xangô, Aganju

Alapalá, Egum, espírito elevado ao céu
Machado alado, asas do anjo Aganju
Alapalá, egum, espírito elevado ao céu
Machado astral, ancestral do metal
Do ferro natural
Do corpo preservado
Embalsamado em bálsamo sagrado
Corpo eterno e nobre de um rei nagô
Xangô

Esta canção de Gilberto Gil, do disco *Gilberto Gil* (1971), gravada por diversos intérpretes, evoca o sentido de ancestralidade, por meio do arquétipo de Xangô em seu aspecto mítico-histórico.

ORAÇÕES

Orações recolhidas por Ernesto Santana e Eulina d'Iansã.

Prece a Xangô

Senhor de Oyó,
Pai justiceiro e dos incautos,
Protetor da fé e da harmonia,
Kaô Cabecilê do Trovão.
Kaô Cabecilê da Justiça.
Kaô Cabecilê, meu Pai Xangô.
Morador no alto da pedreira,
Dono de nossos destinos.
Livrai-nos de todos os males,
De todos os inimigos visíveis e invisíveis,
Hoje e sempre, Kaô, meu Pai.

Oração a Xangô

Kaô, meu Pai, Kaô.
O senhor, que é o Rei da Justiça,
Faça valer por intermédio
De seus doze ministros a vontade divina.
Purifique minha alma na cachoeira.
Se errei, conceda-me a luz do perdão.
Faça de seu peito largo e forte
Meu escudo,
Para que os olhos de meus inimigos
Não me encontrem.
Empreste-me sua força de guerreiro
Para combater a injustiça e a cobiça.
Minha devoção ofereço.
Que seja feita a justiça para todo o sempre.
O senhor é meu Pai e meu defensor.
Conceda-me a graça de receber sua luz
E de merecer sua proteção.
Kaô, meu Pai Xangô, Kaô.

Proteção de Xangô

Senhor, meu Pai, o infinito é tua grande morada no espaço; teu ponto de energia é nas pedras das cachoeiras. Com tua justiça fizeste uma construção digna de grande rei. Meu Pai Xangô, tu que és defensor da justiça de Deus e dos homens, dos vivos e dos além-morte, tu, com tua machadinha de ouro, defende-me das injustiças, acobertando-me das mazelas, das dívidas, dos perseguidores mal-intencionados. Protegei-me, meu glorioso São Judas Tadeu, Pai Xangô na Umbanda. Sê sempre justiceiro nos caminhos em que eu venha a passar. Com a força desta prece, sempre contigo estarei, me livrando do desespero e da dor, dos inimigos e dos invejosos, dos indivíduos de mau caráter e dos falsos amigos. Axé.

OXUM

Orixá do feminino, da feminilidade, da fertilidade, ligada ao rio de mesmo nome, em especial em Oxogbô, Ijexá (Nigéria). Senhora das águas doces, dos rios, das águas quase paradas das lagoas não--pantanosas, das cachoeiras e, em algumas qualidades e situações, também da beira-mar. Perfumes, jóias, colares, pulseiras e espelho alimentam sua graça e beleza.

Filha predileta de Oxalá e de Iemanjá, foi esposa de Oxóssi, de Ogum e, posteriormente, de Xangô (segunda esposa). Senhora do ouro (na África, cobre), das riquezas, do amor. Orixá da fertilidade, da maternidade, do ventre feminino, a ela se associam as crianças. Nas lendas em torno de Oxum, a menstruação, a maternidade, a fertilidade, enfim, tudo o que se relaciona ao universo feminino é valorizado. Entre os iorubás, tem o título de Ialodê (senhora, *lady*), comandando as mulheres, arbitrando litígios e responsabilizando-se pela ordem na feira.

No jogo dos búzios, é ela quem formula as perguntas, respondidas por Exu. Os filhos de Oxum costumam ter boa comunicação, inclusive no que tange a presságios. Oxum, Orixá do amor, favorece a riqueza espiritual e material, além de estimular sentimentos como amor, fraternidade e união.

Características

Animal: pomba rola.

Bebida: champanhe.

Chacra: umbilical.

Cor: azul (amarelo).

Comemoração: 08 de dezembro.

Comidas: banana frita, ipeté, omolocum, moqueca de peixe e pirão (com cabeça de peixe), quindim.

Contas: cristal azul (amarelo).

Corpo humano e saúde: coração e órgãos reprodutores femininos.

Dia da semana: sábado.

Elemento: água.

Elementos incompatíveis: abacaxi, barata.

Ervas: colônia, macaçá, oriri, santa-luzia, oripepê, pingo-d´água, agrião, dinheiro-em-penca, manjericão branco, calêndula, narciso, vassourinha (menos para banho), erva-de-santa-luzia (menos para banho), jasmim (menos para banho).

Essências: lírio, rosa.

Flores: lírio, rosa amarela.

Metal: ouro.

Pedra: topázio (azul e amarelo).

Planetas: Vênus, Lua.

Pontos da natureza: cachoeira e rios.

Saudação: *Ora ye ye o! A ie ie u!* ("Salve, Mãe das Águas!)

Símbolos: cachoeira, coração.

Sincretismo: Nossa Senhora Aparecida, Nossa Senhora das Cabeças, Nossa Senhora da Conceição, Nossa Senhora de Fátima, Nossa Senhora de Lourdes, Nossa Senhora de Nazaré.

SINCRETISMO

NOSSA SENHORA APARECIDA

(12 de outubro)

A aproximação de Oxum com Nossa Senhora Aparecida se dá por diversos fatores, sobretudo porque aquela que é hoje a Padroeira do Brasil foi encontrada (imagem escurecida que foi associada à pele negra) no rio Paraíba, em 1717. Além disso, Nossa Senhora Aparecida, rainha, tem um manto salpicado de dourado, bem como uma coroa de ouro, que lhe foram acrescidos ao longo do tempo.

REGISTROS

Itãs

Oxalá tinha três mulheres, sendo a principal uma filha de Oxum. As outras duas nutriam grande ciúmes da filha de Oxum, a qual cuidava dos paramentos e das ferramentas de Oxalá.

Sempre buscando prejudicar a filha de Oxum, um dia em que as ferramentas de Oxalá secavam ao sol enquanto a filha de Oxum cuidava de outros afazeres, as outras duas esposas os pegaram e jogaram ao mar. A filha de Oxum ficou inconsolável.

Uma menina que era criada pela filha de Oxum tentou consolá-la, porém nada animava a principal esposa de Oxalá. Ouvindo um pescador passando pela rua apregoando seus peixes, a filha de Oxum pediu para a menina comprar alguns para a festa que organizava. Quando os peixes foram abertos, ali estavam as ferramentas de Oxalá.

As outras duas esposas de Oxalá não desistiram de prejudicar a filha de Oxum e armaram um novo esquema.

No dia da festa, ao lado do trono de Oxalá, à sua direita, estava a cadeira da esposa principal. Em dado momento, quando ela se ausentou, as outras duas esposas colocaram na cadeira um preparado mágico. Quando a esposa principal de Oxalá se sentou, percebeu que estava sangrando e saiu em disparada. Oxalá, indignado por ela haver quebrado um tabu, expulsou-a.

A filha de Oxum, então, foi à casa de sua mãe, em busca de auxílio. Oxum preparou-lhe um banho de folhas numa bacia. Depois do banho, envolveu a filha em panos limpos e a pôs para descansar numa esteira. A água da bacia, vermelha, havia se transformado nas penas ecodidé, raras e preciosas.

Oxalá gostava muito dessas penas, porém tinha dificuldade em encontrá-las. Ouviu dizer que Oxum tinha essas penas, pois a filha de Oxum andara aparecendo em algumas festas ornada com penas ecodidé. Foi então, à casa de Oxum, onde encontrou a própria esposa, que reabilitou.

Oxalá colocou uma pena vermelha em sua testa e decretou que, a partir daquele dia, os iniciados passariam a usar uma pena igual em suas testas, ornando as cabeças raspadas e pintadas, para que os Orixás mais facilmente os identificassem.

Um dos mais lindos itãs a respeito do feminino e da compreensão de seus ciclos por parte do masculino. Note que Oxalá, para quem o vermelho é tabu, acaba por incorporar essa cor em respeito ao feminino.

* * *

Um dia, Orunmilá saiu para um passeio, acompanhado de seu séquito. Pelo caminho, encontrou outro séquito no qual se destacava uma linda mulher. Enviou então Exu, seu mensageiro, para saber quem era ela. A mulher se identificou como Iemanjá, rainha das águas e esposa de Oxalá.

Exu repassou a informação a Orunmilá, que solicitou que ela fosse convidada para seu palácio. Iemanjá não atendeu ao convite de pronto, mas um dia foi ao palácio de Orunmilá, de onde voltou grávida e deu à luz uma linda menina.

Iemanjá tinha outros filhos com seu marido. Então, Orunmilá enviou Exu para comprovar se a menina seria sua filha. O mensageiro verificou se ela teria mancha, marca ou caroço na cabeça. Conforme as marcas de nascença, a paternidade foi comprovada e atribuída a Orunmilá.

A menina foi, então, levada para viver com o pai, que lhe satisfazia as vontades, os caprichos e a cobria de dengos.

Essa menina é Oxum.

* * *

Desde o início do mundo os Orixás masculinos decidiam tudo, e excluíam as mulheres. Como Oxum não se conformava com essa atitude, deixou as mulheres estéreis. Os homens foram consultar Olorum, que os aconselhou a convidar Oxum e as outras mulheres para participarem das reuniões e decisões. Assim fizeram, e as mulheres voltaram a gerar filhos.

O feminino, complementar ao masculino, forma a dualidade de onde brota e viceja a síntese da criação.

Orikis

O oriki abaixo é uma transcriação do iorubá para o português feita por Antonio Risério.

Oxum, mãe da clareza
Graça clara
Mãe da clareza

Enfeita filho com bronze
Fabrica fortuna na água
Cria crianças no rio

Brinca com seus braceletes
Colhe e acolhe segredos
Cava e encova cobres na areia

Fêmea força que não se afronta
Fêmea de quem macho foge
Na água funda se assenta profunda
Na fundura da água que corre

Oxum do seio cheio
Ora Ieiê, me proteja
És o que tenho –
Me receba.

Delicadeza, sensualidade e maternidade são alguns dos atributos elencados e cantados nesse oriki.

PONTOS CANTADOS

Eu vi Mamãe Oxum chorando
Foi uma lágrima que eu fui Apará (2X)
Ora iê iê, oh minha Mãe Oxum
Oh deixa a nossa Umbanda melhorar (2X)

Eu vi Mamãe Oxum na cachoeira
Senta na beira do rio (2X)

Colhendo lírio lírio ê, colhendo lírio lírio ah
Colhendo lírio pra enfeitar o seu congá (2X)

Associada às águas doces, às cachoeiras, por vezes chorando (lágrimas: pequenas cachoeiras que brotam dos olhos, da alma), Oxum é a mãe amorosa. No primeiro ponto há um trocadilho entre o verbo "aparar" e a qualidade "Apará" de Oxum, guerreira que, além do espelho, carrega uma espada e caminha com Ogum e Iansã.

MPB

É d'Oxum
(Geronimo Santana/Vevé Calazans)

Nessa cidade todo mundo é d'Oxum
Homem, menino, menina, mulher
Toda essa gente irradia a magia
Presente na água doce
Presente na água salgada e toda cidade brilha
Presente na água doce
Presente na água salgada e toda cidade brilha
Seja tenente ou filho de pescador
Ou importante desembargador
Se dar presente é tudo uma coisa só
A força que mora n'água
Não faz distinção de cor
E toda cidade é d'Oxum
A força que mora n'água
Não faz distinção de cor
E toda cidade é d'Oxum
É d'Oxum , é d'Oxum ô, é d'Oxum

Refrão
Eu vou navegar

Eu vou navegar nas ondas do mar eu vou
Navegar, eu vou navegar
Eu vou navegar nas ondas do mar eu vou
Navegar, eu vou navegar
Eu vou navegar nas ondas do mar eu vou
Navegar, eu vou navegar, é d'Oxum

"É d'Oxum" tornou-se verdadeiro hino da cidade de Salvador, não havendo festa pública, apresentação musical e outros em que não seja tocada, cantada, coreografada e acompanhada por todos.

Oração de Mãe Menininha
(Dorival Caymmi)

Ai! Minha mãe
Minha mãe Menininha
Ai! Minha mãe
Menininha do gantoise

A estrela mais linda, hein
Tá no gantoise
E o sol mais brilhante, hein
Tá no gantoise
A beleza do mundo, hein
Tá no gantoise
E a mão da doçura, hein
Tá no gantoise
O consolo da gente, ai
Tá no gantoise
E a Oxum mais bonita hein
Tá no gantoise

Olorum quem mandou essa filha de Oxum
Tomar conta da gente e de tudo cuidar
Olorum quem mandou eô ora iê iê ô

Ícone do Candomblé, conhecida por sua doçura, Menininha era filha de Oxum, da qualidade Merim.

Como relato em meu livro *Xirê: Orikais – Canto de amor aos Orixás*, em minha infância, eu ouvia fascinado minha mãe cantar os versos de "Oração à Mãe Menininha": *ai, minha mãe, minha mãe Menininha*, pois achava tão sensível ela chamar a própria mãe, idosa e já desencarnada, de menininha. Não imaginava haver uma ialorixá com esse nome, esse apelido carinhoso. Também minha mãe usava em minha infância perfume de alfazema, aquele mesmo cheiro bom das festas de largo de Salvador que eu frequentaria anos depois, o mesmo com que gosto de perfumar minha Mãe Oxum.

Minha primeira ida ao Gantois se deu depois de várias estadas em Salvador, acompanhado por uma das idealizadoras do Memorial de Mãe Menininha, a restauradora Norma Cardins, a quem muito agradeço e quem costumo chamar de dona das ruas da Bahia, pelo acesso que me franqueia a lugares históricos, reservas técnicas de museus, festas e outros. De Norma recebi, ainda, o exemplar de *Memorial Mãe Menininha do Gantois*, rico volume com seleta do acervo do Memorial, com a seguinte dedicatória: "Ele, esse exemplar, foi lançado no quarto dos santos antes do lançamento oficial. Tem, sim, muito Axé."

O Canto de Oxum
(Vinícius de Moraes e Toquinho)

Nhem-nhem-nhem
Nhem-nhem-nhem-xorodô
Nhem-nhem-nhem-xorodô
É o mar, é o mar
Fé-fé xorodô...

Xangô andava em guerra,
Vencia toda a terra,

Tinha, ao seu lado, Iansã
Pra lhe ajudar

Oxum era rainha,
Na mão direita tinha
O seu espelho, onde vivia
A se mirar

Quando Xangô voltou,
O povo celebrou
Teve uma festa que
Ninguém mais esqueceu

Tão linda Oxum entrou,
Que veio o rei Xangô
E a colocou no trono
Esquerdo ao lado seu.

Iansã, apaixonada,
Cravou a sua espada
No lugar vago que era
O trono da traição.

Chamou um temporal
E, no pavor geral,
Correu dali, gritando
A sua maldição:
"Eparrei, Iansã!"

A canção recria a disputa entre Oxum e Iansã pelo amor de Xangô, retratada em tantos relatos mitológicos.

Quando o céu clarear
(Roque Ferreira)

Quando o céu clarear por cima do meu congado
Oxum vai descer com Xangô num cortejo dourado
Flor que a noite adormeceu vai despertar, perfumar o
Rio, a fonte, a lagoa e a beira do mar
Oxum vai se banhar nos braços de Xangô quando céu
Clarear

Quando o céu clarear, quando o céu clarear, vou levar
Meu amor pra lá quando o céu clarear [refrão 2x]

O meu amor vai se iluminar quando o povo das águas
Chegar e a estrela de Oxum brilhar
Obá de Xangô vai batendo o tambor pra meu amor
Dançar

Quando o céu clarear...

O amor de Oxum por Xangô, a relação entre a água e o fogo, a síntese entre esses dois elementos dão o tom dessa canção.

Oxum para crianças

Este texto eu escrevi para crianças, num ciclo de narrativas e relatos sobre Iabás:

Oxum é menina que gosta de rios e cachoeiras, sempre dengosa, bem-vestida, aprumada. Adora arrumar os cabelos ao som das águas e se olhar no espelho para ver como está o penteado.

Por onde Oxum passa os peixes também navegam, trazendo colorido para as águas. Oxum senta-se nas pedras e acaricia o dorso dos peixes com os pés.

Gosta de dançar na areia, à luz da lua. Pisa mansinho, miudinho, quase não se escutam seus passos.

Os pássaros comem em suas mãos, pois sentem-se em casa. Sentem também o amor e a doçura de Oxum. Ela gosta de alegria, música, poesia, festa. Quer ver Oxum contente é convidá-la pra uma festa!

Oxum também gosta muito de flores, em especial as amarelas. Imagine sua alegria quanto vê um campo de girassóis! Seus amigos costumam fazer a seguinte surpresa: preparam um balaio bem bonito com flores e vão devagarinho até a beira do rio, colocam o balaio nas águas, batem palmas e cantam. Quando Oxum se vira para ver de onde vem tanta festa, o balaio segue a correnteza em sua direção, ela sorri e abre os braços para receber o presente. Todos ficam muito contentes. Outros preferem colocar rosas perto da cachoeira, que ela recolhe. Há também amigos que preferem plantar flores perto de uma cachoeira, para ela poder passear entre elas, até mesmo se sentar ali, ajeitar a roupa e, claro, ajeitar os cabelos.

Quando Oxum caminha, na verdade ela dança! E não poderia ser diferente: o som de suas pulseiras convida o corpo a uma coreografia suave, ritmada.

Seu sorriso é sincero, acolhedor. Porém, como não existem apenas águas calmas, mas corredeiras fortes e rodamoinhos, Oxum também se zanga, em especial com toda a sujeira, todo o lixo jogados sem suas águas. Então seu olhar fica firme, ela bota a mão na cintura, bate o pezinho e aponta o dedo na direção dos sujismundos, pedindo que tomem mais cuidado com os rios, as nascentes, com todas as águas. Ensina as crianças a não escovarem os dentes com a torneira aberta, a beberem água enquanto brincam e estudam, a não entrarem em águas onde não dá pé e a correnteza é braba.

No geral, Oxum resolve tudo na maior calma. Um dia, alguém estava muito nervoso e queria discutir com Oxum. Ela deixou a pessoa esperando um bocado de tempo enquanto arrumava os cabelos, ajeitava as pulseiras, enfim. Quando terminou de se arrumar, a pessoa já havia ido embora e nem estava mais irritada.

Oxum adora comer com os amigos à beira d´água, curtindo a paisagem. Gosta muito de banana frita e ipeté (feito à base de inhame), omolucum (prato preparado com feijão fradinho), moqueca e pirão de peixe. De sobremesa, prefere quindim, aquele bem-feitinho, parecendo um sol.

Assim é Oxum, essa menina.

IANSÃ

Orixá guerreira, senhora dos ventos, das tempestades, dos trovões e também dos espíritos desencarnados (eguns), conduzindo-os para outros planos, ao lado de Obaluaê. Divindade do rio Níger, ou Oya, é sensual, representando o arrebatamento, a paixão. De temperamento forte, foi esposa de Ogum, e depois a mais importante esposa de Xangô (ambos tendo o fogo como elemento afim). Irrequieta e impetuosa, é a senhora do movimento e, em algumas casas, também a dona do teto da própria casa.

Uma de suas funções espirituais é trabalhar a consciência dos desencarnados que estão à margem da Lei, para, então, poder encaminhá-los a outra linha de evolução.

Características

Animais: borboleta (inseto), cabra amarela, coruja rajada.
Bebida: champanhe.
Chacras: cardíaco e frontal.
Cor: amarela (coral).
Comemoração: 04 de dezembro (Santa Bárbara).
Comidas: acarajé, ipeté, bobó de inhame.
Contas: coral – amarelo, bordô, marrom ou vermelho.
Dia da semana: quarta-feira.
Elemento: fogo.
Elementos incompatíveis: abóbora, rato.

Ervas: cana-do-brejo, erva-prata, espada-de-Iansã, folha-de-louro (menos para banho), erva-de-santa-bárbara, folha-de-fogo, colônia, mitanlea, folha da canela, peregum amarelo, catinga-de-mulata, parietária, pára-raio.

Essência: patchouli.

Flores: amarelas ou corais.

Metal: cobre.

Pedras: coral, cornalina, granada, rubi.

Planetas: Júpiter, Lua.

Ponto da natureza: bambuzal.

Saudação: *Eparrei!* (Salve!)

Símbolos: iruquerê, raio.

Sincretismo: Santa Bárbara, Santa Joana d´Arc, Santa Catarina.

SINCRETISMO

SANTA BÁRBARA

(04 de dezembro)

Segundo a tradição, Bárbara vivia encarcerada numa torre pelo próprio pai. Convertida à fé cristã, fugiu e foi condenada à morte. O pai, substituindo o algoz, cortou-lhe o pescoço com uma espada, sendo, então, atingido por um raio.

REGISTROS

Itãs

Oiá não podia ter filhos e, então, consultou um babalaô, que lhe aconselhou a fazer uma oferenda com carneiro (agutã), búzios e roupas coloridas.

Iansã cumpriu o combinado à risca e teve nove filhos. Quando ia ao mercado vender azeite de dendê todos comentavam "Lá vai Iansã!", ou seja, "Lá vai aquela que se tornou mãe nove vezes!".

Em sinal de respeito e gratidão, Iansã não mais comeu carneiros.

* * *

Iansã não podia ter filhos e por isso procurou um babalaô[11]. Ele lhe explicou que engravidaria somente quando fosse possuída violentamente por um homem.

Xangô, um dia, possuiu Iansã com violência e ela deu à luz nove filhos. Dos nove, oito eram mudos, e Iansã procurou novamente o babalaô, que lhe disse para fazer oferendas.

Algum tempo depois nasceu um filho que não era mudo, mas tinha a voz bem rouca, cavernosa. Esse filho era Egungum, ancestral de cada família e cada cidade.

Quando Egungum vem dançar com seus descendentes, usando suas paramentas específicas, a única mulher diante da qual ele se curva é Iansã.

* * *

11 O sacerdote de Ifá é o Babalaô ("pai do segredo"; não confundir com o babalaô de Umbanda, sinônimo de dirigente espiritual ou babá). O Alabá é o chefe dos Oluôs (o oluô é um grau entre os sacerdotes de Ifá), sendo alabá também o sacerdote-chefe da sociedade secreta Egungum, bem como título de honra de algumas autoridades do Candomblé, o que não deve ser confundido. O iniciante é chamado de Kekereaô-Ifá, tornando-se Omo-Ifá (filho de Ifá) após o chamado pacto. O sistema divinatório de Ifá, aliás, não se restringe apenas aos búzios, mas abarca outras técnicas, dentre elas os iquines (16 caroços de dendê) e o opelê (corrente fina, aberta em duas, contendo cada parte 04 caroços de dendê). O Culto a Ifá, cujo patrono é Orunmilá (símbolo: camaleão), tem crescido no Brasil, havendo diversas casas a ele dedicadas. Tanto Orunmilá quanto Exu têm permissão para estarem próximos a Olorum quando necessário, daí sua importância. Senhor dos destinos, Orunmilá rege o plano onírico; é aquele que sabe tudo o que se passa sob a regência de Olorum, no presente, no passado e no futuro. Tendo acompanhado Odudua na fundação de Ilê Ifé, é conhecido como "Eleri Ipin" ("testemunho de Deus" - aliás, sua saudação), "Ibikeji Olodumaré" ("vice de Deus"), "Gbaiyegborun" ("o que está na terra e no céu") e "Opitan Ifé" ("o historiador de Ifé"). Por ordens de Olorum, além de ter participado da criação da terra e do homem, Orunmilá auxilia cada um a viver seu cotidiano e a vivenciar seu próprio caminho, isto é, o destino para seu Ori (Cabeça). Seus porta-vozes são os chamados babalaôs (pais do segredo), iniciados especificamente no culto a Ifá. No caso dos búzios, entretanto, os babalaôs são cada vez mais raros, sendo os mesmos lidos e interpretados por Babalorixás, ialorixás e outros devidamente preparados (a preparação e as formas de leitura podem variar bastante do Candomblé para a Umbanda e de acordo com a orientação espiritual de cada casa e cada ledor/ledora). Cada ser humano é ligado diretamente a um Odu, que lhe indica seu Orixá individual, bem como sua identidade mais profunda.

Oiá recebeu o conselho de sempre estar ao lado de seu marido, Xangô, e de não retornar à sua terra natal, onde estava sua família.

Com o coração dividido, desconsiderou o conselho e retornou a Irá. Porém, um dia, recebeu a notícia da morte de Xangô e ficou tão triste que transformou-se num rio, o Odô Oiá - também conhecido como rio Níger.

* * *

Iansã adorava suas joias. Um dia quis sair de casa com elas, mas seus pais não permitiram, argumentando que era perigoso.

Tempestuosa, Iansã entregou suas jóias a Oxum e varou o teto da casa, voando, ventando.

A liberdade do vento é considerada superior à coqueteria e à vaidade, atributos de Oxum, em oposição à sensualidade eólica de Iansã.

Orikis

O oriki abaixo é uma transcriação feita por Antonio Risério.

Oriki de Oiá-Iansã

Leopardo que come pimenta crua.
Mulher de vestes vistosas.
Cabaça rara, diante do marido.
Eparrei!
O que Xangô disser
Oiá logo saberá.
Ela entende o que Xangô
Nem chegou a falar.
E o que ele quiser dizer
Oiá dirá.
Ê Ê ê-par-rei!
Oiá, árvores desarvora.

Adeus, morte.
Minha mãe da roupa de fogo.
Nada de mentiras para ti.
Nada de mentiras para ti.
As marcas na tua pele que calam o alabé.
Oiá ô
Mulher neblina no ar.
Oiá, leopardo que come pimenta crua.

Neste oriki, Iansã, mãe e mulher, mais uma vez aparece em paralelismo com alguns atributos de Xangô.

PONTOS CANTADOS

Iansã
Mulher divina do Axé
Eparrei, Oyá!
Santa Bárbara ela é (2X)

Já trovejou
Já relampeou
Sua espada luminosa
Ela segurou

Eram duas ventarolas, eram duas ventarolas
Que iam beirando o mar (2X)
Uma era Iansã, eparrei!
A outra era Iemanjá, Odociá! (2X)

Na Umbanda, ainda que pertencendo à chamada Linha d´Água (Iabás), Iansã também se associa ao vento, às tempestades e ao tempo.

MPB

A Deusa dos Orixás
(Romildo S. Bastos e Toninho Nascimento)

Iansã, cadê Ogum? Foi pro mar (2X)
Mas Iansã, cadê Ogum? Foi pro mar (2X)

Iansã penteia os seus cabelos macios
Quando a luz da lua cheia clareia as águas do rio
Ogum sonhava com a filha de Nanã
E pensava que as estrelas eram os olhos de Iansã

Mas Iansã, cadê Ogum? Foi pro mar (2X)
Iansã, cadê Ogum? Foi pro mar (2X)

Na terra dos orixás, o amor se dividia
Entre um deus que era de paz
E outro deus que combatia
Como a luta só termina quando existe um vencedor
Iansã virou rainha da coroa de Xangô

Mas Iansã, cadê Ogum? Foi pro mar (2X)
Iansã, cadê Ogum? Foi pro mar (2X)

Deixa a gira girar
(Mateus Aleluia, Dadinho e Heraldo)

Meu Pai veio de Aruanda
E a nossa Mãe é a Iansã

Meu Pai veio de Aruanda
E a nossa Mãe é a Iansã

Oh gira deixa a gira girar
Oh gira deixa a gira girar

Deixa a gira girar, saravá Iansã!
É Xangô e Iemanjá
Deixa a gira girar

Oh gira deixa a gira girar
Oh gira deixa a gira girar

Dois clássicos da MPB que consagraram Iansã e outros Orixás no imaginário da cultura afro-brasileira, levando conceitos religiosos e espirituais, mitos e tradições para fora dos muros dos terreiros.

NANÃ

Associada às águas paradas e à lama dos pântanos, Nanã é a decana dos Orixás. De origem daomeana, incorporada ao panteão iorubá, foi a primeira esposa de Oxalá, tendo com ele três filhos: Iroko (ou Tempo), Obaluaê (ou Omolu) e Oxumaré.

Senhora da vida (lama primordial) e da morte (dissolução do corpo físico na terra), seu símbolo é o ibiri, feixe de ramos de folha de palmeiras, com a ponta curvada e enfeitado com búzios. Segundo a mitologia dos Orixás, trata-se do único Orixá a não ter reconhecido a soberania de Ogum por ser o senhor dos metais: pormetais. Por isso, nos Cultos de Nação, o corte (sacrifício de animais) feito a Nanã nunca é feito com faca de metal. Presente na chuva e na garoa: banhar-se com as águas da chuva é banhar-se no e com o elemento de Nanã.

No tocante à reencarnação, envolve o espírito numa irradiação única, diluindo os acúmulos energéticos e adormecendo sua memória, de modo a ingressar na nova vida sem se lembrar das anteriores. Representa, ainda, a menopausa, enquanto Oxum estimula a sexualidade feminina e Iemanjá, a maternidade.

Nanã rege a maturidade, bem como atua no racional dos seres.

Características

Animais: cabra, galinha e pata brancas.
Bebida: champanhe.
Chacras: frontal e cervical (nishudda).
Cores: roxo ou lilás (branco e azul).
Comemoração: 26 de julho (Sant´Ana).
Comidas: aberum, feijão preto com purê de batata doce, mungunzá.
Contas: contas, firmas e miçangas de cristal lilás.
Corpo humano e saúde: dor de cabeça e problemas intestinais.
Dias da semana: sábado, segunda-feira.
Elemento: água.

Elementos incompatíveis: lâminas, multidões.

Ervas: manjericão roxo, ipê roxo, colônia, folha-da-quaresma, erva-de-passarinho, dama-da-noite, canela-de-velho, salsa-da-praia, manacá.

Essências: dália, limão, lírio, narciso, orquídea.

Flores: roxas.

Metais: latão, níquel.

Pedras: ametista, cacoxenita, tanzanita.

Planetas: Lua e Mercúrio.

Pontos da natureza/de firmeza: águas profundas, cemitérios, lama, lagos, pântanos.

Saudação: *Saluba, Nanã!* ("Nós nos refugiamos em Nanã!"; ou "Salve a Senhora da Lama/do Poço!", ou ainda "Salve a Senhora da Morte!")

Símbolos: chuva, ibiri.

Sincretismo: Sant´Ana.

SINCRETISMO

NOSSA SENHORA DE SANT´ANA

(26 de julho)

Segundo a tradição, mãe de Maria e, portanto, avó de Jesus. Esposa de São Joaquim.

REGISTROS

Itãs

Quando recebeu ordens de Olorum para criar o homem, Oxalá se utilizou, sem sucesso, de várias matérias-primas.

Tentou o ar, mas o homem se desfez rapidamente. Experimentou a madeira, mas o homem ficou muito duro. O mesmo, e com mais intensidade, aconteceu com a pedra. Com o fogo, nada feito, pois o homem se consumiu. Oxalá tentou outros elementos, como água e azeite.

Então Nanã, com seu ibiri, apontou para o fundo do lago e de lá retirou a lama, que entregou a Oxalá para ele fazer o homem. Deu certo: o homem foi modelado de barro e, com o sopro de Olorum, ganhou vida.

Quando morre, o corpo físico do homem retorna à terra de onde veio por empréstimo de Nanã.

Nanã, a força do feminino como co-participante da criação do homem. *Animus* e *anima* integrados.

* * *

Nanã teve dois filhos: Oxumaré e Omolu. Oxumaré era lindo, Omolu era feio.

Então Nanã cobriu Omolu com palhas para que não fosse visto e ninguém risse dele.

Quanto a Oxumaré, que tinha a beleza do homem, da mulher e das cores, Nanã o elevou até o céu e aí o pregou, onde pode ser admirado em suas cores, quando o arco-íris vem com a chuva.

No fundo, os dois filhos passaram a viver solitariamente e longe da mãe. A partir do itã, pode-se refletir sobre a opção entre "criar os filhos para o mundo" ou superprotegê-los.

* * *

Nanã e Ogum eram rivais.

Ogum é o senhor do ferro, do aço e dos metais. Sem ele, não havia sacrifícios. Por isso era sempre louvado, lembrado antes dos sacrifícios rituais.

Irritada com o devotamento a Ogum, Nanã afirmou que não precisaria mais dele. Ogum perguntou como comeria sem faca. Nanã decretou que os sacrifícios a ela seriam feitos sem faca e, portanto, sem a necessidade de se pedir licença a Ogum.

Passado e presente degladiam. Tecnologia e mudanças. A metalurgia se sobrepondo às eras em que o ferro não era de todo conhecido ou utilizado.

Orikis

O oriki abaixo (ou fragmento) foi coletado e traduzido por Pierre Verger.

Proprietária de um cajado.
Salpicada de vermelho, sua roupa parece coberta de sangue.
Orixá que obriga os fon a falar nagô.
Minha mãe era inicialmente da região bariba.
Água parada que mata de repente.
Ela mata uma cabra sem utilizar a faca.

O oriki apresenta alguns aspectos da migração histórica do culto a Nanã, bem como o respeito à particularidade da não-utilização da faca de metal.

PONTOS CANTADOS

São flores, Nanã, são flores
São flores Nanã Buruquê
São flores, Nanã, são flores
De meu Pai Obaluaê (2X)

Na hora da agonia
É ele quem vem nos valer
É seu filho, Nanã, é meu pai, Nanã
Ele é Obaluaê (2X)

Oh Nanã Adjaosi, olha eu
Oh Nanã Adjaosi, olha eu

Oh Nanã, o que pedir
Você me dá
Oh Nanã o que eu pedir
Você me dá

Em ambos os pontos Nanã aparece associada a Obaluaê (Adjaosi é uma qualidade de Nanã que caminha com Omolu).

MPB

Cordeiro de Nanã
(Mateus Aleluia)

Fui chamado de cordeiro mas não sou cordeiro não
Preferir ficar calado que falar e levar não
O meu silencio é uma singela oração a minha santa de fé

Meu cantar vibra as forças que sustentam meu viver
Meu cantar é um apelo que eu faço a Nanã ê

SOU DE NANÃ Ê UÁ Ê UÁ Ê UÁ Ê
SOU DE NANÃ Ê UÁ Ê UÁ Ê UÁ Ê
SOU DE NANÃ Ê UÁ Ê UÁ Ê UÁ Ê

O que peço no momento é silêncio e atenção
Quero contar sofrimento que passamos sem razão
O meu lamento se criou na escravidão que forçado passei
Eu chorei, sofri as duras dores da humilhação
Mas ganhei pois eu trazia Nanã ê no coração

SOU DE NANÃ Ê UÁ Ê UÁ Ê UÁ Ê
SOU DE NANÃ Ê UÁ Ê UÁ Ê UÁ Ê
SOU DE NANÃ Ê UÁ Ê UÁ Ê UÁ Ê

A paciência e a sabedoria de Nanã orientam a voz poética, segundo seu relato.

NANÃ PARA CRIANÇAS

Este texto eu escrevi para crianças, num ciclo de narrativas e relatos sobre Iabás.

Nanã é a avó de quem todos tomam a bênção. É a matriarca doce e firme que protege filhos e netos. Velhinha bastante animada, adora dançar com seus passos lentos. Como seu ritmo é mais suave, Nanã gosta de viver mais recolhida, onde houver águas paradas, em águas profundas, nos lagos e nos pântanos, por exemplo. Também pode ser vista passeando nos cemitérios, como a lembrar a todos nós que nossos corpos um dia vão se juntar à terra, ao pó, à lama.

Carrega sempre consigo o ibiri, uma espécie de feixe de ramos de folhas de palmeiras, com a ponta recurvada e enfeitado com búzios. Com ele nos braços, como a embalar um bebê, Nanã faz sua coreografia, em especial na chuva e na garoa: é uma avozinha radical!

Anda sempre arrumadinha, alinhada, não gosta de sujeira ou bagunça. Sua cor preferida é o roxo, ou mesmo o lilás. Gosta muito de receber flores com essas cores. Não dispensa um bom prato: aberum (milho torrado e pilado), feijão preto com purê de batata doce e, de sobremesa, mungunzá (canjica).

Os mais velhos contam que, quando recebeu ordens de Olorum (Deus Supremo) para criar o homem, Oxalá (Pai Maior dos Orixás) se utilizou, sem sucesso, de várias matérias-primas. Tentou o ar, mas o homem se desfez rapidamente. Experimentou a madeira, mas o homem ficou muito duro. O mesmo, e com mais intensidade, aconteceu com a pedra. Com o fogo, nada feito, pois o homem se consumiu. Oxalá tentou outros elementos, como água e azeite. Nada funcionava. Então Nanã, com seu ibiri, apontou para o fundo do lago e de lá retirou a lama que entregou a Oxalá para ele fazer o homem. Deu certo: o homem foi modelado de barro e, com o sopro de Olorum, ganhou vida. Por isso, quando morre, o corpo físico do ser humano retorna à terra de onde veio por empréstimo de Nanã, aquela que passeia pelos cemitérios.

Assim é Nanã, essa matriarca.

IEMANJÁ

Considerada a mãe dos Orixás, divindade dos Egbé, da Nação Iorubá, está ligada ao rio Yemojá. No Brasil, é a rainha das águas e dos mares. Protetora de pescadores e jangadeiros, suas festas são muito populares no país, tanto no Candomblé quanto na Umbanda, especialmente no extenso litoral brasileiro. Senhora dos mares, das marés, da onda, da ressaca, dos maremotos, da pesca, da vida marinha em geral.

Conhecida como Deusa das Pérolas, é o Orixá que apara a cabeça dos bebês na hora do nascimento. Rege os lares, as casas, as uniões, as festas de casamento, as comemorações familiares. Responsável pela união e pelo sentido de família, seja por laços consanguíneos ou não.

Características

Animais: peixe, cabra branca, pata ou galinha branca.

Bebidas: água mineral, champanhe.

Chacra: frontal.

Cor: cristal (branco, azul claro, rosa claro, verde claro).

Comemorações: 02 de fevereiro, 08 de dezembro, 15 de agosto.

Comidas: arroz, canjica, camarão, mamão, manjar, peixe.

Contas: contas e miçangas de cristal, com firmas em cristal.

Corpo humano e saúde: psiquismo, sistema nervoso.

Dia da semana: sábado.

Elemento: água.

Elementos incompatíveis: poeira, sapo.

Ervas: colônia, pata-de-vaca, embaúba, abebê, jarrinha, golfo, rama-de-leite.

Essências: jasmim, rosa branca, crisântemo, orquídea.

Flores: rosas brancas, palmas brancas, angélicas, orquídeas e crisântemos brancos.

Metal: prata.

Pedras: água marinha, calcedônia, lápis-lazúli, pérola, turquesa.

Planeta: Lua.

Ponto da natureza: mar.

Saudações: *Odoya!*, *Odoyá!* ou *Odofiaba!* ("Mãe das Águas!")
Símbolos: lua minguante, ondas, peixes.
Sincretismo: N. sra. das Candeias, N. sra. da Glória, N. sra. dos Navegantes, N. sra. da Imaculada Conceição.

SINCRETISMO

NOSSA SENHORA DOS NAVEGANTES

(Festa: 02 de fevereiro)

Celebrada em diversas localidades do país, em rios e mares. Principalmente as casas de Candomblé festejam Iemanjá nessa data, em diversos pontos do litoral brasileiro.

NOSSA SENHORA DAS CANDEIAS

Também celebrada em 02 de fevereiro, trata-se da festa de purificação de Nossa Senhora, conforme os preceitos judaicos.

NOSSA SENHORA DA GLÓRIA

(Festa: 15 de agosto)

A data associava-se, ainda, à Assunção de Nossa Senhora, que passou a ser celebrada no domingo seguinte ao 15 de agosto, em alteração do calendário da Igreja Católica para atender às particularidades do povo brasileiro.

NOSSA SENHORA DA IMACULADA CONCEIÇÃO

(Festa: 08 de dezembro)

Enquanto no Candomblé geralmente se celebra Oxum nessa data, na Umbanda a maioria das casas festeja Iemanjá, em vários pontos do litoral brasileiro. A Imaculada Conceição de Maria é um dogma da Igreja Católica, proclamado solenemente pelo Papa Pio em 1854, embora houvesse antecedentes na história da Igreja.

REGISTROS

Itãs

Obatalá e Odudua[12], Céu e Terra, geraram Aganju e Iemanjá.

Aganju e Iemanjá geraram Orungã, apaixonado pela própria mãe.

Um dia, com o pai ausente, Orungã violentou Iemanjá, que, estarrecida, fugiu em disparada, perseguida por ele. Quando estava prestes a ser alcançada, Iemanjá caiu. Seu corpo cresceu e cresceu, como vales e montanhas. Dos seios surgiram dois rios, que se juntaram numa lagoa, da qual se formou o mar.

De seu ventre, que também havia crescido de modo incomum, nasceram os Orixás.

Diversos mitos abordam questões de tabu, como o incesto. Toda a feminilidade de Iemanjá favorece a reprodução: dos seios túrgidos surgem as águas, fundamentais para a existência; do ventre, nascem os Orixás.

Iemanjá, como seu companheiro Aganju, é fruto do Céu e da Terra: as polaridades horizontais (masculino e feminino) conjugam-se a partir das polaridades verticais (Céu e Terra), corpo e espírito fundamentando a existência.

* * *

Iemanjá, muito linda, um dia veio à praia e conheceu um pescador, levando-o para sua morada no fundo do mar. Amaram-se com ardor; porém, por ser humano, o pescador morreu afogado. Iemanjá, então, devolveu seu corpo, sem vida.

Desejosa de amar, a cada noite se enamora de um pescador que saiu ao mar, leva-o para as profundezas , amam-se, o homem morre afogado e o corpo é devolvido à praia.

Por esse motivo, noivas e esposas pedem a Iemanjá que não leve seus homens e lhe ofertam presentes.

---

12 Odudua, aqui, assim como em diversas fontes, aparece como elemento feminino - o que, segundo Verger, resulta da confusão feita com Yemowo por parte de autores que, ao longo do tempo, copiaram-se mutuamente.

Narrativa em que o elemento masculino aparece morto a cada ato sexual, sendo necessário que se encontre outro, à primeira vista assemelha-se à narrativa-base de Scherazade, em que a cada manhã a esposa do príncipe Shariar era morta, sendo necessária nova núpcia. Contudo, no itã, lido em profundidade, o elemento amoroso não é anulado: antes é dissociado do físico, do corpóreo, do material, para adentrar no plano dos mistérios. O corpo pertence à terra (praia), o espírito pertence ao infinito (profundeza dos oceanos) - que, certamente, aqui pode ser lido como sinônimo da eternidade. O corpo não é negado (pois ele, aliás, é imprescindível para a conjugação carnal), mas compreendido como fundamental para esta existência, e não para viagens (mergulhos) mais profundos.

* * *

Desde o início da criação, os seres humanos começaram a poluir o mar. Por essa razão, Iemanjá e sua casa viviam sujas. Então Iemanjá foi reclamar com Olorum, que lhe deu o poder de devolver à praia tudo o que sujasse as águas do mar. Surgiram, assim, as ondas, que devolvem à terra o que não pertence ao mar.

Itã de matiz ecológica sobre a responsabilidade de cuidar do que é seu e de todos, antes que a natureza reaja com veemência.

Evoca a Lei de Ação e Reação, segundo a qual tudo o que se mobiliza energeticamente produz uma força reativa na mesma proporção - o que, popularmente e por influência de diversos segmentos da Espiritualidade da Índia, se conhece como karma.

Orikis

O oriki abaixo é uma transcriação literária de Antonio Risério a partir do iorubá:

Oriki de Iemanjá

Iemanjá que se estende na amplidão
Aiabá que vive na água funda

Faz a mata virar estrada
Bebe cachaça na cabaça
Permanece plena em presença do rei.
Iemanjá se revira quando vem a ventania
Gira e rodopia em volta da vila.
Iemanjá descontente destrói pontes.
Come na casa, come no rio.
Mãe senhora do seio que chora.
Pelo espesso na buceta
Buceta seca no sono
Como inhame ressequido.
Mar, dono do mundo, que sara qualquer pessoa.
Velha dona do mar.
Fêmea-flauta acorda em acordes na casa do rei.
Descansa qualquer um em qualquer terra.
Cá na terra, cala - à flor d'água, fala.

A Rainha do Mar, em sua plenitude de feminilidade, sensualidade erotismo, com características bastante humanas.

O oriki abaixo foi recolhido por Pierre Verger:

Rainha das águas que vem da casa de Olokum.
Ela usa, no mercado, um vestido de contas.
Ela espera orgulhosamente sentada, diante do rei.
Rainha que vive nas profundezas das águas.
Ela anda à volta da cidade.
Insatisfeita, derruba as pontes.
Ela é proprietária de um fuzil de cobre.
Nossa mãe de seios chorosos.

Este oriki privilegia aspectos da maternidade, da mãe-nutriz altaneira, cujas características são marinhas (origem, vestimentas), dotada da força e do poder das águas.

PONTOS CANTADOS

Eu vou levar
Vou levar flores no mar
Eu vou jogar!
Uma promessa eu fiz
Para a deusa do mar
O meu pedido atendeu
Eu prometi, vou pagar
Eu vou jogar!
Vou jogar flores no mar
Eu vou jogar!

A fé, a confiança e a gratidão a Iemanjá dão a tônica deste ponto. Não se trata de um "toma lá, dá cá" espiritual, e, sim, de uma troca energética que resulta num presente filial ofertado à mãe, que protege, ampara e sabe das reais necessidades de seus filhos.

Iê Iemanjá
Iê Iemanjá
Rainha das ondas, sereia do mar
Rainha das ondas, sereia do mar
Como é lindo o canto de Iemanjá
Ele faz o pescador chorar
Quem escuta a mãe d'água cantar
Vai com ela pro fundo do mar
Iemanjá!
Iê Iemanjá
Iê Iemanjá
Rainha das ondas, sereias do mar
Rainha das ondas, sereias do mar

O mar, ponto de força por excelência de Iemanjá, é pleno de amor, que leva até um pescador (arquétipo do masculino vivido e experimentado nas durezas do mar, isto é, da vida) a se encantar e se emocionar. Ir ao fundo do mar ao ouvir o canto de Iemanjá não significa necessariamente se afogar, e, sim, penetrar, ao menos em parte, em seus mistérios, conectando-se com esse Orixá.

Eu vou à *Praia Grande*
Eu vou pro mar
Levar botões de rosas
Pra Iemanjá
Eu vou à praia
Vou riscar ponto na areia
Vou pedir à Mãe Sereia
Todas as forças do mar
Que nos proteja
Com seu manto inteiro branco
E com todos os encantos
Que tem as ondas do mar

Praia Grande é um dos grandes centros de peregrinação do litoral paulistano, em especial na festa de 08 de dezembro - que, de tantos terreiros que afluem à cidade, teve de ser desmembrada em dois finais de semana. A cidade associa-se a Iemanjá de forma simbiótica, tanto no que tange às casas religiosas de matriz africana, quanto no imaginário de turistas e curiosos em acompanhar os trabalhos.

MPB

Conto de areia
(Letra e música: Romildo Bastos e Toninho Nascimento)

É água no mar,
É água no mar é maré cheia ô, mareia ô, mareia,
Contam que toda tristeza que tem na Bahia,
Nasceu de uns olhos morenos molhados de mar,

Não sei se é conto de areia ou se é fantasia,
Que a luz da candeia alumia pra gente contar,
Um dia a morena enfeitada de rosas e rendas,
Abriu seu sorriso de moça e pediu pra dançar,
A noite emprestou as estrelas bordadas de prata,
E as águas de Amaralina eram gotas de luar,
Era um peito só cheio de promessa era só,
Era um peito só cheio de promessa era só,
Era um peito só cheio de promessa era só,
Era um peito só cheio de promessa era só,
Quem foi que mandou o seu amor se fazer de canoeiro,
O vento que rola nas palmas arrasta o veleiro,
E leva pro meio das águas de Iemanjá,
E o mestre valente vagueia olhando pra areia sem poder chegar,
Adeus amor,
Adeus meu amor não me espera porque eu já vou-me embora,
Pro reino que esconde os tesouros de minha senhora,
Desfia colares de conchas pra vida passar,
E deixa de olhar pro veleiro,
Adeus meu amor eu não vou mais voltar,
Foi beira-mar, foi beira-mar quem chamou,
Foi beira-mar ê, foi beira-mar...
Foi beira-mar, foi beira-mar quem chamou,
Foi beira-mar ê, foi beira-mar...
É água no mar
É água no mar
É maré cheia ô
Mareia ô
Mareia
É água no mar
É água no mar
É maré cheia ô
É água no mar
Mareia ô

Conforme o imaginário popular, a irresistível Iemanjá arrasta para seu reino os homens do mar – voluntariamente, como reza a letra da canção, diante do fascínio da Rainha do Mar, de sua beleza e de seus mistérios.

A canção teve diversas gravações, contudo, foi eternizada pela voz de Clara Nunes.

Lenda das Sereias
(Vicente Mattos, Dinoel Sampaio, Arlindo Velloso)

Oguntê, Marabô
Caiala e Sobá
Oloxum, Ynaê
Janaina e Yemanjá
São rainhas do mar

Mar, misterioso mar
Que vem do horizonte
É o berço das sereias
Lendário e fascinante

Olha o canto da sereia
Ialaó, oquê, ialoá
Em noite de lua cheia
Ouço a sereia cantar
E o luar sorrindo
Então se encanta
Com as doces melodias
Os madrigais vão despertar

Ela mora no mar
Ela brinca na areia
No balanço das ondas
A paz ela semeia
Ela mora no mar

Ela brinca na areia
No balanço das ondas
A paz ela semeia

Toda a corte engalanada
Transformando o mar em flor
Vê o Império enamorado
Chegar à morada do amor

Oguntê, Marabô
Caiala e Sobá
Oloxum, Ynaê
Janaina e Yemanjá
São rainhas do mar

Fonte inesgotável de mistérios, o mar atrai a todos - em especial na lua cheia, associada ao romantismo e à boa visão do que é noturno, momento especial para avistar e contemplar Iemanjá em seus domínios, brincando e espalhando seu Axé.

Tendo várias gravações, sendo a mais conhecida a de Marisa Monte (*MM*, de 1989), "Lenda das Sereias" foi samba enredo da Escola de Samba Império Serrano, em 1976 ("Lenda das Sereias, Rainhas do Mar").

A canção evoca alguns nomes e qualidades de Iemanjá.

<u>Unicamente</u>
(Deborah Blando)

Vem sentir
A era das águas
O velho tempo terminou
Somos filhos
Da mãe natureza
Ventre do total amor

Segue-se a história
Herdada de Atlantis
Todo começo é o caos
A raça humana, eterna mutante
Nasce ao plano astral

Raiou o sol
Que haja luz no novo dia
A voz da fé
É a sombra que te guia

Eu vou buscar
No silêncio do teu mar
Linda sereia
Odoia Yemanjá

Nas ondas
Que lavam a terra
Vem tecendo um espiral
Tom sereno
Que pulsa no mantra
Do teu canto sideral

Deusa da fonte
Rede gigante
Espelho do eterno altar
Dom da visão, do vôo distante
O sonho pra nos lembrar

Raiou o sol
Olha o mar, que alegria
Sentir você
É viver em harmonia
Eu vou buscar

Pedras brancas pra te dar
Linda sereia
Odoia Yemanjá

Vem sentir
Somos divinos
Grão de areia da razão
Num só corpo
De única mente

Esse é o motivo
Incerto destino
Tempo é uma ilusão
Íris da noite
Ela revela
A próxima dimensão

Raiou o sol
Que haja luz no novo dia
A voz da fé
É a sombra que te guia
Eu vou buscar
No silêncio do teu mar
Linda sereia
Odoia Yemanjá

Raiou o sol
Olha o mar que alegria
Sentir você
É viver em harmonia
Eu vou buscar
Pedras brancas pra te dar
Linda sereia
Odoia Yemanjá

A era das águas, em que os filhos do Sol se reúnem para dançar integrados à natureza, desenrola-se na canção sob as bênçãos de Iemanjá, que inauguram um novo tempo.

Sexy Iemanjá
(Pepeu Gomes)

A noite vai ter lua cheia
Tudo pode acontecer
A noite vai ter lua cheia
Quem eu amo vem me ver
Tem a ver com o mar
Um luar solar
É o amor que me incendeia
Vou sair de mim
Leve como o ar
E agradar minha sereia
Se ela me chamar
E quiser me amar
Eu vou, vou vou, vou vou vou vou vou, vou
Sexy Yemanja
Tudo a ver com o mar
A noite vai ter lua cheia
A noite vai ter lua cheia
Tudo pode acontecer
A noite vai ter lua cheia
Quem eu amo vem me ver
Vou me preparar, num banho de mar
Pronto pra ser todo seu
Vou amar demais, quero estar em paz
Entre nós só sexo e Deus
Se ela me chamar
E quiser me amar
Eu vou, vou vou, vou vou, vou, vou, vou, vou..

Sexy Yemanja
Tudo a ver com o mar
A noite vai ter lua cheia
A noite vai ter lua cheia
Quem eu amo vem me ver
A noite vai ter lua cheia
Olha a lua!
E tudo pode acontecer
Ai, papá
Eu só quero lembrar
Que a luz da lua
Vem do sol..
Ai, papá
Eu só quero lembrar
Que a luz da lua
Vien del sol...

A sedução dos mistérios de Iemanjá, personificada em mulher e num clima romântico de lua cheia, de lual, com a sensualidade dos trópicos da América Latina por vezes estandardizada (o texto em português se mescla a palavras em espanhol), num ritmo próximo da salsa, é a tônica desta canção.

IEMANJÁ PARA CRIANÇAS

Este texto eu escrevi para crianças, num ciclo de narrativas e relatos sobre Iabás.

Iemanjá adora uma praia. Pode ser vista no mar, descansando nas pedras, caminhando lentamente pela areia, sempre formosa, altiva, atenta a seus filhos e aos pescadores, jangadeiros, surfistas, a todos que elegem o mar como seu santuário. Conhece o ritmo das ondas, os segredos das ondas, a localização de tesouros perdidos, as qualidades dos peixes. Em suas mãos, até os tubarões se amansam. As baleias cantam para Iemanjá, à noite, para ela dormir. Os golfinhos fazem acrobacias quando ela acorda e se espreguiça enquanto o sol se abre.

Mãe dos peixes até no nome (Iemanjá significa "Mãe cujos filhos são peixes"), adora dançar. Por isso coordena a coreografia de seus filhos peixes e humanos, assim como a dança das ondas, das marés, das ressacas.

Festa de Iemanjá é sinônimo de alegria, pois a mãe é muito querida. Festa para mãe tem sempre muita gente, não é? Com Iemanjá não seria diferente, basta olhar o tamanho do quintal dela: todo o litoral brasileiro! Por ser mãe experiente, sabe orientar para que as famílias, as uniões todas, os lares sejam harmoniosos, abençoados pela água e pelo sal. E os filhos gostam de ver a mãe sempre bonita, por isso lhe dão flores e perfumes.

Agora, quem nunca viu uma mãe irritada? Quando Iemanjá encontra sujeira na praia (no mar, na areia, nas pedras), fica muito braba, chama atenção, dá sermão, bota as mãos na cintura, inclina o corpo, aponta o dedo, ai, ai. Faz as ondas trazerem a sujeira de volta para que os filhos recolham sozinhos, como crianças que têm de aprender a guardar os brinquedos. É mãe carinhosa, mas não mima filho nenhum...

Sábia e experiente, Iemanjá não é mulher de fugir de problemas. Os mais velhos contam que o Sol andava muito cansado de tanto brilhar. Além disso, tudo andava se queimando na Terra. Então Iemanjá propôs ao Sol que descansasse. Com alguns raios de Sol que havia guardado por debaixo da saia, ela fez um novo astro, mais suave, menos intenso, que passou a iluminar e refrescar a Terra enquanto o Sol dormia: a Lua. Enquanto o Sol dorme, as estrelas velam seu sono e a Lua dá conta do recado. No dia seguinte, tudo recomeça. Iemanjá, do mar e das pedras, contempla satisfeita sua invenção.

Iemanjá gosta de rosas e palmas brancas, crisântemos também brancos, orquídeas, angélicas. Mulher vaidosa, geralmente se veste de azul, como o mar (e o mar não parece uma extensão do vestido de Iemanjá?). Às vezes aparece como sereia, e a coisa mais linda é vê-la penteando os cabelos à luz da lua ou de algum farol.

Os filhos lhe fazem festa com seus pratos preferidos: arroz, canjica, camarão, peixe. De sobremesa, gosta de mamão, mas não dispensa um bom manjar; afinal, festa é festa!

Assim é Iemanjá, essa mãe.

ORAÇÕES

(Recolhidas por Ernesto Santana e Eulina d´Iansã)

Prece a Iemanjá

Poderosa força das águas,
Inaê, Janaína, Sereia do Mar,
Saravá, minha Mãe Iemanjá!
Leva para as profundezas do teu mar sagrado.
Odoiá... Todas as minhas desventuras e infortúnios.
Traz do teu mar todas as forças espirituais,
Para alento de nossas necessidades.
Paz, esperança, Odofiabá...
Saravá, minha Mãe Iemanjá!
Odofiabá...

Oração a Iemanjá

Vós que governais as águas, derramai sobre a humanidade a vossa proteção. Ó Divina Mãe, que uma descarga de limpeza caia sobre os corpos materiais e auras da humana gente, incutindo nos corações de todos o respeito e a veneração a essa força da natureza que simbolizais.

Fluidificai, Senhora, nossos espíritos, descarregai de nossa matéria as impurezas. Permiti que vossas falanges organizadas nos protejam e amparem. Assim também fazendo com toda a humanidade, Senhora Iemanjá, guardai-nos para todo o sempre. Salve, Iemanjá, salve a Rainha do Mar.

Proteção de Iemanjá

Rainha das águas salgadas, protetora dos sete mares, dona da Calunga Maior, com todas estas forças, Senhora, protege-me para que eu não caia em ciladas armadas pelo destino. Eu, que ele desconheço, te rogo, Mãe Iemanjá, assim como a senhora guarda e protege os tesouros do fundo do mar, me guarda e me protege. Purifica, minha sagrada Mãe, tudo à minha volta e ao redor de todos que vivem comigo. Não permites, Senhora, que eu tome qualquer iniciativa perversa contra qualquer pessoa que de alguma forma queira me atingir. Dá-me forças para que eu perdoe, que eles sejam meus irmãos e meus amigos, na força das tuas águas. Assim seja e assim será. Axé!

Reza à Mamãe Sereia

Ó, Puríssima Senhora, que o reflexo que a lua faz nas tuas águas possa também recair sobre minhas necessidades. Que não haja trevas em minha vida, que a fé que deposito em teu axé possa ser a bússola do meu futuro, e que, com o teu manto sagrado cravejado de estrelas, ampare teus filhos das maléficas marolas da vida material. Que marolas do bem, governadas pela tua força, possam levar para o infinito as maldades que perseguem minha vida. Axé.

OBALUAÊ

Obaluaê, com as variações de Obaluaê e Abaluaiê, tem culto originário no Daomé. Filho de Nanã, irmão de Iroko e Oxumaré, tem o corpo e o rosto cobertos por palha-da-costa, a fim de esconder as marcas da varíola, ou, segundo outras lendas, por ter o brilho do próprio sol e não poder ser olhado de frente. Foi criado por Iemanjá, pois Nanã o rejeitara por ser feio, manco e com o corpo coberto de feridas.

Orixá responsável pelas passagens, de plano para plano, de dimensão para dimensão, da carne para o espírito, do espírito para a carne. Orixá responsável pela saúde e pelas doenças, possui estreita ligação com a morte. Enquanto sua mãe se responsabiliza pela decantação dos espíritos que reencarnarão, Obaluaê estabelece o cordão energético que une espírito e feto, que será recebido no útero materno assim que tiver o desenvolvimento celular básico, vale dizer, o dos órgãos físicos. Em linhas gerais, Obaluaê é a forma mais jovem do Orixá, enquanto Omolu é sua versão mais velha, embora para a maioria as figuras e os arquétipos sejam idênticos.

Conhecido como médico dos pobres, com seu xaxará (feixe de piaçavas ou maço de palha-da-costa, enfeitado com búzios e miçangas) afasta as enfermidades, trazendo a cura. Também é o guardião das almas que ainda não se libertaram do corpo físico e senhor da calunga (cemitério). Os falangeiros do Orixá são os responsáveis por desligar o chamado cordão de prata (fios de agregação astral-físicos), responsável pela ligação entre o perispírito e o corpo carnal. Atuam em locais de manifestação do pré e do pós-morte, tais como hospitais, necrotérios e outros, com vistas a não permitir que espíritos vampirizadores se alimentem do duplo etérico dos desencarnados ou dos que estão próximos do desencarne. Além disso, auxiliam os profissionais da área da saúde, de terapias holísticas e afins, bem como aliviam as dores dos que padecem.

Características

Animais: cachorro, caranguejo, galinha-de-angola, peixes de couro.

Bebidas: água mineral, vinho tinto.

Chacra: básico.

Cores: preto e branco.

Comemoração: 16 de agosto (São Roque), 17 de dezembro (São Lázaro).

Comidas: feijão preto, carne de porco, deburu, abado, latipá, iberém.

Contas: contas e miçangas brancas e pretas leitosas.

Corpo humano e saúde: todas as partes do corpo.

Dia da semana: segunda-feira.

Elemento: terra.

Elementos incompatíveis: claridade, sapo.

Ervas: canela-de-velho, erva-de-bicho, erva-de-passarinho, barba-de-milho, barba-de-velho, cinco-chagas, fortuna, hera.

Essências: cravo, menta.

Flor: monsenhor branco.

Metal: chumbo.

Pedras: obsidiana, olho-de-gato, ônix.

Planeta: Saturno.

Pontos da natureza/de força: cemitérios, grutas, praia.

Saudação: *Atotô*! (Significa "Silêncio!", uma vez que Obaluaê pede silêncio, respeito, seriedade).

Símbolos: cruz, cruzeiro.

Sincretismo: São Roque, São Lázaro.

SINCRETISMO

SÃO ROQUE

(17 de agosto)

Natural de Montpellier, França, no século XV, auxiliava vítimas da peste pela Itália. Quando contraiu a doença, peregrinou solitário.

Representações iconográficas mostram um cão que teria levado um pão para Roque não morrer de fome. Teria morrido em Angera, Itália, numa prisão, confundido com um espião - ou em Montpellier, segundo outras fontes.

SÃO LÁZARO
(17 de dezembro)
Segundo a tradição, irmão de Marta e Maria que teria sido ressuscitado por Jesus e posteriormente sofrido martírio em Marselha. A ele se associam a lepra e os cães que lhe lambem as feridas, provavelmente por associação a outro Lázaro, o da parábola sobre o rico e o pobre (Lc 16, 19-31).

REGISTROS

Itãs

Obaluaê menino desobedecia à sua mãe. Ela lhe havia dito para não pisar nas flores brancas do jardim onde o menino brincava. Ele pisou de propósito e, quando se deu conta, seu corpo estava cheio de flores brancas que se transformaram em feridas.

O menino, agora, estava com medo e pedia socorro à mãe, que lhe contou que a varíola havia lhe atacado por ser desobediente, mas ela o ajudaria.

Então a mãe de Obaluaê jogou pipocas em seu corpo e as feridas desapareceram.

O menino deixou o jardim tão saudável quanto estava quando havia entrado nele.

* * *

Ao voltar à aldeia natal, Obaluaê viu uma grande festa, com todos os Orixás. Porém, em razão da própria aparência, não ousava entrar na festa. Ogum tentou ajudá-lo, cobrindo-o com uma roupa de palha que escondia até sua cabeça. Obaluaê entrou na festa, mas não se sentia à vontade. Iansã, que tudo acompanhava, teve muita compaixão de Obaluaê.

Então a senhora dos ventos esperou que Obaluaê fosse para o centro do barracão onde ocorria a festa e os Orixás dançavam animados. Soprou as roupas de Obaluaê, as palhas se levantaram com o vento, as feridas de Obaluaê pularam, numa chuva de pipoca.

Obaluaê, agora um jovem bastante atraente, tornou-se amigo de Iansã Igbale, ambos reinando sobre os espíritos (eguns).

* * *

Omolu foi abandonado por sua mãe, Nanã, numa gruta perto da praia, e criado por Iemanjá, que lavou suas feridas com a água do mar, o sal as secou. Para que ninguém visse as cicatrizes, fez para ele uma roupa de ráfia.

Omolu seguia pelas aldeias, ora dando saúde, ora deitando doenças.

Iemanjá pensou que seu filho adotivo estava curado e vigoroso, mas não podia ser pobre. Então, bastante próspera, lhe deu pérolas.

Omolu tornou-se rico, trazendo sob a roupa de ráfia muitos colares de pérolas. Passou a ser conhecido como Jeholu, isto é, o Senhor das Pérolas.

Os três itãs tratam das dores de Obaluaê (inclusive criança) e Omolu, de sua cura e redenção.

<u>*Orikis*</u>

O oriki abaixo é uma transcriação do iorubá para o português feita por Antonio Risério.

<u>Oriki de Omolu</u>

Ele desperta e presto apanha o patuá.
Elefante que fere não conhece ferida.

Nos achamos no mato e puxamos machado.
Esta árvore é odã ou não é?
Mete o machado e verás.
Ele vai devagar e dá na cara da criança.
Escorpião tem ferrão arqueado
Cobra não conversa com malcriado.
Ente potente.
Ele cai e – feito espinho – fecha o caminho.
Com a testa de Oluô ele mói elegbá
Com Ojubonã dilacera Xugudu
Mata um ijebu que tinha axé e voz dentro da boca.

Por ser Orixá mais velho, sisudo mesmo, Omolu gosta de tudo certo, organizado e respeitoso.

PONTOS CANTADOS

Meu padrinho Obaluaê
O que "vós quer" para comer?
Quero pipoca estourada no azeite de dendê
Também quero um copo d'água para meus filhos benzer

Meu padrinho Obaluaê
O que "vós quer" para comer?
Quero farinha amarela no azeite de dendê
Também quero um copo d'água para meus filhos benzer

Omolu ê, Omoluá
Omoluê, Omolu é Orixá

Cadê a chave do baú?
Tá com o velho Omolu

Pai Curador, Omolu abençoa a todos, protege e promove a saúde em todos os níveis (físico, espiritual, psíquico, etc.).

OUTROS ORIXÁS CULTUADOS NA UMBANDA

Outros Orixás cultuados na Umbanda, ao menos em algumas casas: Exu, Obá, Euá, Logun-Edé, Iroco, Ossaim, Oxumaré, Tempo, Orunmilá/Ifá (o primeiro é representante do segundo na Terra).

Exu

Conhecido pelos Fons como Legba ou Legbara, o Exu iorubano é Orixá bastante controvertido e de difícil compreensão - o que certamente o levou a ser identificado com o Diabo cristão. Responsável pelo transporte das oferendas aos Orixás e também pela comunicação dos mesmos, é, portanto, seu intermediário. Como reza antigo provérbio, *Sem Exu não se faz nada.*

Seu arquétipo é o daquele que questiona as regras, para quem nem sempre o certo é certo ou o errado, errado. Assemelha-se bastante ao Trickster dos indígenas norte-americanos. Seus altares e símbolos são fálicos, pois representa a energia criadora, o vigor da sexualidade.

Responsável pela vigia e guarda das passagens, é aquele que abre e fecha caminhos, ajudando a encontrar meios para o progresso além da segurança do lar e protegendo contra os mais diversos perigos e inimigos.

De modo geral, o Orixá Exu não é diretamente cultuado na Umbanda, mas sim os Guardiões (Exus) e Guardiãs (Pombogiras).

Características

Animais: cachorro, galinha preta.
Bebida: cachaça.
Chacra: básico (sacro).
Cores: preto e vermelho.
Comemoração: 13 de junho.
Comida: padê.
Contas: pretas e vermelhas.

Corpo humano e saúde: dores de cabeça relacionadas a problemas no fígado.

Dia da semana: segunda-feira.

Elemento: fogo.

Elementos incompatíveis: comidas brancas, leite, sal.

Ervas: arruda, capim tiririca, hortelã, pimenta, salsa, urtiga.

Flores: cravos vermelhos.

Metal: ferro.

Pedras: granada, ônix, turmalina negra, rubi.

Planeta: Mercúrio.

Pontos da natureza/de força: encruzilhadas, passagens.

Saudação: *Laroiê, Exu, Exu Mojubá!* ("Salve, Mensageiro, eu saúdo Exu!"). Fórmula usada para os Guardiões e também para Pombogiras.

Símbolos: bastão (ogó), tridente.

Sincretismo: Santo Antônio.

SINCRETISMO

SANTO ANTÔNIO DE PÁDUA OU DE LISBOA

(13 de junho)

Talvez a associação de Exu com o franciscano do século XIII seja porque ele foi canonizado no dia de Pentecostes, ao qual se associam línguas de fogo descendo do céu - sendo o fogo o elemento do Orixá Exu. Certamente a associação se dá porque Antônio era missionário, peregrino, caminhando sempre.

REGISTROS

Itãs

Exu vagava pelo mundo, sem destino, sem se fixar em lugar nenhum ou exercer alguma profissão. Simplesmente ia de um canto a outro. Um dia começou a ir a casa de Oxalá, onde passava o tempo a observar o velho Orixá a fabricar seres humanos.

Outros visitavam Oxalá, ficavam alguns dias, mas nada aprendiam, apenas admiravam a obra de Oxalá, entregando-lhe oferendas. Por sua vez, Exu ficou dezesseis anos na casa de Oxalá, ajudando e aprendendo como se fabricavam os humanos, observando, atento, sem nada perguntar.

Como o número de humanos para fazer só aumentava, Oxalá pediu a Exu para ficar na encruzilhada por onde passavam os visitantes, não permitindo que passassem os que nada trouxessem ao velho Orixá. Exu, então, recolhia as oferendas e entregava a Oxalá, que resolveu recompensá-lo, de modo que todo visitante deveria também deixar algo para Exu.

Exu se fixou de vez como guardião de Oxalá, fez sua casa na encruzilhada e prosperou.

* * *

Certa vez, Aganju, ao atravessar um rio, viu uma linda mulher que se banhava nas águas.

Era Oxum. Fez-lhe a corte, mas Oxum o desprezou.

Então, Aganju tentou violentá-la.

Das águas surgiu um pequeno ser, Eleguá, para defender Oxum, que, rindo, explicou a Aganju que Eleguá a queria como mãe. De pronto, estabeleceu-se uma amizade entre todos.

Aganju convidou os dois para irem à sua casa. Ambos aceitaram. Lá chegando, porém, Eleguá recusou-se a entrar, ficando à porta. Tornou-se guardião da casa.

E, assim, tornou-se também o primeiro a comer.

* * *

Certa vez mandaram Exu preparar um ebó (oferenda) para se conseguir fortuna rapidamente. Depois de tê-lo preparado, Exu foi para Ijebu. Contudo, não se hospedou na casa do governante local, segundo a tradição, mas na casa de um homem muito importante.

Pela madrugada, todos dormindo, Exu se levantou e fingiu ir até o quintal para urinar. Então, pôs fogo nas palhas que cobria a casa e passou a gritar, dizendo que perdia uma fortuna imensa que estava dentro de uma talha que entregara ao dono da casa para guardar.

Tudo foi consumido pelo fogo.

Uma multidão acorria e ouvia a história de Exu. Até mesmo o governante local acorreu.

Para que um estrangeiro não fosse prejudicado, o chefe local resolveu pagar a Exu o valor que ele afirmava ter perdido no incêndio. Contudo, na aldeia não havia dinheiro suficiente para tanto.

Para compensar Exu, o rei decidiu, então, proclamá-lo rei de Ijebu. E todos se tornaram seus súditos.

Até hoje há grande dificuldade para o mundo industrializado compreender o controvertido e o contraditório em Exu, em cujos relatos nem sempre o bom é totalmente bom e o mau é totalmente mau, havendo uma busca pelo equilíbrio cósmico. Certamente por essa dificuldade e pelas representações e culto a Exu na África contribuíram para que, preconceituosamente, o Orixá fosse associado ao Diabo hebraico-cristão.

Oriki

O oriki abaixo é uma transcriação de Antonio Risério.

Oriki de Exu (fragmento)

Lagunã incita e incendeia a savana.
Cega o olho do sogro com uma pedrada.
Cheio de orgulho e de charme ele marcha.
Quente, quente é a morte do delinquente.

Exu não admite que o mercado se agite
Antes que anoiteça.
Exu não deixa a rainha cobrir o corpo nu.
Exu se faz mestre das caravanas do mercado.

Assoa — e todos acham
Que o barco vai partir.
Passageiros se preparam depressa.
Exu Melekê fica na frente.
O desordeiro está de volta.

(...)

Sua mãe o pariu na volta do mercado.
De longe ele seca a árvore do enxerto.
Ele passeia da colina até a casa.
Faz cabeça de cobra assoviar.
Anda pelos campos, anda entre os ebós.
Atirando uma pedra hoje,
Mata um pássaro ontem.

Andarilho, livre, controvertido, senhor do mercado, cujas razões e motivações conhece plenamente, não estando preso ao tempo e ao espaço, como demonstram, sobretudo, os últimos dois versos.

OXUMARÉ

Filho mais novo e preferido de Nanã, Oxumaré participou da criação do mundo, enrolando-se ao redor da terra, reunindo a matéria, enfim, dando forma ao mundo. Desenhou vales e rios, rastejando mundo afora. Responsável pela sustentação do mundo, controla o movimento dos astros e oceanos. Representa o movimento, a fertilidade, o continuum da vida: Oxumaré é a cobra que morde a própria cauda, num ciclo constante.

Oxumaré carrega as águas dos mares para o céu, para a formação das chuvas. É o arco-íris, a grande cobra colorida. Também é associado ao cordão umbilical, pois viabiliza a comunicação entre os homens, o mundo dito sobrenatural e os antepassados. Na comunicação entre céu e terra, entre homem e espiritualidade/ancestralidade, mais uma vez se observa a ideia de ciclo contínuo representada pelo Orixá, a síntese dialética entre opostos complementares.

Nos seis meses em que assume a forma masculina, tem-se a regulagem entre chuvas e estiagem, uma vez que, enquanto o arco-íris brilha, não chove. Por outro lado, o próprio arco-íris indica as chuvas em potencial, prova de que as águas estão sendo levadas para o céu para formarem novas nuvens. Já nos seis meses em que assume a porção feminina, tem-se a cobra a rastejar com agilidade, tanto na terra quanto na água.

Por evocar a renovação constante, pode, por exemplo, diluir a paixão e o ciúme em situações onde o amor (irradiação de Oxum) perdeu terreno. Nesse mesmo sentido, pode também diluir a religiosidade fixada na mente de alguém, conduzindo-o a outro caminho religioso/espiritual que o auxiliará na senda evolutiva.

Em determinados segmentos e casas de Umbanda, Oxumaré aparece como uma qualidade do Orixá Oxum.

Características

Animal: cobra.
Bebida: água mineral.
Chacra: laríngeo.
Cores: verde e amarelo, cores do arco-íris.
Comemoração: 24 de agosto.
Comidas: batata doce em formato de cobra, bertalha com ovos.
Contas: verde e amarelas.
Corpo humano e saúde: pressão baixa, vertigens, problemas de nervos, problemas alérgicos.
Dia da semana: terça-feira.
Elemento: água.
Elementos incompatíveis: água salgada, sal.
Ervas: as mesmas de Oxum.
Flores: amarelas.
Metal: latão (ouro e prata misturados).
Pedras: ágata, diamante, esmeralda, topázio.
Pontos da natureza: próximo de quedas de cachoeiras.

Saudação: *Arribobô!*, *Arroboboi!* ("Salve o arco-íris!" ou "Senhor das Águas Supremas! dentre tantas possíveis acepções).

Símbolos: arco-íris, cobra.

Sincretismo: São Bartolomeu.

SINCRETISMO

SÃO BARTOLOMEU

(24 de agosto)

Bartolomeu é citado nos Evangelhos nas quatro enumerações dos Apóstolos. Bar Tholmai é filho de Tholmai (tholmai é arado ou agricultor). O Evangelho de João não traz o nome Bartolomeu, contudo, o nome Natanael, o conforme a tradição, trata-se da mesma personagem.

"Filipe achou Natanael, e disse-lhe: Havemos achado aquele de quem Moisés escreveu na lei, e os profetas: Jesus de Nazaré, filho de José.

Disse-lhe Natanael: Pode vir alguma coisa boa de Nazaré? Disse-lhe Filipe: Vem, e vê.

Jesus viu Natanael vir ter com ele, e disse dele: Eis aqui um verdadeiro israelita, em quem não há dolo.

Disse-lhe Natanael: De onde me conheces tu? Jesus respondeu, e disse-lhe: Antes que Filipe te chamasse, te vi eu, estando tu debaixo da figueira.

Natanael respondeu, e disse-lhe: Rabi, tu és o Filho de Deus; tu és o Rei de Israel.

Jesus respondeu, e disse-lhe: Porque te disse: Vi-te debaixo da figueira, crês? Coisas maiores do que estas verás.

E disse-lhe: Na verdade, na verdade vos digo que daqui em diante vereis o céu aberto, e os anjos de Deus subindo e descendo sobre o Filho do homem". (Jó 1: 45-51)

Segundo o breviário romano, conforme antiga tradição armênia,

> "o apóstolo Bartolomeu, que era da Galiléia, foi para a Índia. Pregou àquele povo a verdade do Senhor Jesus segundo o Evangelho de São Mateus. Depois que naquela região converteu muitos a Cristo, sustentando não poucas fadigas e superando muitas dificuldades, passou para a Armênia Maior, onde levou a fé cristã ao rei Polímio, à sua esposa e a mais de 12 cidades. Essas conversões, no entanto, provocaram uma enorme inveja dos sacerdotes locais, que por meio do irmão do rei Polímio conseguiram a ordem de tirar a pele de Bartolomeu e depois decapitá-lo."

Santo patrono de diversas atividades ligadas à pele (curtume, confecção, comércio etc.), dentre outros elementos, certamente a ele é sincretizado Oxumaré pelo fato de sua pele ter sido retirada antes da decapitação. Por associação, o cruel episódio produz paralelismo com a troca de pele pela qual passam as cobras.

Pierre Verger registra que

> "na Bahia, Oxumaré é sincretizado com São Bartolomeu. Festejam-no numa pequena cidade dos arredores que leva seu nome. Seus fieis aí se encontram, no dia 24 de agosto, a fim de se banharem numa cascata coberta por uma neblina úmida, onde o sol faz brilhar, permanentemente, o arco-íris de Oxumaré."

REGISTROS

Itãs

Oxumaré não gostava da chuva. Toda vez que chovia muito, o Orixá apontava para o céu sua faca de bronze e espantava a chuva, fazendo brilhar o arco-íris.

Certa vez, Olorum ficou cego e pediu ajuda a Oxumaré, que o curou. Contudo, Olorum temia ficar novamente cego e não deixou Oxumaré voltar à Terra, determinando que deveria morar com ele no Orum. Oxumaré só viria à Terra vez ou outra, a passeio.

Quando não é visto na Terra, é visto no Céu, com sua faca de bronze, com o arco-íris parando a chuva.

Relato que explica simbolicamente o arco-íris e seu brilho, bem como sua relação com a chuva, elemento que não agradava a Oxumaré e com o qual, por meio do arco-íris, dialeticamente se relaciona.

* * *

Oxumaré era babalaô do rei de Ifé. Contudo, não se via respeitado como, aliás, acontecera com seu pai.

Então foi a um adivinho, que lhe ensinou um ritual de abundância. No ritual, deveria oferecer uma faca de bronze, quatro pombos e muitos búzios.

Enquanto fazia a oferenda, o rei mandou chamar Oxumaré, que disse que iria assim que terminasse o ritual. O rei não gostou da resposta e não pagou algo que devia a Oxumaré.

Ao retornar para casa, Oxumaré recebeu um recado da rainha Olocum, de um país vizinho, pedindo-lhe que curasse seu filho. Oxumaré, então, consultou Ifá, fez as oferendas devidas e o filho de Olocum foi curado. Agradecida, Olocum deu a Oxumaré riquezas, escravos e um pano azul.

Quando voltou para casa, enriquecido, Oxumaré foi saudar o rei, que se admirou da prosperidade e riqueza de Oxumaré, que lhe explicou a origem de tudo. O rei, vaidoso por natureza, para não se sentir inferior a Olocum, deu a Oxumaré uma preciosa roupa vermelha e muitos presentes.

Assim, Oxumaré conquistou riqueza, prosperidade e respeito.

Semelhante atrai semelhante. Oxumaré, quanto mais próspero, mais prosperidade atraía, segundo o relato, fiel a suas obrigações.

* * *

Oxumaré era muito bonito e andava bem vestido, pois suas roupas tinham as cores do arco-íris e suas jóias de ouro e bronze brilhavam.

Homens e mulheres queriam se aproximar de Oxumaré e com ele se casar. Porém, ele era solitário, introspectivo e preferia circular pelo céu, onde era visto em dias de chuva.

Xangô um dia viu Oxumaré passar radiante. Sabendo que não deixava ninguém se aproximar dele, decidiu capturá-lo. Convocou--o para uma audiência em seu palácio e, quando Oxumaré estava na sala do trono, os soldados fecharam portas e janelas, deixando Oxumaré e Xangô na mesma sala.

Oxumaré não poderia escapar, pois as saídas haviam sido trancadas por fora. Nesse meio tempo, Xangô tentava tomá-lo nos braços. Oxumaré, então, clamou por Olorum, que o ajudou: Oxumaré transformou-se em cobra e Xangô o soltou, tanto por nojo quanto por medo. Oxumaré deslizou até uma fresta entre a porta e o piso e fugiu.

Tempos depois, transformados em Orixás, Oxumaré ficou encarregado de levar água do Aiê para o palácio de Xangô no Orum; contudo, Xangô não pode se aproximar de Oxumaré.

Único, singular, Oxumaré brilha solitário. Por saber rastejar na terra, é capaz de figurar no céu (opostos complementares). Xangô, embora servido por Oxumaré, dele não pode se aproximar (para Xangô, neste caso, não ocorre a síntese entre os opostos complementares).

* * *

Euá buscava um lugar para viver.

Chegando às cabeceiras dos rios, aí fez sua morada.

Foi surpreendida pelo arco-íris e por ele se apaixonou.

Era Oxumaré.

Euá com ele se casou. Passou a viver com o arco-íris.

A relação entre a água que evapora e se torna chuva, o encanto do arco-íris, a conjugação de elementos afins que se complementam. Não à toa, para alguns segmentos religiosos, Euá é cobra-fêmea, Oxumaré é cobra-macho, tal a complementaridade entre ambos.

* * *

Nanã teve dois filhos: Oxumaré e Omolu.

Oxumaré era lindo, Omolu era feio.

Então Nanã cobriu Omolu com palhas para que não fosse visto e ninguém risse dele.

Quanto a Oxumaré, que tinha a beleza do homem, da mulher e das cores, Nanã o elevou até o céu e aí o pregou, onde pode ser admirado em suas cores quando o arco-íris vem com a chuva.

Nota-se que tanto o filho escondido quanto o filho belo figuram em solidão e distante dos demais, inclusive da própria mãe. Oxumaré e Omolu representam duas situações distintas, contudo mais semelhantes do que à primeira vista podem parecer.

Orikis
Transcriado do iorubá por Antonio Risério

Oriki de Oxumaré

Oxumarê, braço que o céu atravessa

Faz a chuva cair na terra
Extrai corais, extrai pérolas.
Com uma palavra prova tudo
Brilhante diante do rei.
Chefe que veneramos
Pai que vem à vila velar a vida
E é tanto quanto o céu.
Dono do obi[13] *que nos sacia*
Chega na savana ciciando feito chuva
E tudo vê com seu olho preto.

---

13 Coleeira ou noz-de-cola, utilizada em alguns rituais dos Cultos de Nação.

Chuva e prosperidade andam juntas - em especial quando se fala de Oxumaré, uma vez que a chuva fecunda o solo, traz um pouco do céu à terra, cuja união é simbolizada pelo arco-íris.

PONTOS CANTADOS

Seguem abaixo alguns pontos cantados em que Oxumaré (ou Oxumarê) figura ora como Pai, ora como qualidade de Oxum, conforme visto acima.

Destaca-se a presença de Angorô (Inquice correspondente a Oxumaré) e Dandaluna (ou Dandalunda, Inquice correspondente a Iemanjá ou Oxum - neste contexto, certamente à última).

Maré, maré, maré
Maré, maré, maré Oxum maré
Ele gira no tempo, gira no sol
Com as cores do arco-íris
E a claridade do sol
Tempo ele é cobra, tempo ele é mulher
É Orixá da natureza, ele é Oxum maré

Com seu arco-íris ele renova (Bis)
Ele é o pai da renovação
Fonte de luz ele renova
Pai Oxumarê rê rê rê rê, pai Oxumarê pra nos proteger
Estamos a saudar
Aro boboi aro boboi pra nos proteger

Oxumarê é o rei
Ô que nos astros mora
Venha ver seus filhos
Que tanto te adoram
Aiê Aia Dadaluna
Danda la sedunda

Olanda luna se e se (Bis)
Cadê aquela cobra que eu mandei buscar?
É jarecuçu, é cobra coral

Eu vejo um arco-íris
Eu vejo um tesouro
É uma cobra
Toda feita de ouro (Bis)
Aroboboi aroboboi
É cobra
Toda feita de ouro

A bandeira de Oxumarê é tão bonita
Cobre o céu em formoso
Arco-íris
É celestial é aroboby
Oxumarê é celestial

Me lava...
Me lava...
Me lava nas suas águas, Oxumarê
Me lava
As águas da cachoeira têm magia, têm poder...
Me lava nas suas, ó meu Pai Oxumarê.

Olhei pro céu ôô
O sol brilhou ôô
O arco-íris apareceu
Anunciando que Oxumarê chegou
Abençoava todos filhos seus
Sete cores tem seu arco-íris
Sete pedidos você faça
E quando alcançar
Vai no mar...
Agradecer a Oxumarê

Oxumarê
Tatê, Oxumarê
Ele é maré
Tatê, Oxumarê.
Oxumarê ta kerê
Oh ta kerê
Oh ta Kerê
Quebra cabaça Angorô (Bis)
Dandaluna aqui chegou

Nas águas serenas da lagoa
Uma estrela apareceu
E foi como num sonho
A estrela desapareceu
Em seu lugar eu vi
Uma cobra das águas aparecer
Formou-se arco-íris
Eu gritei para ele me valer
Oxumarê venha me socorrer!

Dizem que Xangô
Mora nas pedreiras
Mas não é lá sua morada verdadeira (2X)
Xangô mora numa cidade de luz
Onde mora Santa Bárbara, Oxumaré e Jesus (2X)

Olha eu
Olha eu, Mamãe Oxum (2X)
Olha eu, Mamãe Oxum
Olha eu, Oxumaré (2X)

MPB

Ponto de Nanã
(Roque Ferreira)

Oxumarê me deu dois barajás
Na festa de Nanã Burukê
A velha deusa das águas
Quer mungunzá[14]
Seu ibiri enfeitado com fitas e búzios

Um ponto pra assentar
Mandou cantar
Ê salubá!

Ela vem no som da chuva
Dançando devagar seu ijexá
Senhora da Candelária, abá
Pra toda a sua nação iorubá

Embora a canção seja dedicada a Nanã, é interessante notar a presença de Oxumaré a distribuir axé por meio do presente oferecido ao eu-lírico: os dois barajás ou brajás.

O fato de a canção, gravada por diversos ícones da MPB, se chamar "*Ponto de Nanã*" é bastante significativo para corroborar a simbiose entre pontos cantados e MPB, em mão dupla, conforme visto acima.

Nação
(João Bosco, Paulo Emílio, Aldir Blanc)

Dorival Caymmi falou para Oxum:
Com Silas tô em boa companhia

---

14 Prato à base de milho branco. Espécie de mingau.

O Céu abraça a Terra,
Deságua o Rio na Bahia

Jeje
Minha sede é dos rios
A minha cor é o arco-íris
Minha fome é tanta
Planta flor irmã da bandeira
A minha sina é verde amarela
Feito a bananeira

Ouro cobre o espelho esmeralda
No berço esplêndido,
A floresta em calda,
Manjedoura d'alma
Labarágua, sete queda em chama,
Cobra de ferro, Oxumaré: Oxum-Maré:
Homem e mulher na cama

Jeje
Tuas asas de pomba
Presas nas costas
Com mel e dendê
Aguentam por um fio

Sofrem
O bafio da fera,
O bombardeiro de Caramuru,
A sanha de Anhanguera

Jeje
Tua boca do lixo
Escarra o sangue
De outra hemoptise
No canal do Mangue

Uirapuru das cinzas chama:
Rebenta a louca, Oxumaré: louça, Oxum-Maré
Dança em teu mar de lama.

Esta riquíssima canção contém uma série de referências a Oxumaré.

Oxumaré, cujo símbolo é um arco-íris, é também representado por uma cobra. É um Orixá que vem do antigo Daomé. Daí o "cobra de ferro", o "homem e mulher", o casal como androginia. Jeje é nome genérico de uma nação de Candomblé, também de origem daomeana. Oxumaré é Pai da Nação Jeje.

Labarágua: labareda + água, a junção dos contrários, dos opostos complementares, como homem e mulher. Mel adoça; dendê aquece: novamente dualidade, ambiguidade, que se resolvem em androginia sintética.

Terra, mangue, cinzas, lama: ainda que diluída, aparece a imagem de Nanã, mãe de Oxumaré, também de origem daomeana, Orixá da lama, da terra com a qual se fez o corpo humano e para a qual o corpo volta.

Orikai
(Ademir Barbosa Júnior)

Oxumaré
O charme
Da chuva

O charme, o donaire, a beleza e o encantamento de Oxumaré revelam-se na e por meio da chuva, em especial no momento em que desponta o arco-íris.

Note no orikai o efeito sonoro "x", uma aliteração que evoca o som produzido por algumas qualidades de cobras.

<u>*Orações*</u>
(Recolhidas por Lara Lannes)

Oração a Pai Oxumaré

Arrobobô, Oxumaré!
Axé, agô mi babá, agô axé, salve.
Adorada cobra de Daomé.
Salve as sete cores que te revelam no céu.
Salve a água, salve a terra,
Cobra de Dan. Protege-me, Senhor,
Dos movimentos dos astros,
Da rotação e da translação, de tudo
O que nasce e que se transforma.
Oxumaré, tu que és
Orobóros e Deus do Infinito,
Faça com que nosso dinheiro se multiplique,
Com que nosso suor vire riqueza,
Que eu vença e que ninguém se oponha a nós
Creio em ti, Babaê!
Sei que já estou vencendo!

<u>Oração a São Bartolomeu</u>

Glorioso São Bartolomeu, modelo sublime de virtude e puro frasco das graças do Senhor! Proteja este seu servo que humildemente se ajoelha a seus pés e implora que tenha a bondade de pedir por mim junto ao trono do Senhor.

São Bartolomeu, use todos os recursos para me proteger dos perigos que diariamente me rodeiam! Lance seu escudo protetor em minha volta e me proteja do meu egoísmo e de minha indiferença a Deus e ao meu vizinho.

São Bartolomeu, me inspire em imitá-lo em todas as minhas ações. Derrame em mim suas graças para que eu possa servir e ver a Cristo nos outros e trabalhar para a Vossa maior glória.

Graciosamente obtenha de Deus os favores e as graças que eu muito necessito, nas minha misérias e aflições da vida. Eu aqui invoco sua poderosa intercessão, confiante na esperança de que ouvirás minhas orações e que obtenha para mim esta especial graça e favor que eu reclamo de seu poder e bondade fraternal, e com toda a minha alma imploro que me conceda a graça... (mencionar aqui a graça desejada), e ainda a graça da salvação de minha alma e para que eu viva e morra como filho de Deus, alcançando a doçura do Vosso amor e a eterna felicidade. Amém.

OBÁ

Orixá do rio Níger, irmã de Iansã, é a terceira e mais velha das esposas de Xangô. Alguns a cultuam como um aspecto feminino de Xangô.

É ainda prima de Euá, a quem se assemelha em muitos aspectos. Nas festas da fogueira de Xangô, leva as brasas para seu reino (símbolo do devotamento, da lealdade ao marido).

Guerreira e pouco feminina, quando repudiada pelo marido, rondava o palácio com a intenção de a ele retornar.

Características

Animal: galinha-de-angola.
Bebida: champanhe.
Cores: vermelha (marrom rajado).
Comemoração: 30 de maio.
Comidas: abará, acarajé e quiabo picado.
Corpo humano e saúde: audição, garganta, orelhas.
Dia da semana: quarta-feira.
Elemento: fogo.
Elementos incompatíveis: peixe de água doce, sopa.
Ervas: candeia, nega-mina, folha-de-amendoeira, ipomeia, mangueira, manjericão, rosa branca.
Metal: cobre.
Pedras: coral, esmeralda, marfim, olho-de-leopardo.

Pontos da natureza: rios de águas revoltas.
Saudação: *Obá xirê!* ("Salve a Rainha Guerreira!")
Símbolos: espada (ofangi) e escudo de cobre.
Sincretismo: Santa Joana d´Arc.

SINCRETISMO

SANTA JOANA D´ARC
(30 de maio)
Padroeira da França, guerreira que viveu no século XIV e foi condenada à fogueira num processo forjado, com acusações de feitiçaria.

REGISTROS

Itãs

Obá era guerreira e, um dia, desafiou Ogum para combate.

Ogum, conhecendo o potencial de Obá, consultou os babalaôs, que o aconselharam a preparar oferenda de espigas de milho e quiabo pilados. Ogum assim procedeu e deixou a oferenda num canto de onde lutariam.

No combate, Obá estava em vantagem. Ogum a foi levando até onde estava a oferenda. Num momento de descuido, Obá pisou na oferenda, uma pasta viscosa e escorregadia, e caiu.

Nesse momento, Ogum a possuiu, sendo seu primeiro homem.

Tempos depois, Xangô tomou Obá de Ogum.

* * *

Obá e Oxum disputavam o amor de Xangô o tempo todo.

Um dia, Obá viu Oxum cozinhando, com um lenço à cabeça, e testemunhou que Xangô havia se esbaldado com a comida. Intrigada, perguntou a Oxum qual era seu segredo. Oxum contou-lhe, então, que havia cortado as orelhas e colocado na sopa que havia servido a Xangô.

Na primeira ocasião em que foi cozinhar para o marido, Obá cortou uma de suas orelhas e colocou na sopa. Quando Xangô foi comer, sentiu nojo e ficou enraivecido. Oxum, então, apareceu sem o lenço e com as orelhas. Obá percebeu que havia sido lograda e ficou enraivecida.

Xangô, que não aguentava mais as disputas, expulsou as duas de casa e correu atrás delas, lançando-lhes um raio, mas elas corriam e corriam, cada vez mais.

Ambas se transformaram em rios. E onde se juntam os rios Oxum e Obá, a correnteza é terrível, pois ambas lutam pelo mesmo leito.

* * *

Obá, Iansã e Oxum, as três mulheres de Xangô, viviam em disputas e confusão entre elas.

Um dia, Xangô foi para a guerra e levou Iansã.

O tempo passou e Obá ficou desesperada, indo ter com Orunmilá, que lhe aconselhou a pegar um rabo de cavalo e colocar no teto da casa como oferenda.

Obá, então, encomendou a Exu um rabo de cavalo. Induzido por Oxum, Exu cortou o rabo do cavalo branco de Xangô, mas não apenas os pelos e o cavalo sangrou até a morte.

Quando Xangô voltou, não encontrou o cavalo e viu o iruquerê no teto da casa. Reconheceu tratar-se de parte de seu cavalo branco, soube pelas outras esposas da oferenda de Obá e a repudiou.

Obá evoca a paixão que cega a ponto de transformar o sujeito vítima de seus próprios desejos, de suas próprias ações. Contrapõe-se a Oxum, sempre vitoriosa no amor. Representa, ainda, o ciúme, mas também a determinação e a força do feminino.

Orikis

O oriki abaixo foi transcriado por Antonio Risério a partir do iorubá.

Obá Obá Obá
Orixá do ciúme
Terceira mulher de Xangô.
O açoite do ciúme
Gravado na carne.
Fala da fama do marido
Move magos na madrugada
Come cabrito de manhã.
Discutindo com Oxum
Não foi a Kossô com Xangô.
Obá abraça os braços do marido
A parte do seu corpo que a prende
Obá sabe o que é bom.
Onde Obá se sente em casa? Nos braços do esposo que ama e a quem se devota: Xangô.

IBEJIS

Formado por duas entidades distintas, indicam a contradição, os opostos que se complementam. Tudo o que se inicia está associado aos Ibejis: nascimento de um ser humano, a nascente de um rio, etc. Geralmente são associados aos gêmeos Taiwo ("o que sentiu o primeiro gosto da vida") e Kainde ("o que demorou a sair"), às vezes a um casal de gêmeos. Seus pais também variam de lenda para lenda, contudo a mais conhecida os associa a Xangô e Oxum.

Responsáveis em zelar pelo parto e pela infância, bem como pela promoção do amor e da união.

Na Umbanda, em vez de se cultuar diretamente os Ibejis (Orixás), é mais comum cultuar-se a Linha de Yori.

Doum é a terceira criança, companheiro de Cosme e Damião, com os quais os Ibejis são sincretizados. O nome Doum deriva do iorubá *Idowu*, nome atribuído ao filho que nasce na sequência de gêmeos; relaciona-se também com o termo fongbé *dohoun*, que significa "parecido com", "semelhante ou igual a".

Características

Animais: de estimação.

Bebidas: água com açúcar, água com mel, água de coco, caldo de cana, refrigerante, suco de frutas.

Chacras: todos, em especial o laríngeo.

Cores: rosa e azul (branco, colorido).

Comemoração: 27 de setembro.

Comidas: caruru, doces e frutas.

Contas: azuis, brancas, rosa.

Corpo humano e saúde: acidentes, alergias, anginas, problemas de nariz, raquitismo.

Dia da semana: domingo.

Elemento: fogo.

Elementos incompatíveis: assovio, coisas de Exu, morte.

Ervas: alecrim, jasmim, rosa.

Essências: de frutas.

Flores: margarida, rosa mariquinha.

Metal: estanho.

Pedra: quartzo rosa.

Planeta: Mercúrio.

Pontos da natureza/de força: cachoeiras, jardins, matas, praias e outros.

Saudação: *Oni Ibejada!* ("Salve as crianças!" ou "Ele é dois!)

Símbolo: gêmeos

Sincretismo: São Cosme e São Damião, Santos Crispim e Crispiniano.

SINCRETISMO

SÃO COSME E SÃO DAMIÃO

(27 de setembro)

Segundo a tradição, médicos gêmeos caridosos que foram decapitados após seus algozes não terem tido sucesso com lapidação e flechadas.

<u>REGISTROS</u>

<u>Itãs</u>

Os gêmeos, filhos de Xangô e Oxum, adoravam brincar e se divertir. Tinham predileção por tocar seus tambores mágicos, presentes de Iemanjá, sua mãe adotiva.

Por esse tempo, Icu, a Morte, havia colocado armadilhas por todo o caminho, armadilhas que ninguém conseguia desarmar. E as pessoas morriam.

Os Ibejis decidiram derrotar a Morte. Foram por um caminho onde ela havia posto uma armadilha. Um foi pela trilha; o outro, escondido na mata. Aquele que seguia pela trilha tocava o tambor mágico. A Morte adorou e o avisou da armadilha, poupando-lhe a vida. E a Morte dançava. Quando se cansou, um gêmeo trocou de lugar com o outro e prosseguiu com a música. E a Morte dançava.

Ao longo do tempo e do caminho, o tambor não parava. A Morte foi se cansando, mas não conseguia interromper a dança. Pediu para que a música parasse. Os Ibejis, então, disseram que parariam a música desde que a Morte retirasse as armadilhas. Ela concordou.

Assim, os Ibejis venceram Icu.

TEMPO

Também conhecido como Lokoo ou Iroko, Tempo é um Orixá originário de Iwere, na parte leste de Oyó (Nigéria). Sua importância é fundamental na compreensão da vida. Geralmente é associado a Iansã (e vice-versa), senhora do ventos e das tempestades.

Segundo célebre provérbio, "O Tempo dá, o Tempo tira, o Tempo passa e a folha vira". O Tempo também é visto como o próprio céu, o espaço aberto.

Na Nigéria, este Orixá é cultuado numa árvore do mesmo nome, substituída no Brasil pela gameleira-branca, que apresenta características semelhantes às da árvore africana. Associado ao Vodun daomeano Loko (dinastia Jeje) e ao inquice Tempo dos bantos, é, na realidade, o Orixá dos bosques nigerianos. Sua cor é o branco.

Utiliza-se palha da costa em suas vestes. Sua comida é, dentre outras, o caruru, o deburu (pipoca) e o feijão-fradinho.

Geralmente, diante das casas de Candomblé, há uma grande árvore, com raízes saindo do chão, envolvida por um grande pano branco (alá). Trata-se de Iroco, protegendo cada casa, dando-lhe força e poder.

Na nação Angola, Iroco também é conhecido como Maianga ou Maiongá.

Orixá pouco cultuado na Umbanda.

SINCRETISMO

SÃO LOURENÇO
(10 de agosto)

Mártir do ano 258, morto queimado numa grelha. Segundo alguns autores, a associação entre Tempo e São Lourenço se dá pela semelhança entre a grelha e a escada utilizada para se colocar a bandeira de Tempo em terreiros Angola.

REGISTROS

MPB

Tempo Rei
(Gilberto Gil)

Não me iludo
Tudo permanecerá do jeito
Que tem sido
Transcorrendo, transformando
Tempo e espaço navegando todos os sentidos

Pães de Açúcar, Corcovados
Fustigados pela chuva e pelo eterno vento

Água mole, pedra dura
Tanto bate que não restará nem pensamento

Tempo rei, ó Tempo rei, ó Tempo rei
Transformai as velhas formas do viver
Ensinai-me, ó Pai, o que eu ainda não não sei
Mãe Senhora do Perpétuo, socorrei

Pensamento, mesmo fundamento singular
Do ser humano, de um momento para o outro
Poderá não mais fundar nem gregos nem baianos

Mães zelosas, pais corujas
Vejam como as águas de repente ficam sujas
Não se iludam, não me iludo
Tudo agora mesmo pode estar por um segundo

Tempo rei, ó Tempo rei, ó Tempo rei
Transformai as velhas formas do viver
Ensinai-me, ó Pai, o que eu ainda não sei
Mãe Senhora do Perpétuo, socorrei

Oração ao Tempo
(Caetano Veloso)

És um senhor tão bonito
Quanto a cara do meu filho
Tempo Tempo Tempo Tempo
Vou te fazer um pedido
Tempo Tempo Tempo Tempo...

Compositor de destinos
Tambor de todos os ritmos
Tempo Tempo Tempo Tempo

Entro num acordo contigo
Tempo Tempo Tempo Tempo...

Por seres tão inventivo
E pareceres contínuo
Tempo Tempo Tempo Tempo
És um dos deuses mais lindos
Tempo Tempo Tempo Tempo...

Que sejas ainda mais vivo
No som do meu estribilho
Tempo Tempo Tempo Tempo
Ouve bem o que te digo
Tempo Tempo Tempo Tempo...

Peço-te o prazer legítimo
E o movimento preciso
Tempo Tempo Tempo Tempo
Quando o Tempo for propício
Tempo Tempo Tempo Tempo...

De modo que o meu espírito
Ganhe um brilho definido
Tempo Tempo Tempo Tempo
E eu espalhe benefícios
Tempo Tempo Tempo Tempo...

O que usaremos prá isso
Fica guardado em sigilo
Tempo Tempo Tempo Tempo
Apenas contigo e comigo
Tempo Tempo Tempo Tempo...

E quando eu tiver saído
Para fora do teu círculo
Tempo Tempo Tempo Tempo
Não serei nem terás sido
Tempo Tempo Tempo Tempo...

Ainda assim acredito
Ser possível reunirmo-nos
Tempo Tempo Tempo Tempo
Num outro nível de vínculo
Tempo Tempo Tempo Tempo...

Portanto peço-te aquilo
E te ofereço elogios
Tempo Tempo Tempo Tempo
Nas rimas do meu estilo
Tempo Tempo Tempo Tempo...

Sem a compreensão de Tempo nada se faz. Aqui, nas duas canções, é possível associar uma série de elementos ao Orixá, sobretudo no que tange ao tempo enquanto passagem cronológico-pessoal da existência.

LOGUN-EDÉ

Filho de Oxum e Oxóssi, vive metade do ano na água (como mulher) e a outra metade no mato (como homem). Em seu aspecto feminino, usa saia cor-de-rosa e coroa de metal, assim como um espelho. Em seu aspecto masculino, capacete de metal, arco e flecha, capangas e espada. Veste sempre cores claras. Sua origem é Ijexá (Nigéria).

Príncipe dos Orixás, combina a astúcia dos caçadores com a paciência dos pescadores. Seus pontos de força na natureza compreendem barrancas, beiras de rios e o vapor fino sobre as lagoas que se espraia pela mata nos dias quentes. Vivencia plenamente os dois reinos, o das águas e das matas.

Por seu traço infantil e hermafrodita, nunca se casou, preferindo a companhia de Euá - que, assim como Logun-Edé, vive solitária e nos extremos de mundos diferentes. Solidário, preocupa-se com os que nada têm, empático com seus sofrimentos, distribuindo para eles caça e riqueza.

Características

Animal: cavalo-marinho.
Bebida: as mesmas de Oxum e Oxóssi.
Cores: azul celeste com amarelo.
Comemoração: 19 de abril.
Comidas: as mesmas de Oxum e Oxóssi.
Contas: contas e miçangas de cristal azul celeste e amarelo.
Corpo humano e saúde: órgãos localizados na cabeça e problemas respiratórios.
Elementos: água e terra.
Elementos incompatíveis: abacaxi, cabeça de bicho, cores vermelha ou marrom.
Ervas: as mesmas de Oxum e Oxóssi.
Essências: as mesmas de Oxum e Oxóssi.
Flores: as mesmas de Oxum e Oxóssi.
Metais: latão e ouro.
Pedras: turquesa, topázio.
Pontos da natureza: margens dos rios nas matas.
Saudação: "Lossi lossi!" ("Jovem dos rios!")
Símbolos: abebê (espelho) e ofá (arco e flecha).
Sincretismo: Santo Expedito.

SINCRETISMO

SANTO EXPEDITO

(19 de abril)

Segundo a tradição, mártir do século IV ao qual se associam as causas urgentes. Há diversas hipóteses para que tenha sido conhecido *post-mortem* como "Expedito". Talvez o tenham associado a Logun-Edé pela vivacidade, juventude e energia do Orixá.

REGISTROS

Itãs

Logun-Edé é filho de Oxóssi e de Oxum. Por isso carrega o ofá (arco e flecha) do pai e o abebé (espelho) da mãe. É senhor das ribanceiras do rio, reinando entre as águas de Oxum e as matas de Oxóssi.

Oxum se apaixonou por Oxóssi, mas ele não se interessou por ela. Soube por um babalaô que o Orixá se interessava apenas por mulheres da floresta, não pelas das águas. Então Oxum embebeu seu corpo de mel e rolou pelo chão da floresta. Dessa forma, seduziu Oxóssi.

Um dia, porém, convidou Oxóssi para um banho no rio. Tanto o mel quanto as folhas da mata se desprenderam do corpo de Oxum e Oxóssi percebeu que fora enganado, deixando para trás o Orixá das águas grávida de Logun-Edé.

Logun-Edé e Oxóssi eram exímios caçadores. Não sabiam ser um filho do outro, e Oxóssi por ele se apaixonou.

Logun havia feito um pacto com as Iya Mi[15] e nunca flechava nenhum de seus pássaros. Oxóssi, contudo, um dia feriu um dos pássaros das Iya Mi, que se vingaram cegando ambos os caçadores.

Então, Logun tirou de sua bolsa a tiracolo o adô, algo que lhe havia sido presenteado pelas Iya Mi, para sua proteção. Assim, curou a cegueira de Oxóssi. Cego, Logun conduziu Oxóssi à lagoa onde estava sua mãe, Oxum.

O antigo amor de Oxum e Oxóssi renasceu, e dele nasceu o rio Inlé e um peixe no qual Logun montou, indo até as profundezas onde conheceu Iemanjá, que acabou por adotá-lo e lhe dar riquezas.

Logun vive parte do tempo no rio Inlé, parte do tempo nas matas.

* * *

15 Cada Iya Mi Oxorongá é uma entidade espiritual que representa a ancestralidade feminina, daí o porquê de ser conhecida como mãe ancestral. As Iya Mi são senhoras, donas dos pássaros da noite, poderosas, pairando acima dos conceitos do bem e do mal.

Logun, abandonado pela mãe, foi criado por Oiá. Não se dava muito com o pai, pois este era ríspido com o filho. Porém, apreciava a companhia de sua mãe, que vivia com as demais Iabás, esposas de Xangô.

A entrada de homens no palácio das Iabás era proibida sob pena de morte, então, para visitar Oxum, Logun usava as roupas da mãe e, assim, permanecia dias em sua companhia.

No dia de uma grande festa no Orum, Logun se preocupou com que roupa iria - pois, sendo pescador e caçador, não tinha trajes adequados para essa ocasião. Lembrando-se das roupas de Oxum, foi à festa vestido como uma Iabá.

Todos se admiraram e perguntavam quem seria tão bela Iabá que tanto lembrava Oxum. Não contendo a curiosidade, Ifá levantou o filá de Logun e viu o rosto do filho de Oxum e Oxóssi.

Logun ficou inquieto, pois todos saberiam de sua estratégia para ir à festa. Saiu do palácio às pressas e se escondeu na floresta.

Oxóssi, que não o reconheceu, se encantou e passou a persegui-lo.

Próximo do rio, exausto, Logun caiu e, então, Oxóssi o possuiu.

Filho de Oxum e Oxóssi, Logun carrega as características dos dois. Contudo, essa androginia confunde, conforme consta do último relato, o próprio pai, que enxerga Logun apenas parcialmente, como feminino.

Orikis

A tradução do oriki abaixo foi reproduzida por Alberto Ebômi.

Um orgulhoso fica infeliz que um outro esteja contente
É difícil fazer uma corda com as folhas espinhosas da urtiga
Montado de cavalinho sobre as costas de sua mãe
Ele é sozinho, ele é muito bonito
Até a voz dele é agradável
Não se coloca as mãos sobre o seu peito
Ele tem um peito que atrai as mãos das pessoas
O estrangeiro vai dormir sobre o coqueiro

Homem esbelto
O careca presta atenção à pedra atirada certeiramente
Ele acha duzentas esteiras para dormir na floresta
Acordá-lo bem é o suficiente
Nós somente o vemos e o abraçamos como se ele fosse uma sombra
Somente em Orunmilá nós tocamos, mas ele não responde
Ele tem um nome como Soponna
É difícil alguém mau chamar-se Soponna
Devedor que faz pouco caso
Devedor que anda rebolando displicentemente
Ele é um louco que quebra a cerca com a cabeça
Ele bate com seu papo numa árvore Ijebu
Ele quebrou sete papos com o seu papo
A segunda mulher diz ao papo para usar um pente (para desinchar o papo)
Um louco que diz que o procurem lá fora na encruzilhada
Aquele que tem orquite (inflamação dos testículos) e dorme profundamente
Ele é fresco como a folha de odundun
Altivo como o carneiro
Pessoa amável anteontem
Ele carrega um talismã que ele espalha sobre o seu corpo como um preguiçoso
Ele carrega um talismã e briga com o filho do feiticeiro dando socos
Ele veste boas roupas
Com um pedaço de madeira muito pontudo ele fere o olho de um outro
Rápido como aquele que passa atrás de um campo sem agir como um ladrão
Ele destrói a casa de um outro e com o material cobre a sua
Ele tem olhos muito aguçados
Ele acha uma pena de coruja e a prende em sua roupa
Ele é ciumento e anda rebolando displicentemente
Ele recolhe as ervas atrás

Ele recolhe as ervas atrás

Ele anda rebolando desengonçado para ir ao pátio interior de um outro

A chuva bate na folha de cobrir telhados e faz ruído

Ele mata o malfeitor na casa de um outro

Ele recolhe o corpo na casa e empina o nariz

O preguiçoso está satisfeito entre os passantes

Ele é belo até nos olhos

Homem muito belo

Ele coloca um grande pedaço de carne no molho do chefe

Ele conhece o caminho

Ele conhece o caminho do campo e não vai lá

Ele está ao lado do dono dos obi e não os compra para comer

O gavião pega o frango com as penas

À noite coisa sagrada, de manhã coisa sagrada

Ele briga com qualquer um e ri estranhamente

Ele tem o hábito de andar como a um bêbado que bebeu

Sessenta contas não podem rodear o pescoço de um papudo

O papudo come no inchaço de sua garganta

Ele quebra o papo do pescoço daquele que o possui

Ele dá rapidamente crianças às mulheres estéreis

Ele guarda seus talismãs numa pequena cabaça

Duas vezes assim coisa sagrada

Rápido como alguém que parte

A proibição do pássaro branco é o pano branco

Ele mexe os braços fantasiosamente

Marido de Ahotomi

Marido de Fegbejoloro

Marido de Onikunoro

Marido de Adapatila

Bem desperto, ele acorda de manhã já com o arco e flecha no pescoço

Como um louco ele se debate para colocar os joelhos no chão, como o carneiro

Marido de Ameri que dá medo

Leopardo de pele bonita

Ele expulsa a infelicidade do corpo de alguém que tem infelicidade
Assim ele diz e assim ele faz
Orgulhoso que possui um corpo muito belo.

Em especial o donaire e a androginia aparecem neste oriki dedicado ao Príncipe dos Orixás.

MPB

Afoxé para Logun
(Nei Lopes)

Menino caçador
Flecha no mato bravio
Menino pescador
Pedra no fundo do rio

Coroa reluzente
Todo ouro sobre azul
Menino onipotente
Meio Oxóssi, meio Oxum

Menino caçador
Flecha no mato bravio
Menino pescador
Pedra no fundo do rio

Coroa reluzente
Todo ouro sobre azul
Menino onipotente
Meio Oxóssi, meio Oxum

Eh..., quem é que ele é?
Ah..., onde é que ele está?

Axé, menino, axé!
Fara Logun, Fara Logun, Fá
Axé, menino, axé!
Fara Logun, Fara Logun, Fá

Menino, meu amor
Minha mãe, meu pai, meu filho
Toma teu axoxô
Teu onjé de coco e milho

Me dá do teu axé
Que eu te dou teu mulucum
Menino, doce mel
Meio Oxóssi, meio Oxum

Logunedé
(Gilberto Gil)

É de Logunedé a doçura
Filho de Oxum, Logunedé
Mimo de Oxum, Logunedé - edé, edé
Tanta ternura

É de Logunedé a riqueza
Filho de Oxum, Logunedé
Mimo de Oxum, Logunedé - edé, edé
Tanta beleza

Logunedé é demais
Sabido, puxou aos pais
Astúcia de caçador
Paciência de pescador
Logunedé é demais

Logunedé é depois
Que Oxóssi encontra a mulher
Que a mulher decide ser
A mãe de todo prazer
Logunedé é depois

É pra Logunedé a carícia
Filho de Oxum, Logunedé
Mimo de Oxum, Logunedé - edé, edé
É delícia

Logunedé
(Luís Berimbau e Ildásio Tavares)

Ê ê ê ê ê
Fará Logun Fará Logun Fá

No fundo da mata escondeu seu tesouro
Tesouro tirado do fundo do mar
De conchas e búzios e peixes de ouro
Tesouro de Oxum para Oxóssi guardar

Brincou pelo mato menino guerreiro
Na caça e na pesca, reinando Logun
Cansou foi pro mar, mergulhou bem ligeiro
Tirando de Oxóssi o tesouro de Oxum

Ê ê ê ê ê
Fará Logun Fará Logun Fá

O Príncipe dos Orixás é associado ao belo e à integração entre o masculino e o feminino, de modo a equilibrar o cosmo e o ser humano.

OSSAIM

Orixá das plantas e das folhas, que estão presentes nas mais diversas manifestações do Culto aos Orixás, portanto, fundamental. Célebre provérbio dos terreiros afirma *Ko si ewé, ko si Orisà*, o que, em tradução livre do iorubá significa "Sem folhas não há Orixá". Em algumas casas, é cultuado como Iabá (Orixá feminino). Alguns segmentos umbandistas trabalham com Ossaim, enquanto elemento masculino, e Ossanha, como elemento feminino.

Juntamente com Oxóssi, rege as florestas e é senhor dos segredos medicinais e mágicos do verde. Representa a sabedoria milenar pré-civilizatória, a relação simbiótica do homem com a natureza, em especial com o verde.

Seja na Umbanda (onde na maioria das casas seu culto foi amalgamado ao de Oxóssi e dos Caboclos e Caboclas), no Candomblé (onde a figura do Babalossaim e do Mão-de-Ofá representaria um estudo à parte) ou em outra forma de Culto aos Orixás, o trato com as plantas e folhas é de extrema importância para a os rituais, a circulação de Axé e a saúde (física, psicológica e espiritual) de todos.

Características

Animais: pássaros.

Bebidas: sucos de frutas.

Cores: verde e branco.

Comemoração: 5 de outubro

Comidas: abacate, banana frita, bolos de feijão e arroz, canjiquinha, milho cozido com amendoim torrado, inhame, pamonha, farofa de fubá.

Contas: contas e miçangas verdes e brancas.

Corpo humano e saúde: artrite, problemas ósseos, reumatismo.

Dia da semana: quinta-feira.

Elemento: terra.

Elementos incompatíveis: ventania, jiló.

Ervas: manacá, quebra-pedra, mamona, pitanga, jurubeba, coqueiro, café.

Flores: flores do campo.
Metais: estanho, latão.
Pedras: amazonita, esmeralda, morganita, turmalina verde e rosa.
Pontos da natureza: clareiras das matas.
Saudação: *Eue ô!* (Salve as folhas!)
Símbolos: ferro com sete pontas, com um pássaro na ponta central (representação de uma árvore de sete ramos, com um pássaro pousado nela).
Sincretismo: São Benedito.

SINCRETISMO

SÃO BENEDITO

(05 de outubro)

Negro italiano, nascido no século XVI, seus pais eram descendentes de escravos. Humilde, trabalhava na cozinha do mosteiro e era muito inteligente e sábio, conhecendo a mente e o coração humanos. Talvez por isso o tenham associado a Ossaim (sabedoria e sensibilidade curadoras) e pelo trabalho na cozinha (contato com ervas).

REGISTROS

Itãs

Ossaim era o senhor absoluto das folhas, filho de Nanã e irmão de Euá e Obaluaê. Curava e tratava com as ervas, com banhos, chás, pomadas e outros procedimentos.

Xangô achou que todos os Orixás deveriam conhecer os segredos das ervas. Ossaim preferiu não dividir o segredo e nem as folhas com os demais Orixás. Então Xangô mandou Iansã fazer o vento trazer as folhas de Ossaim para o palácio, a fim de serem divididas entre os Orixás.

Quando o furacão de Iansã funcionou, Ossaim ordenou que as folhas voltassem para a mata - o que aconteceu. As folhas que ficaram no palácio de Xangô perderam a força vital, o axé. Xangô admitiu a derrota para Ossaim. Admitiu também que as folhas deveriam ficar aos seus cuidados.

Ossaim, porém, deu a cada Orixá uma folha com seus segredos e encantamentos. Ainda assim, os maiores segredos não revelou a ninguém.

* * *

Ossaim nasceu e não recebeu roupa alguma dos pais, andando sempre nu. Ao crescer, fugiu para a floresta, onde vivia escondido e coberto com folhas. Ali, aprendeu uma série de encantamentos.

Ressentido, jogou um encantamento contra o pai, que adoeceu. Foi, então, procurado para saber como o pai poderia ser curado. Disse que lhe entregassem uma roupa, uma calça e um gorro do pai. Assim foi feito: o pai ficou curado e Ossaim passou a andar vestido.

Depois preparou um encantamento contra a mãe, que passou a ter dores de barriga. Novamente Ossaim foi procurado e pediu que lhe entregassem um pano com listras brancas, pretas e vermelhas. Atendido o pedido, sua mãe foi curada.

Um dia teve um filho e, pensando que o filho lhe pudesse fazer o mesmo que havia feito a seus pais, Ossaim o matou, queimou seu corpo e guardou o pó preto resultante da queima. Com esse pó, tempos depois, curou o rei, passando a viver a seu lado, comungando de suas riquezas.

* * *

Os Orixás não atendiam mais aos pedidos dos seres humanos. Então resolveram organizar festas para os Orixás, homenageando um a cada semana.

Um dia, um babalaô anunciou que haveria surpresas.

Na homenagem a Ossaim, apareceu um homem desconhecido, com uma perna só e pelo visto, um nobre, que foi muito bem recebido. O homem vinha montado num antílope.

Os sacerdotes conversaram com ele sobre os problemas, mostraram-lhe em detalhes como era a vida no local.

Apesar de ter apenas uma perna, o homem dançou a noite toda.

Então, o antílope disse que era hora de irem. E foram.

Todos ficaram admirados de o animal falar e reconheceram Ossaim, que aprecia muito passar despercebido e causar surpresas.

Os homens esperavam que levasse seus pedidos aos demais Orixás.

O mago-médico é uma espécie de Quíron africano que, antes de mais nada (e ao mesmo tempo, conforme os itãs), cura a si mesmo e se dedica à cura dos demais, embora sua própria cura não seja completa e as feridas permaneçam abertas (como o medo de que o filho reproduza nele, Ossaim, o mal que provocou em seus pais). Senhor dos segredos das folhas, a ele os Orixás respeitam por sua sabedoria e seu conhecimento.

Orikis

A tradução do oriki abaixo foi reproduzida por Alberto Ebômi.

Aquele que vive nas árvores e que tem um rabo pontudo como estaca.
Aquele que tem o fígado transparente como o da mosca.
Aquele que é tão forte quanto uma barra de ferro.
Aquele que é invocado quando as coisas não estão bem.
O esbelto que quando recebe a roupa da doença se move como se fosse cair.
O que tem uma só perna e é mais poderoso que os que têm duas.
Todas as folhas têm viscosidade que se tornam remédio.
Àgbénigi, o deus que usa palha.
O grande sino de ferro que soa poderosamente.
A quem as pessoas agradecem sem reservas depois que ele humilha as doenças.
Àròni que pula no poço com amuletos em seu peito.
O homem de uma perna que excita os de duas pernas para correr.

Toda a sabedoria e todo o conhecimento de Ossaim lhe dão força. Por vezes, Aroni aparece a serviço de Ossaim, como seu mentor ou como o próprio Ossaim.

MPB

Canto de Ossanha
(Vinícius de Moraes e Baden Powell)

"O canto da mais difícil
E mais misteriosa das deusas
Do candomblé baiano
Aquela que sabe tudo
Sobre as ervas
Sobre a alquimia do amor"

Deaaá! Deeerê! Deaaá!

O homem que diz "dou"
Não dá!
Porque quem dá mesmo
Não diz!
O homem que diz "vou"
Não vai!
Porque quando foi
Já não quis!
O homem que diz "sou"
Não é!
Porque quem é mesmo "é"
Não sou!
O homem que diz "tou"
Não tá
Porque ninguém tá
Quando quer
Coitado do homem que cai

No canto de Ossanha
Traidor!
Coitado do homem que vai
Atrás de mandinga de amor...

Vai! Vai! Vai! Vai!
Não Vou!
Vai! Vai! Vai! Vai!
Não Vou!
Vai! Vai! Vai! Vai!
Não Vou!
Vai! Vai! Vai! Vai!
Não Vou!

Que eu não sou ninguém de ir
Em conversa de esquecer
A tristeza de um amor
Que passou
Não!
Eu só vou se for prá ver
Uma estrela aparecer
Na manhã de um novo amor...

Amigo sinhô
Saravá
Xangô me mandou lhe dizer
Se é canto de Ossanha
Não vá!
Que muito vai se arrepender
Pergunte pro seu Orixá
O amor só é bom se doer
Pergunte pr'o seu Orixá
O amor só é bom se doer...

Vai! Vai! Vai! Vai!
Amar!
Vai! Vai! Vai! Vai!
Sofrer!
Vai! Vai! Vai! Vai!
Chorar!
Vai! Vai! Vai! Vai!
Dizer!

Que eu não sou ninguém de ir
Em conversa de esquecer
A tristeza de um amor
Que passou
Não!
Eu só vou se for prá ver
Uma estrela aparecer
Na manhã de um novo amor...

Vai! Vai! Vai! Vai!
Amar!
Vai! Vai! Vai! Vai!
Sofrer!
Vai! Vai! Vai! Vai!
Chorar!
Vai! Vai! Vai! Vai!
Dizer!...(2X)

Caracterizado na canção como deusa, Ossanha, cujo canto sedutor alcança até o centro da floresta conforme relatos mitológicos, faz as pessoas aí se perderem (talvez símbolo da perda da consciência nos mistérios insondáveis). Aqui, Ossanha aparece com o canto do amor. Contudo, o verdadeiro amor é o que faz sofrer - não por masoquismo, mas porque não se consegue viver plenamente com a ausência da pessoa amada.

Salve as folhas
(Geronimo Santana)

Sem folha não tem sonho
Sem folha não tem vida
Sem folha não tem nada

Quem é você e o que faz por aqui
Eu guardo a luz das estrelas
A alma de cada folha
Sou Aroni

Kosi euê
Kosi Orixá
Euê ô
Euê ô Orixá

Sem folha não tem sonho
Sem folha não tem festa
Sem folha não tem vida
Sem folha não tem nada

Eu guardo a luz das estrelas
A alma de cada folha
Sou Aroni

O verde da fotossíntese (luz das estrelas) e do poder etéreo (a alma de cada folha) é guardado por Aroni, do qual tratamos acima, sempre relacionado a Ossaim.

EUÁ

Divindade do rio Yewa, também conhecida como Iya Wa, considerada a dona do mundo e dos horizontes, ligada às águas e, por vezes, associada à fertilidade. Em algumas lendas aparece como esposa de Obaluaê/Omolu. Já em outras, é esposa de Oxumaré, relacionada à faixa branca do arco-íris (seria a metade feminina desse Orixá).

Protetora das virgens, tem o poder da vidência, sendo senhora do céu estrelado. Por vezes é confundida com Iansã, Oxum e mesmo Iemanjá. Além do arpão, seu símbolo mais conhecido, pode também carregar um ofá (arco e flecha) dourado, uma espingarda ou uma serpente de metal. Também é simbolizada pelo raio de sol, pela neve e pelas palmeiras em formato de leque.

Orixá pouco cultuado na Umbanda.

Características

Animal: sabiá.
Bebida: champanhe.
Cor: carmim.
Comemoração: 13 de dezembro.
Corpo humano e saúde: problemas intestinais e respiratórios.
Dia da semana: sábado.
Elemento: água
Elementos incompatíveis: aranha, galinha, teia de aranha.
Ervas: arrozinho, baronesa (alga), golfão.
Flores: flores brancas e vermelhas.
Metais: cobre, ouro, prata.
Pontos da natureza: linha do horizonte, recebendo entregas em rios e lagos.
Saudação: *Rirró!* ou *Ri ró!* ("Doçura!")
Símbolo: arpão.
Sincretismo: Nossa Senhora das Neves, Santa Luzia.

SANTA LUZIA
(13 de dezembro)

A Santa Luzia também se associa Oxum Apará, com boa visão de jogo. Mártir que teve a garganta cortada, no século XV, por não aceitar ter relações sexuais, certamente tornou-se padroeira dos olhos em virtude de seu nome, que vem do latim "lux" (luz).

ORUNMILÁ

Tanto Orunmilá quanto Exu têm permissão para estar próximos a Olorum quando necessário, daí sua importância. Senhor dos destinos, Orunmilá rege o plano onírico, é aquele que sabe tudo o que se passa sob a regência de Olorum, no presente, no passado e no futuro. Tendo acompanhado Odudua na fundação de Ilê Ifé, é conhecido como *Eleri Ipin* (testemunho de Deus), *Ibikeji Olodumaré* (vice de Deus), *Gbaiyegborun* (o que está na terra e no céu), *Opitan Ifé* (o historiador de Ifé).

Por ordens de Olorum, além de ter participado da criação da terra e do homem, Orunmilá auxilia cada um a viver seu cotidiano e a vivenciar seu próprio caminho, isto é, o destino para seu Ori (cabeça).

Seus porta-vozes são os chamados babalaôs (pais do segredo), iniciados especificamente no culto a Ifá. No caso dos búzios, entretanto, os babalaôs são cada vez mais raros, sendo os mesmos lidos e interpretados por Babalorixás, ialorixás e outros devidamente preparados (a preparação e as formas de leitura podem variar bastante do Candomblé para a Umbanda e de acordo com a orientação espiritual de cada casa e cada ledor/ledora).

Cada ser humano é ligado diretamente a um Odu, que lhe indica seu Orixá individual, bem como sua identidade mais profunda.

AS LINHAS DA UMBANDA

De modo geral, cada Linha corresponde a uma faixa vibratória comandada por um Orixá e/ou Guia ou Guardião, agregando elementos afins.

As Sete Linhas

Diversas tradições espirituais, religiosas e culturais consideram o número 7 sagrado, cabalístico, espiritual. Além disso, 7 são os períodos da vida, as cores do arco-íris, os dias da semana, as maravilhas do mundo (ao menos as da primeira listagem), os principais chacras, etc.

A presença desse número é bastante grande na Umbanda, em especial quando se fala das **Sete Linhas** (Linhas maiores de trabalho na Umbanda) e de nomes de Guias e Guardiões, por exemplo.

Interessante notar que, ao longo do tempo, não foram as Linhas de Umbanda que mudaram, e sim a compreensão a respeito delas. Cada vez mais novos elementos são agregados à Umbanda como, por exemplo, no caso da Linha do Oriente, uma vez que suas portas estão sempre abertas àqueles que, no Plano Espiritual, desejem trabalhar na Lei da Umbanda.

Como nada é rígido na Espiritualidade, nem sempre as representações e as correspondências de Guias e Guardiões (na Direita ou na Esquerda) serão necessariamente as mesmas para cada pessoa ou terreiro.

1925 No livro "Ensaios sobre Umbanda", Leal de Souza elenca as Sete Linhas abaixo:	
1ª	Oxalá
2ª	Ogum
3ª	Oxóssi
4ª	Xangô
5ª	Iansã
6ª	Iemanjá
7ª	Almas

1941 1º. Congresso de Espiritismo de Umbanda Em "Introdução ao Estudo da Linha Branca de Umbanda", a Cabana de Pai Thomé do Senhor do Bonfim confirma o trabalho de Leal de Souza.	
1º. grau de iniciação	Almas
2º. grau de iniciação	Xangô
3º. grau de iniciação	Ogum
4º. grau de iniciação	Iansã
5º. grau de iniciação	Oxóssi
6º. grau de iniciação	Yemanjá
7º. grau de iniciação	Oxalá

1952 O Primado de Umbanda apresenta os Sete Seres Espirituais responsáveis pela Luz Espiritual emanada do próprio Deus (Supremo Espírito), o primeiro elo entre Deus e as outras Hierarquias Espirituais. Em nosso sistema solar, os chamados Orixás Maiores regem as Sete Linhas da Umbanda.	
1ª	Orixalá
2ª	Ogum
3ª	Oxóssi
4ª	Xangô
5ª	Yorimá (Iofá, Obaluaê)
6ª	Yori (Ibeji - Erês - Crianças)
7ª	Yemanjá

1956 No Livro "Umbanda de Todos Nós", W. W. da Mata e Silva apresenta as Sete Linhas de Umbanda, observando a tríade Caboclo, Preto-Velho e Criança, roupagens fluídicas com as quais apresentam-se os Espíritos trabalhadores da Umbanda.	
1ª - Luz do Senhor Deus, Princípio Incriado, Verbo.	Orixalá
2ª - Princípio Duplo Gerante, Espírito Feminino, Fecundação.	Yemanjá
3ª - Potência Divina Manifestada, Princípio em ação na própria humanidade.	Yori (Crianças)
4ª - Senhor das Almas, Senhor do Fogo Etéreo, Lei Cármica (causa e efeito).	Xangô

5ª - Fogo da Salvação, Fogo da Glória, Demandas da Fé.	Ogum
6ª - Ação Circular sobre os viventes na Terra, Caçador das Almas.	Oxóssi
7ª - Princípio Real da Lei, Mestrado nos Ensinamentos da Lei de Umbanda.	Yorimá (Pretos-Velhos)

1964 No Livro *Okê Caboclo! - Mensagens do Caboclo Mirim*, do fundador da Tenda Espírita Mirim Benjamim Figueiredo, os Orixás se dividem em Menores e Maiores, sendo estes últimos os regentes das Sete Linhas.	
1ª - Expressão da Inteligência	Oxalá
2ª - Expressão do Amor	Iemanjá
3ª - Expressão da Ciência	Xangô Caô
4ª - Expressão da Lógica	Oxóssi
5ª - Expressão da Justiça	Xangô Agodô
6ª - Expressão da Ação	Ogum
7ª - Expressão da Filosofia	Iofá

2003 Rubens Saraceni Livro "Sete Linhas de Umbanda - A Religião dos Mistérios".	
1ª - Essência Cristalina - Fé	Oxalá
2ª - Essência Mineral - Amor	Oxum
3ª - Essência Vegetal - Conhecimento	Oxóssi
4ª - Essência Ígnea - Justiça	Xangô
5ª - Essência Aérea - Lei	Ogum
6ª - Essência Telúrica - Evolução	Obaluaê
7ª - Essência Aquática - Geração/Vida	Yemanjá

2009 Lurdes de C. Vieira (coordenação) Livro "Manual Doutrinário, Ritualístico e Comportamental Umbandista"	
Oxalá	Mistério da Fé - qualidade congregadora
Ogum	Mistério da Ordenação - onipotência
Oxóssi	Mistério do Conhecimento - onisciência
Xangô	Mistério da Justiça
Oxum	Mistério do Amor - concepção
Obá	Mistério do Conhecimento - concentração
Iansã	Mistério da Lei - direção
Oxumaré	Mistério do Amor - renovação
Obaluaê	Mistério da Evolução
Omolu	Mistério da Vida - estabilização
Nanã	Mistério da Evolução - racionalização
Oiá Tempo	Mistério da Religiosidade
Egunitá	Egunitá - Mistério da Justiça - purificação
Exu	Qualidade vitalizadora de Olorum (Deus, Zâmbi)
Pombogira	Qualidade estabilizadora

2010 Janaina Azevedo Corral Livro "As Sete Linhas da Umbanda"	
1ª	Linha de Oxalá
2ª	Linha das Águas
3ª	Linha dos Ancestrais (Yori e Yorimá)
4ª	Linha de Ogum
5ª	Linha de Oxóssi
6ª	Linha de Xangô
7ª	Linha do Oriente

AS SETE LINHAS NA FORMA EM QUE SÃO MAIS CONHECIDAS E/OU MAIS SE MANIFESTAM NOS TERREIROS DE UMBANDA.	
1ª	Oxalá
2ª	Iemanjá
3ª	Xangô
4ª	Ogum

5ª	Oxóssi
6ª	Yori
7ª	Yorimá

Oxalá

Vibração que coordena as demais, a *Linha de Oxalá* é a que representa o reflexo de Deus. As Entidades dessa linha costumam falar calmamente. Seus pontos cantados possuem grande aspecto místico. Raramente assumem chefia de cabeça.

SETE CHEFES DE LEGIÃO DA VIBRAÇÃO ESPIRITUAL DE OXALÁ	
Caboclo Urubatão da Guia	Representante da vibração espiritual
Caboclo Guaracy	Intermediário para Ogum
Caboclo Guarani	Intermediário para Oxóssi
Caboclo Aimoré	Intermediário para Xangô
Caboclo Tupi	Intermediário para Yorimá
Caboclo Ubiratan	Intermediário para Yori
Caboclo Ubirajara	Intermediário para Iemanjá

Iemanjá

Também conhecida como *Linha d'Água* ou *Povo d'Água*. Representa o feminino, a maternidade, a energia geradora. As entidades dessa linha apreciam trabalhar com água, inclusive do mar ou salgada, fixando vibrações, de maneira serena.

Na Umbanda, Oxum, Iansã e Nanã, assim como as demais Iabás (Orixás femininos/Santas) pertencem a essa Linha.

SETE CHEFES DE LEGIÃO DA VIBRAÇÃO ESPIRITUAL DE IEMANJÁ	
Cabocla Iara	Representante da vibração espiritual
Cabocla Estrela do Mar	Intermediário para Oxalá
Cabocla Indaiá	Intermediário para Oxóssi
Cabocla do Mar	Intermediário para Ogum
Cabocla Iansã	Intermediário para Xangô
Cabocla Nanã Buruquê	Intermediário para Yorimá
Cabocla Oxum	Intermediário para Yori

Xangô

Os pontos cantados dessa Linha nos remetem aos pontos de força do Orixá Xangô: pedreiras, cachoeiras, montanhas. Justiça, lei cármica (ação e reação), avaliação do estado espiritual são alguns dos aspectos atrelados a Xangô e a essa Linha.

SETE CHEFES DE LEGIÃO DA VIBRAÇÃO ESPIRITUAL DE XANGÔ	
Xangô Caô	Representante da vibração espiritual
Xangô Pedra Branca	Intermediário para Oxalá
Xangô Agodô	Intermediário para Oxóssi
Xangô Sete Montanhas	Intermediário para Ogum
Xangô Sete Cachoeiras	Intermediário para Yori
Xangô Pedra Preta	Intermediário para Yorimá
Xangô Sete Pedreiras	Intermediário para Iemanjá

Ogum

Ogum protege as batalhas da vida, toma a frente das demandas da fé e de tudo o que nos aflige. É a Linha do guerreiro místico, espiritual. Os pontos cantados e as preces relacionadas a essa Linha evocam as lutas, as batalhas, a determinação.

Orixá mediador dos choques cármicos, Ogum rege caboclos que andam de um lado para o outro, enérgicos, vivazes, que falam de maneira vibrante e decidida.

SETE CHEFES DE LEGIÃO DA VIBRAÇÃO ESPIRITUAL DE OGUM	
Ogum Dilê	Representante da vibração espiritual
Ogum Matinata	Intermediário para Oxalá
Ogum Rompe-Mato	Intermediário para Oxóssi
Ogum Beira-Mar	Intermediário para Xangô
Ogum de Malê	Intermediário para Yorimá
Ogum Megê	Intermediário para Yori
Ogum Iara	Intermediário para Iemanjá

Oxóssi

Fala, passes, trabalhos e conselhos: tudo é sereno, seguro e forte nas entidades regidas por Oxóssi, o Caçador das Almas. Seus pontos cantados evocam a natureza e sua espiritualidade, notadamente a das matas.

SETE CHEFES DE LEGIÃO DA VIBRAÇÃO ESPIRITUAL DE OXÓSSI	
Caboclo Arranca-Toco	Representante da vibração espiritual
Caboclo Arariboia	Intermediário para Ogum
Caboclo Arruda	Intermediário para Oxalá
Caboclo Cobra Coral	Intermediário para Xangô
Caboclo Tupinambá	Intermediário para Yorimá
Cabocla Jurema	Intermediário para Yori
Caboclo Pena Branca	Intermediário para Iemanjá

Yori

Espíritos evoluídos que se manifestam como crianças, serenas ou um pouco vivazes compõem a Linha de Yori. A maioria gosta de se sentar ao chão, outros de andar de lá para cá. Apreciam bastante os doces. Seus pontos cantados ora são alegres, ora tristes, com constantes evocações ao Papai e à Mamãe do Céu.

As crianças ensinam ao mais sisudo dos médiuns e/ou aos irmãos da assistência a importância da alegria, da leveza, do lúdico, do despertar e dos cuidados para com a criança interior. Além disso nos lembram o respeito às crianças encarnadas, conforme o conselho do próprio Mestre Jesus, quando pede que deixem as crianças chegar até Ele.

Nas giras de alguns templos dão consulta. Em outras, interagem, conversam, benzem e cruzam os presentes. Sempre alegram e purificam o ambiente.

Em suas festas, em algumas casas, por influência dos Cultos de Nação, é servido caruru, primeiro aos espíritos da Linha de Yori, depois às crianças encarnadas presentes, sendo que todos devem comer com as mãos. Depois o caruru é servido aos adultos, que comem com talheres ou, se preferirem, também com as mãos.

SETE CHEFES DE LEGIÃO DA VIBRAÇÃO ESPIRITUAL DE YORI	
Tupãzinho	Representante da vibração espiritual
Ori	Intermediário para Oxalá
Damião	Intermediário para Oxóssi
Yari	Intermediário para Ogum
Doum	Intermediário para Xangô
Cosme	Intermediário para Yorimá
Yariri	Intermediário para Iemanjá

Yorimá

Na Linha de Yorimá ou Linha das Almas, Magos da Luz, por meio de suas mirongas, trazem luz, amparo, conforto a todos. Apreciam trabalhar com diversos elementos, dentre eles fumo e fumaça, fixando bons fluídos e eliminando os maléficos.

Eficazes auxiliares de outros guias, raramente assumem a chefia de cabeça.

As atitudes, as palavras, os conselhos dos Pretos-Velhos, pais e vovôs amorosos, bem como seus pontos cantados, nos convidam à humildade, ao perdão, ao auto-perdão e a assumir novas posturas diante da vida.

SETE CHEFES DE LEGIÃO DA VIBRAÇÃO ESPIRITUAL DE YORIMÁ	
Pai Guiné	Representante da vibração espiritual
Pai Tomé	Intermediário para Oxalá
Pai Joaquim	Intermediário para Oxóssi
Pai Benedito	Intermediário para Ogum
Vovó Maria Conga	Intermediário para Xangô
Pai Congo d'Aruanda	Intermediário para Yori
Pai Arruda	Intermediário para Iemanjá

OUTRAS LINHAS DA UMBANDA

Baianos

Os Baianos trabalham sob a irradiação de diversos Orixás e, evidentemente, nem todos são realmente baianos ou nordestinos (alguns podem ter sido Babalorixás de origem diversa, identificando-se, portanto com o culto aos Orixás).

Alegres, brincalhões, adoram festas e apreciam desmanchar trabalhos de magia deletéria, sendo bons conselheiros e orientadores. Gostam muito de dançar, o que, além de ser uma descontraída manifestação de alegria é também uma maneira dirigida de manipulação de energia. Alguns são genuinamente quimbandeiros, identificando-se, portanto, com os Exus e as Pombogiras, trabalhando na Esquerda. Também se apresentam, muitas vezes, em giras de Caboclos e Pretos-Velhos.

Irreverentes e batalhadores, representam, ainda, o arquétipo do migrante nordestino a enfrentar o cotidiano com determinação. Procuram esclarecer espíritos de vibração deletéria, contudo, quando isso não é possível, costumam "amarrá-los", isto é, isolá-los energeticamente, até o dia em que estejam abertos a conselhos e realmente queiram ser ajudados.

ALGUMAS CARACTERÍSTICAS DOS BAIANOS	
Apresentação	Chapéu de palha ou de couro, roupa de couro, sotaque e vocabulário tipicamente nordestinos.
Atuação	Dão passes e desmancham trabalhos de magia deletéria. Alguns benzem com água e/ou dendê. Trabalham com fortes orações e rezas.
Bebidas	Água de coco, batida de coco, cachaça.
Comidas	Cocada, coco, farofa com carne seca.
Cores	Laranja ou aquela definida pela própria entidade.
Fumo	Cigarro de palha.
Nomes	Chiquinho Cangaceiro, Gentilero, Mané Baiano, Maria do Alto do Morro, Maria do Balaio, Maria Baiana, Maria Bonita, Maria dos Remédios, Sete Ponteiros, Severino, Zé do Berimbau, Zé do Coco, Zé Pelintra, Zé do Prado, Zé do Trilho Verde e outros.

Cangaço

Por vezes confundida com a Linha da Bahia, agrega espíritos de antigos cangaceiros ou afins que hoje usam seus conhecimentos para proteção, limpeza, defesa e outros. Alguns de seus nomes: Maria Bonita, Corisco, Zóio Furado, etc.

Boiadeiros

Também conhecidos como Caboclos Boiadeiros em determinados segmentos umbandistas. Segundo alguns umbandistas, já foram Exus e transitaram de faixa vibratória (nos Candomblés onde se manifestam Boiadeiros, geralmente fazem funções protetoras das quais os Exus se encarregam na Umbanda). Protetores, utilizam-se do laço e do chicote como armas espirituais contra as investidas de espíritos de vibrações deletérias. Conduzem os espíritos para seu destino e resgatam aqueles que se perderam da Luz.

Certamente muitos desses espíritos, quando encarnados (homens e mulheres), lidaram com o gado, em fazendas, comitivas e outros: vaqueiros, tocadores de viola, laçadores, etc. Trabalham para diversos fins, com velas, pontos riscados e rezas fortes. Sua dança é rápida e ágil. Preferem bebidas fortes, como cachaça com mel (meladinha), vinho tinto, mas também bebem cerveja. Seu dia votivo é quinta-feira. Seu prato preferido é carne bovina com feijão tropeiro; também apreciam abóbora com farofa de torresmo. Em oferendas, usam-se também fumo de rolo e cigarro de palha.

Quanto às vestimentas e identificações, costumam solicitar panos para cobrir a região dos seios das médiuns, valem-se de chapéus de couro, laços, bombachas e até berrantes. Sua saudação e seu brado costumam ser *Jetruá!*, *Xetro Marrumba Xetro!* e/ou *Minaketo Navizala!*: "Salve o que tem braço (pulso) forte!"

Alguns Boiadeiros: Boiadeiro do Chapadão, Boiadeiro Chapéu de Couro, Boiadeiro de Imbaúba, Boiadeiro do Ingá, Boiadeiro da Jurema, Boiadeiro Juremá, Boiadeiro do Lajedo, Boiadeiro Navizala, Boiadeiro do Rio, Carreiro, João Boiadeiro, João do Laço, Zé do Laço, Zé Mineiro.

Marinheiros

Os Marinheiros apreciam o álcool, o qual deve ser servido com parcimônia, com o intuito de regular o magnetismo desses espíritos, que, dessa maneira, se equilibram melhor em e com seus médiuns. Locomovem-se para frente e para trás em virtude do magnetismo aquático.

Alegres, brincalhões, amigáveis, identificam-se com a vida no mar, à qual estavam ligados quando encarnados (homens ou mulheres) como marujos, capitães, piratas, pescadores e outros. Atuam principalmente no desmanche de demandas, em casos de doença e no descarrego de ambientes onde ocorrem trabalhos espirituais. Literalmente lavam e purificam. Também dão consultas e passes. Toda a energia deletéria é encaminhada para o fundo do mar.

A origem dessa Linha, sem dúvida, é Iemanjá, contudo os Marinheiros trabalham sob a irradiação de diversos Orixás. Chefiados por Tarimá, costumam andar em grupo. Alguns marinheiros: Chico do Mar, Maria do Cais, Seu Gererê, Seu Iriande, Seu Marinheiro Japonês, Seu Martim Pescador.

Saudação: "É da Marinha!" ou "É do Mar!"

Ciganos

Os Ciganos formam Linha bastante antiga de trabalhos na Umbanda. Por vezes, apresentam-se na Linha do Oriente e com ela se confundem. Atuam em diversas áreas, em especial no tocante à saúde, ao amor e ao conhecimento, com tratamentos e características diferentes das de outras correntes, falanges e Linhas. Assim como o povo Cigano, quando encarnado, possui origem antiga e pulverizada em diásporas, caracterizado pelo nomadismo, o Povo Cigano do Astral assenta-se nos mais diversos terreiros de Umbanda. Na Espiritualidade, os Ciganos não estão mais afeitos a tradições fechadas (Ciganos casando-se apenas entre eles, por exemplo) e patriarcais terrenas (a mulher sem filhos biológicos praticamente perdendo seu valor perante o marido, a família e a comunidade), podendo atuar com mais liberdade; daí afinarem-se à Umbanda, conhecida pelo sincretismo e por abrir as portas a diversas Linhas espirituais.

Alegres e experientes, trabalham utilizando-se de seus conhecimentos mágicos, tanto na Direita quanto na Esquerda. Se existem Exus e Pombogiras Ciganos, há também Ciganos que, por afinidade e/ou por não encontrar outros caminhos numa casa, trabalham na Linha da Esquerda.

Amparados pela vibração oriental, trajam vestes e adereços característicos, valendo-se de cartas, runas, bolas de cristal, Numerologia e outros expedientes que lhes são familiares. Apreciam também trabalhar com cores (cada Cigano tem sua cor de vibração e de velas, embora possa se valer de diversas cores, em virtude dos vastos conhecimentos que possuem) e com incensos. Utilizam-se, ainda, de pedras, bebidas, punhais, lenços e outros elementos para Magia Branca.

Embora haja orações, simpatias e feitiços Ciganos espalhados em profusão em livros, revistas, sites na internet e outros, vale lembrar que a Umbanda, seja na Direita ou na Esquerda, jamais trabalha com qualquer elemento que venha a ferir o livre-arbítrio de alguém.

Em muitas casas, Linha do Oriente e Linha Cigana se confundem; em outras, trabalham separadamente (há casas em que aparece apenas a Linha Cigana). Existe, ainda, a leitura de que a Linha Cigana seria uma espécie de divisão/falange da Linha do Oriente.

Santa Sara

Padroeira do Povo Cigano. Reza a tradição, numa das lendas de Santa Sara, que, para fugir das perseguições de Herodes Agripa, alguns discípulos de Jesus foram colocados numa barca sem velas, remos ou o mínimo de provisões. Dentre os discípulos estavam Maria Salomé, mãe de Tiago Maior e João, e Maria Jacobé, Irmã ou prima de Maria, mãe de Jesus, juntamente com a serva Sara. Em 44 ou 45 d. C., a embarcação teria chegado a Camargue, na França. Maria Jacobé, Maria Salomé e Sara teriam permanecido na mesma região, enquanto os demais discípulos se dispersaram pela Gália como evangelizadores.

Segundo outras versões, Sara vivia às margens do Mediterrâneo e foi acolhida pelas outras mulheres, tornando-se, posteriormente, cristã, serva e acompanhante de Maria Jacobé e Maria Salomé. Outras fontes caracterizam Sara como abadessa ou freira de um convento líbio, rainha egípcia que teria acolhido os evangelizadores, ou mesmo descendente dos atlantes. Para os Ciganos, a Virgem Sara é chamada também de Kali (o que significa "negra"; também nome de uma deusa negra indiana, relacionada à morte).

Oração popular

Minha doce Santa Sara Kali, tu, que és a única santa cigana do mundo; tu, que sofreste todas as formas de humilhação e preconceito; tu, que foste amedrontada e jogada ao mar para que morresses de sede e de fome; tu, que sabes o que é o medo, a fome, a mágoa e a dor no coração, não permitas que meus inimigos zombem de mim ou me maltratem. Que tu sejas minha advogada perante Deus, que tu me concedas sorte, saúde, paz e que abençoe a minha vida.

Amém.

Oriente

Linha bastante genérica, sempre aberta às Entidades Ancestrais mais diversas, isto é, a espíritos os mais variados que com ela se afinem, agrupando-se de acordo com distintas tradições, traços culturais, etc.

Além de muitas vezes incluir o Povo Cigano, muitas casas não reconhecem a Linha do Oriente, "distribuindo" os Guias e as Entidades nas Linhas de Pretos-Velhos ou Caboclos.

Em linhas gerais, sua ritualística é diversa: os Guias não trabalham com bebidas alcoólicas (exceto no caso dos Ciganos), usam roupas coloridas e metais nobres (ouro, prata e bronze). Podem, ainda, não utilizar atabaques, mas instrumentos como harpa ou cítara. Suas oferendas também são específicas.

ALGUMAS LEGIÕES DA LINHA DO ORIENTE	
Legiões	Exemplos de Guias e/ou desdobramentos
Legião dos Indianos	Ramatís Caboclo Pena de Pavão Caboclo Sultão das Matas Caboclo Sete Mares
Legião dos Árabes, Persas, Turcos e Hebreus	Cacique Jacó Caboclo das Sete Encruzilhadas Caboclo Orixá Malê Caboclo Akuan (Abdul) Caboclo Tupaíba
Legião dos Chineses, Tibetanos, Japoneses e Mongóis	Tibiri, o Japonês
Legião dos Egípcios	
Legião dos Maias, Toltecas, Astecas, Incas e Caraíbas	
Legião dos Europeus	Falange dos Portugueses Falange dos Cruzados Falange dos Templários Falange dos Romanos
Legião dos Médicos, Sábios e Xamãs	Falange dos Santos Curadores Falange dos Médicos Ocidentais Falange dos Terapeutas Orientais Falange dos Rezadores Falange dos Cabalistas e Alquimistas Falange dos Raizeiros Falange dos Xamãs

Mentores de cura (Linha de Cura)

Os mentores de cura trabalham de diversas maneiras (os métodos mais comuns estão descritos abaixo). A fim de que seu trabalho seja bastante aproveitado, é necessário preparo e dedicação do médium, além da observação, por parte do paciente, de prescrições específicas (roupas, abstenções temporárias, repouso e outros).

Vale lembrar que, do ponto de vista holístico, o conceito de cura é amplo e depende de vários fatores (padrão de pensamento, reforma íntima, programação espiritual – a qual, evidentemente, pode ser revista, de acordo com a vivência cotidiana de cada um –, merecimento e outros). Nesse sentido, muitas vezes, obter a cura significa conseguir paz, equilíbrio e diminuição das dores para um desencarne sereno.

MÉTODOS DE TRABALHO MAIS CONHECIDOS	
Cirurgia espiritual	Estando o mentor espiritual incorporado no médium, poderá ou não valer-se de meios cirúrgicos elementares (cortes, punções, raspagens e outros). Envolve a manipulação do corpo físico por meio das mãos do médium.
Cirurgia perispiritual	Realizada diretamente no perispírito do paciente, em data e horário previamente determinados, pode ou não contar com a colaboração de um médium presente.
Cromoterapia	Atuando no corpo físico e no duplo etérico, em especial para males de origem emocional, é indicada pelos mentores de cura e deve ser aplicada por médiuns que conheçam a técnica.
Fluidoterapia	Atuando no corpo físico e no perispírito, deve ser aplicada por médiuns que conheçam a técnica. Indicada pelos mentores espirituais.
Homeopatia	Indicada pelos mentores espirituais, a Homeopatia está disponível em qualquer farmácia especializada e deve ser consumida conforme a indicação.
Reiki	Bastante utilizado para combater males de origem emocional e psíquica, deve ser aplicado por médium sintonizado (iniciado na técnica).
Visita espiritual	Realizada por equipe espiritual, em data e horário previamente estipulados. Nas visitas são aplicados passes, feitas orações e realizados, ainda, outros procedimentos.
Outros	Acupuntura, aromaterapia, chás, cristaloterapia, florais de Bach, Do-in, etc.

INTERAÇÃO COM OS MÉDIUNS	
Incorporação	Sutil e geralmente consciente. Em muitos casos, o mentor se vale da fala, assumindo o controle motor quando necessário.
Intuição	Muito importante o equilíbrio e o desenvolvimento do médium, a fim de não haver distorção das orientações dos mentores (tratamentos, providências e outros).
Psicografia	Assemelha-se a toda e qualquer psicografia, entretanto, os mentores costumam ditar receitas de tratamentos e medicamentos, alguns deles da própria Medicina dita Alopática.

EQUIPES ESPIRITUAIS	
Apoio	Auxiliam no levantamento do histórico dos pacientes e os inspiram a mudanças de hábitos e atitudes, a fim de que os tratamentos, remédios e demais terapêuticas sejam plenamente aproveitados.
Cirúrgicas	À semelhança das equipes cirúrgicas terrenas, possuem cirurgiões, assistentes, anestesistas, etc. Diferem, contudo, na aparelhagem e na tecnologia disponíveis. Contribuem também com passes e aplicação de energias associados às intervenções cirúrgicas.
Oração	Equilibram o mental e o emocional do paciente, dos que o auxiliam e do ambiente, aumentando as boas energias. Essas equipes podem ser formadas por espíritos que, quando encarnados, foram religiosos e, portanto, estão acostumados às preces.
Passes	Antes, durante e depois das sessões, encarregam-se de aplicar passes em pacientes e médiuns, em especial nas sessões de cura e nas visitas espirituais.
Proteção	Nos tratamentos, visitas, etc., protegem os pacientes da ação de espíritos com vibrações deletérias, geralmente causadores das doenças e desequilíbrios desses pacientes.

TIPOS DE MALES	
Males cármicos	Doenças geralmente incuráveis (fatais ou não). Toda forma de tratamento, visa, portanto, dar alívio, conforto e força ao paciente.
Males espirituais	Causados por obsessores, vampirizadores e outros espíritos, reverberam no corpo físico em forma de doenças.
Males físicos	Geralmente provocados por vícios, maus hábitos, má alimentação e outros fatores do cotidiano. Contudo, os males físicos estão atrelados aos demais, uma vez que representam a concretização/a última etapa da manifestação de outros males (espirituais, cármicos e mentais).
Males mentais	Depressão, angústia, apatia e outros. Se em muitos casos a ação é de obsessores, vampirizadores e outros espíritos afins, a maior parte origina-se da atitude mental dos pacientes (crenças cristalizadas, medos, culpa, etc.). Os males mentais podem corporificar-se em forma de úlcera, hipertensão, câncer e uma extensa lista de doenças.

A ESQUERDA

Na Umbanda, em vez de se cultuar diretamente o Orixá Exu, é mais comum o culto aos Exus e às Pombogiras, trabalhadores da chamada Esquerda, oposto complementar da Direita. Ao longo da História, o conceito de esquerdo/esquerda foi de exclusão e incompreensão. Alguns exemplos: pessoas canhotas vistas sob suspeitas aos olhos de parte do clero e da população da Idade Média; em francês, esquerdo/esquerda é *gauche*, que também significa atrapalhado, destoante; em italiano, esquerdo/esquerda é *sinistro/sinistra*, o que nos lembra algo obscuro.

Incompreendidos e temidos, Exus e Pombogiras são vítimas da ingratidão e da intolerância, não apenas de religiões que não dialogam e discriminam a Umbanda e o Candomblé, mas, infelizmente, também no interior dessas próprias religiões: há mais-velhos do Candomblé que ainda chamam Exus de "escravos" ou "diabos", enquanto alguns umbandistas afirmam "não quererem nada com Exu".

Em linhas gerais, nas sociedades humanas costuma-se, por exemplo, valorizar o médico e não valorizar o lixeiro. Contudo, ambos os profissionais são extremamente importantes para a manutenção da saúde de cada indivíduo e da coletividade. Em termos espirituais, a Esquerda faz o trabalho mais pesado de desmanches de demandas, de policiamento e proteção de templos (portanto, toda casa de oração tem os seus Exus), de limpeza energética, enfim. No anonimato, sob nomes genéricos e referentes à linha de atuação, aos Orixás para os quais trabalham, Exus e Pombogiras são médicos, conselheiros, psicólogos, protetores, exercendo múltiplas funções que podem ser resumidas em uma palavra: Guardiões.

Se, em pinturas mediúnicas, Exus e Pombogiras apresentam-se com imagens e fisionomias "normais", por que as estatuetas que os representam parecem, aos olhos do senso comum, associá-los ainda mais ao Diabo cristão? Por três razões básicas:

a) Os símbolos de Exu pertencem a uma cultura diversa do universo cristão. Nela, por exemplo, a sexualidade não se associa ao pecado e, portanto, símbolos fálicos são mais evidentes, ligados tanto ao prazer quanto à fertilidade, enquanto o tridente representa os caminhos, e não algo infernal. O mesmo pode-se dizer, por exemplo, do dragão presente nas imagens de São Miguel e São Jorge: enquanto, no Ocidente cristão, o dragão representa o mal, em várias culturas do Oriente é símbolo de fogo e força espirituais.

b) A área de atuação de Exus e Pombogiras solicita elementos tais quais os utilizados por eles (capas, bastões, etc.) ou que os simbolizam (caveiras, fogo, etc.), vibrações cromáticas específicas também (vermelho e preto) e outros.

c) Do ponto de vista histórico e cultural, quando as comunidades que cultuavam Orixás perceberam, além da segregação, o temor daqueles que os discriminavam, assumiram conscientemente a relação entre Exu e o Diabo cristão e passaram a representá-lo desta forma como estratégia para afastar de seus locais de encontro e liturgia todo aquele que pudesse prejudicar suas manifestações religiosas. Nesse sentido, muitos dos nomes e pontos cantados de Exu, do ponto de vista espiritual (energias e funções) e cultural-histórico são "infernais".

De modo bem simples, Exus e Pombogiras podem ser definidos como agentes da Luz nas trevas (do erro, da ignorância, da culpa, da maldade, etc.).

Exus

Quando encarnados, geralmente tiveram vida difícil, como boêmios, prostitutas e/ou dançarinas de cabaré (caso de muitas Pombogiras), em experiências de violência, agressão, ódio, vingança. Conforme dito acima, são agentes da Luz atuando nas trevas. Praticando a caridade, executam a Lei de forma ordenada, sob a regência dos chefes e em nome dos Orixás. Devem ser tratados com respeito e carinho, à maneira como se tratam amigos, e não com temor.

Guardiões não apenas durante as giras e as consultas/atendimentos que dão nas giras de Esquerda, são os senhores do plano negativo

(“negativo” não possui nenhuma conotação moral ou de desvalor), responsabilizam-se pelos espíritos caídos, sendo, ainda, cobradores dos carmas. Combatem o mal e estabilizam o astral na escuridão. Cortam demanda, desfazem trabalhos de magia negra, auxiliam em descarregos e desobsessões, encaminham espíritos com vibrações deletérias para a Luz ou para ambientes específicos do Astral Inferior, a fim de se reabilitarem e seguirem a senda da evolução.

Sua roupa geralmente é preta e vermelha, podendo usar capas, bengalas, chapéus e instrumentos como punhais. Como soldados e policiais do Astral, utilizam uniformes apropriados para batalhas, diligências e outros. Suas emanações, quando necessário, são pesadas e intimidam. Em outras circunstâncias, apresentam-se de maneira elegante. Em outras palavras, sua roupagem fluídica depende de vários fatores, como evolução, função, missão, ambiente etc. Podem, ainda, assumir aspecto animalesco, grotesco, possuindo grande capacidade de alterar sua aparência.

Os Exus são alegres e brincalhões e, ao mesmo tempo, dão e exigem respeito. Honram sua palavra, buscam constantemente sua evolução. Guardiões, expõem-se a choques energéticos. Espíritos caridosos, trabalham principalmente em causas ligadas aos assuntos mais terrenos. Se aparentam dureza, franqueza e pouca emotividade, em outros momentos, conforme as circunstâncias, mostram-se amorosos e compassivos, afastando-se, porém, daqueles que visam a atrasar sua evolução. Suas gostosas gargalhadas não são apenas manifestações de alegria, mas também potentes mantras desagregadores de energias deletérias, emitidos com o intuito de equilibrar especialmente pessoas e ambientes.

É muito importante o consulente conhecer a casa que se frequenta, para que não se confunda Exu e Pombogira com quiumbas. Pela Lei de Ação e Reação, pedidos e comprometimentos feitos visando ao mal e desrespeitando o livre-arbítrio serão cobrados. Quanto às casas, a fim de evitar consulentes desavisados, algumas optam por fazer giras de Esquerda fechadas, enquanto outras as fazem abertas, mas quase sempre com pequena preleção a respeito da Esquerda.

Saudação: *Laroiê Exu* (ou *Pombogira*), *Exu* (ou *Pombogira*) *ê Mojubá!*

OS EXUS E ALGUNS PONTOS DE VIBRAÇÃO	
Cemitério	Geralmente trabalham para Obaluaê. Alguns operam em trabalhos, obrigações, descarregos, mas não dão consultas. Trabalham, quando em consulta, descarregando o consulente, sendo sérios e discretos.
Encruzilhada	Além de se apresentarem em trabalhos, obrigações e descarregos, gostam de dar consultas. Nem tão sérios quanto os Exus de Cemitério, nem tão brincalhões quanto os Exus de Estrada. Trabalham para diversos Orixás.
Estrada	Movimentam-se bastante, dão consultas, são brincalhões e apreciam uma boa gargalhada (o que não significa bagunça; sua descontração não rima com esculhambação).

Exu Mirim

Os Exus Mirins compõem a Linha da Esquerda, apresentando-se como crianças ou adolescentes. São extrovertidos, brincalhões e trabalham com funções análogas às de Exus e Pombogiras. Utilizam-se dos elementos comuns à Linha da Esquerda (cores, fumo, álcool etc.).

Segundo alguns segmentos umbandistas, nunca encarnaram, enquanto outros sustentam que, à maneira de Exus e Pombogiras, tiveram difícil vivência encarnatória e hoje se utilizam de seus conhecimentos para promover a segurança, a proteção, o bem-estar.

Pombogira

O termo Pombogira é uma corruptela de Bombojira, que, em terreiros bantos, significa Exu, vocábulo que, por sua vez, deriva do quicongo "mpambu-a-nzila" (em quimbundo, "pambuanjila"), com o significado de "encruzilhada". Trabalham com o desejo, especialmente com o sexual, freando os exageros e deturpações sexuais dos seres humanos (encarnados ou desencarnados), direcionando-lhes a energia para aspectos construtivos. Algumas delas, em vida, estiveram ligadas a várias formas de desequilíbrio sexuais: pela Lei de Ação e Reação, praticando a caridade, evoluem e auxiliam outros seres à evolução.

Alegres, divertidas, simpáticas, conhecem a alma humana e suas intenções. Sensuais e equilibradas, descarregam pessoas e ambientes de energias viciadas. Gostam de dançar. Infelizmente, são bastante confundidas com quiumbas e consideradas responsáveis por amarrações de casais, separações e outros, quando, na verdade, seu trabalho é o de equilibrar as energias do desejo. Exemplo: quando alguém é viciado em sexo (desequilíbrio), podem encaminhar circunstâncias para que a pessoa tenha verdadeira overdose de sexo, de modo a esgotá-la e poder trabalhá-la para o reequilíbrio. Assim como os Exus de caráter masculino, as Pombogiras são agentes cármicos da Lei.

Geralmente o senso comum associa as Pombogiras a prostitutas. Se muitas delas estão resgatando débitos relacionados à sexualidade, isso ocorre, contudo, não apenas por promiscuidade e pelas consequências energéticas decorrentes, mas, também, pela abstinência sexual ideológica e religiosamente imposta; caso de muitas mulheres que professaram votos celibatários, mas foram grandes agressoras de crianças, pessoas amarguradas praguejando contra mulheres com vida sexual ativa, etc.

Suas cores geralmente são vermelho e preto. Alguns nomes: Maria Molambo, Sete-Saias, Maria Padilha, Pombogira do Cruzeiro, Pombogira Rosa Caveira etc.

Linha dos Exus

Abaixo, uma lista sintética a respeito da organização da Linha dos Exus, contudo, como em outras Linhas e Falanges, existem variações. Exu Marabô, por exemplo, geralmente se apresenta trabalhando sob as ordens de Oxóssi, mas às vezes também trabalha sob as de Xangô.

OS SETE EXUS CHEFES DE FALANGE VIBRAÇÃO ESPIRITUAL DE OXALÁ	
Exu Sete Encruzilhadas	Comando negativo da linha
Exu Sete Chaves	Intermediário para Ogum
Exu Sete Capas	Intermediário para Oxóssi
Exu Sete Poeiras	Intermediário para Xangô
Exu Sete Cruzes	Intermediário para Yorimá
Exu Sete Ventanias	Intermediário para Yori
Exu Sete Pembas	Intermediário para Iemanjá

OS SETE EXUS CHEFES DE FALANGE VIBRAÇÃO ESPIRITUAL DE IEMANJÁ	
Pombogira Rainha	Comando negativo da linha
Exu Sete Nanguê	Intermediário para Ogum
Pombogira Maria Molambo	Intermediário para Oxóssi
Exu Sete Carangola	Intermediário para Xangô
Exu Maria Padilha	Intermediário para Yorimá
Exu Má-canjira	Intermediário para Yori
Exu Maré	Intermediário para Oxalá

OS SETE EXUS CHEFES DE FALANGE VIBRAÇÃO ESPIRITUAL DE YORI	
Exu Tiriri	Comando negativo da linha
Exu Toquinho	Intermediário para Ogum
Exu Mirim	Intermediário para Oxóssi
Exu Lalu	Intermediário para Xangô
Exu Ganga	Intermediário para Yorimá
Exu Veludinho	Intermediário para Oxalá
Exu Manguinho	Intermediário para Iemanjá

OS SETE EXUS CHEFES DE FALANGE VIBRAÇÃO ESPIRITUAL DE XANGÔ	
Exu Gira-mundo	Comando negativo da linha
Exu Meia-Noite	Intermediário para Ogum
Exu Mangueira	Intermediário para Oxóssi
Exu Pedreira	Intermediário para Oxalá
Exu Ventania	Intermediário para Yorimá
Exu Corcunda	Intermediário para Yori
Exu Calunga	Intermediário para Iemanjá

OS SETE EXUS CHEFES DE FALANGE VIBRAÇÃO ESPIRITUAL DE OGUM	
Exu Tranca-rua	Comando negativo da linha
Exu Tira-teimas	Intermediário para Oxalá
Exu Veludo	Intermediário para Oxóssi
Exu Tranca-gira	Intermediário para Xangô
Exu Porteira	Intermediário para Yorimá
Exu Limpa-trilhos	Intermediário para Yori
Exu Arranca-toco	Intermediário para Iemanjá

OS SETE EXUS CHEFES DE FALANGE VIBRAÇÃO ESPIRITUAL DE OXÓSSI	
Exu Marabô	Comando negativo da linha
Exu Pemba	Intermediário para Ogum
Exu da Campina	Intermediário para Oxalá
Exu Capa Preta	Intermediário para Xangô
Exu das Matas	Intermediário para Yorimá
Exu Lonan	Intermediário para Yori
Exu Bauru	Intermediário para Iemanjá

OS SETE EXUS CHEFES DE FALANGE VIBRAÇÃO ESPIRITUAL DE YORIMÁ	
Exu Caveira	Comando negativo da linha
Exu do Lodo	Intermediário para Ogum
Exu Brasa	Intermediário para Oxóssi
Exu Come-fogo	Intermediário para Xangô
Exu Pinga-fogo	Intermediário para Oxalá
Exu Bará	Intermediário para Yori
Exu Alebá	Intermediário para Iemanjá

GUIAS DA UMBANDA – O TRIPÉ

A Umbanda possui diversas linhas, todas de suma importância, contudo seu tripé (base) é formado pelos Caboclos, pelos Pretos-Velhos e pelas Crianças.

Caboclo

Também conhecidos como Caboclos de Pena, formam verdadeiras aldeias e tribos no Astral, representados simbolicamente pela cidade da Jurema, pelo Humaitá e outros. Existem falanges e especialidades diversas, como as de caçadores, feiticeiros, justiceiros, agricultores, rezadores, parteiras e outras, sempre a serviço da Luz, na Linha de Oxóssi e na vibração de diversos Orixás. A cor característica dos Caboclos é o verde leitoso, enquanto a das Caboclas é o verde transparente. Seu principal ponto de força são as matas.

Nessa roupagem e pelas múltiplas experiências que possuem (encarnações como cientistas, médicos, pesquisadores e outros), geralmente são escolhidos por Oxalá para serem os Guias-chefe dos médiuns, representando o Orixá de cabeça do médium de Umbanda (em alguns casos, os Pretos-Velhos é que assumem tal função). Na maioria dos casos, portanto, os Caboclos vêm na irradiação do Orixá masculino da coroa do médium, enquanto as Caboclas, na irradiação do Orixá feminino da coroa mediúnica. Todavia, os Caboclos também podem vir na irradiação do próprio Orixá de quando estava encarnado, ou na do Povo do Oriente.

Atuam em diversas áreas e em várias tradições espirituais e/ou religiosas, como no chamado Espiritismo Kardecista ou de Mesa Branca.

Simples e determinados, infundem luz e energia em todos. Representam o conhecimento e a sabedoria que vêm da terra, da natureza, comumente desprezado pela civilização, a qual, paradoxalmente, parece redescobri-los. Também nos lembram a importância do elemento indígena em nossa cultura, a miscigenação de nosso povo e que a Umbanda sempre está de portas abertas para todo aquele, encarnado ou desencarnado, que a procurar.

Os brados dos Caboclos possuem grande força vibratória, além de representarem verdadeiras senhas de identificação entre eles, que ainda se cumprimentam e se abraçam enquanto emitem esses sons. Brados e assobios são verdadeiros mantras que ajudam na limpeza e no equilíbrio de ambientes, pessoas, etc. O mesmo vale para o estalar de dedos, uma vez que as mãos possuem muitíssimos terminais nervosos: os estalos de dedos se dão sobre o chamado "Monte de Vênus" (porção mais gordinha da mão), descarregando energias deletérias e potencializando as energias positivas, de modo a promover o reequilíbrio.

Caboclos de Iansã	Trabalham para várias finalidades, mas especialmente para emprego e prosperidade, pelo fato de Iansã ter forte ligação com Xangô. Bastante conhecidos pelo passe de dispersão (descarrego). Rápidos e de grande movimentação (deslocamento), são diretos no falar, por vezes causando surpresa no interlocutor.
Caboclos de Iemanjá	Rodam bastante, incorporam com suavidade, contudo mais rápido do que os Caboclos de Oxum. São mais conhecidos por desmanchar trabalhos, aplicar passes, fazer limpeza espiritual, encaminhando para o mar as energias deletérias.
Caboclos de Nanã	De incorporação contida, dançam pouco. Por meio dos passes, encaminham espíritos com baixa vibração. Aconselham bastante, explanando sobre carma e resignação. Esses Caboclos são raros.
Caboclos de Obaluaê	Raro é vê-los trabalhando incorporados e, quando isso acontece, seus médiuns têm Obaluaê como Orixá de cabeça. São velhos pajés. Movimentam-se pouco. Sua incorporação parece bastante com a de um Preto-Velho (alguns desses Caboclos utilizam cajados para caminhar). Atuam em campos diversos da magia.
Caboclos de Ogum	Com incorporação rápida e mais afeita ao chão, não costumam rodar. Suas consultas são diretas. Conhecidos pelos trabalhos no campo profissional, seus passes geralmente são destinados a doar força física e aumentar o ânimo do consulente.

Caboclos de Oxalá	Mais conhecidos por dirigir os demais Caboclos, deslocam-se pouco, mantendo-se fixado em determinado ponto do terreiro. Mais conhecidos pelos passes de energização, raramente dão consulta.
Caboclos de Oxossi	Rápidos, locomovem-se bastante e dançam muito. Geralmente chefes de Linha, atuam em diversas áreas, em especial com banhos e defumadores.
Caboclos de Oxum	A incorporação se dá principalmente pelo chacra cardíaco. Gostam de rodar e são comumente suaves. Concentram-se tanto nos passes de dispersão quanto nos de energização, com ênfase no alívio emocional do consulente (são conhecidos por lidar com depressão, desânimos e outros desequilíbrios psíquicos). Suas consultas geralmente levam o consulente a refletir bastante.
Caboclos de Xangô	Com incorporações rápidas e contidas, costumam arriar seus médiuns no chão. Diretos na fala aos consulentes, atuam bastante com passes de dispersão. Principais áreas de atuação: emprego e realização profissional, causas judiciais e imóveis.

Forma de apresentação de seres espirituais: Quando se trata de espíritos que encarnaram, geralmente se utilizam da roupagem fluídica de uma de suas encarnações. A esse respeito, veja-se o caso do Caboclo das Sete Encruzilhadas, que, em sua primeira comunicação pública, foi visto como um sacerdote por um dos médiuns, de fato também uma de suas encarnações.

O senso comum afirma que Caboclos e Pretos-Velhos não incorporam em centros espíritas. Na verdade, "baixam" e com roupagens fluídicas diversas. Vale lembrar que a Umbanda nasceu "oficialmente" a partir da rejeição de Caboclos e Pretos-Velhos em mesas mediúnicas espíritas. De qualquer forma, com a ampliação do diálogo ecumênico e inter-religioso e, portanto, da fraternidade entre encarnados, têm ocorrido mais manifestações mediúnicas de Caboclos e Pretos-Velhos em casas espíritas.

A respeito da roupagem fluídica é interessante exemplificar com textos de Feraudy e Pires. No primeiro caso, o autor trata da pluralidade de roupagens fluídicas e de um fenômeno imediato de substituição de uma por outra. No segundo caso, de maneira romanceada, apresenta-se a roupagem de um Caboclo.

Roger Feraudy registra:

"(...) mostrando que não existe a menor diferença entre o trabalho mediúnico de Umbanda e Kardecismo, o autor participou, anos atrás, de um trabalho que veio a confirmar essa assertiva.

Seus vizinhos na cidade do Rio de Janeiro trabalhavam em um centro de Umbanda, Tenda Mirim, ela como médium e seu marido como cambono. Em determinado dia, sua filha única, então com quatro anos de idade, teve uma febre altíssima. Depois de chamarem um médico, que não soube diagnosticar a origem dessa febre, e como ela aumentava progressivamente, o marido pediu à mulher que recebesse o seu guia espiritual, Caboclo Mata Virgem, chamando-me para auxiliar nesse trabalho. O Caboclo Mata Virgem apresentou-se e mandou que o marido do seu aparelho tomasse nota de cinco ervas para fazer um chá que, segundo a entidade, resolveria o problema.

O vizinho, então, ponderou:

- Acredito que o senhor seja o seu Mata Virgem e que o chá irá curar a minha filha; porém, na Terra existem leis a que tenho que prestar contas. Sei que isso não acontecerá, mas se minha filha não ficar boa com seu chá ou mesmo morrer, o que direi às autoridades: que foi seu Mata Virgem quem mandou a menina tomar o chá?!?

O Caboclo atirou o charuto que fumava no chão, adotou uma posição ereta e, calmo, disse em linguagem escorreita:

- Dê o chá que estou mandando – e elevando a voz –, doutor Bezerra de Menezes!"

Por sua vez, em "A missionária", romance mediúnico intuído por Roger Pires, o narrador observa:

"(...) Nesse exato momento, enxergou as três figuras ao lado da cama. Eram Jeremias e Melissa, postados próximos à cabeceira da doente, tendo estendidos, sobre ela, os braços. De suas mãos fluía uma radiosidade que se espalhava por todo o corpo de Priscilla. A terceira figura era um 'índio' imponente, de uma estatura incomum, o rosto largo, a pele bronzeada, os olhos grandes e negros. Tinha na cabeça um cocar majestoso, cujas penas se estendiam até os tornozelos. A energia que dele emanava enchia o quarto. Fascinada com o quadro, no geral, Jéssica viu o 'índio' deslocar-se do lado dos outros e colocar-se aos pés da cama, o olhar manso, mas firme e fixo na doente."

Pretos-Velhos

Exemplos de humildade, tolerância, perdão e compaixão, os Pretos-Velhos e Pretas-Velhas compreendem, sobretudo, os espíritos que, na roupagem de escravos, evoluíram por meio da dor, do sofrimento e do trabalho forçado. São grandes Magos da Luz, sábios, portadores de conhecimentos de alta Espiritualidade.

Enquanto encarnados, cuidaram de seus irmãos, sustentando-lhes a fé nos Orixás, sincretizada com o Catolicismo, seus santos e rituais, a sabedoria milenar, a medicina popular e outros. Conhecidos como pais/mães, vovôs/vovós e mesmo tios/tias, representam a sabedoria construída não apenas pelo tempo, mas pela própria experiência. Guias e protetores na Umbanda, são espíritos desencarnados de muita luz.

Seus nomes geralmente são de santos católicos (como quando encarnados, conforme a ordem/orientação geral dos senhores e da própria Igreja), acrescidos do topônimo da fazenda onde nasceram ou de onde vieram, ou da região africana de origem. Alguns exemplos: Pai Antônio, Pai Benedito, Pai Benguela, Pai Caetano, Pai Cambinda (ou Cambina), Pai Cipriano, Pai Congo, Pai Fabrício das Almas, Pai Firmino d´Angola, Pai Francisco, Pai Guiné, Pai Jacó, Pai Jerônimo, Pai João, Pai Joaquim, Pai Jobá, Pai Jobim, Pai José d´Angola, Pai Julião, Pai Roberto, Pai Serafim, Pai Serapião, Vovó Benedita, Vovó Cambinda (ou Cambina), Vovó Catarina, Vovó Manuela, Vovó Maria Conga, Vovó Maria do Rosário, Vovó Rosa da Bahia.

Pretos-Velhos são verdadeiros psicólogos, tendo ótima escuta para todo e qualquer tipo de problema, sempre com uma palavra amiga para os consulentes, além dos passes, descarregos e outros.

ALGUMAS CARACTERÍSTICAS DOS PRETOS-VELHOS	
Bebidas	Café preto, vinho moscatel, vinho tinto, cachaça com mel (por vezes com ervas, sal, alho ou outros elementos)
Chacra	Básico ou sacro
Contas	Muitos pedem contas de rosário, favas, cruzes e figas
Cores	Preto e branco
Cozinha	Bolinho de tapioca, mingau das almas, tutu de feijão preto
Dia da semana	Segunda-feira
Fumo	Cachimbo ou cigarro de palha
Linha e irradiação	Os Pretos-Velhos vêm na linha de Obaluaê, mas a irradiação de cada Orixá varia.
Planeta	Saturno
Roupas	Preta e branca, carijó (xadrez preto e branco), lenços na cabeça, batas e saias (Pretas-Velhas), chapéu de palha e outros.
Saudação	Adorei as almas!

Crianças

Conhecidos como Crianças, Ibejis, Ibejada, Dois-Dois, Erês, Cosminhos e outros tantos nomes, representam na Umbanda a alegria mais genuína, a da criança (e, consequentemente, da criança interior de cada um). Espíritos que optam por essa roupagem geralmente desencarnaram com pouca idade terrena.

São bastante respeitados por outros Guias, como Caboclos e Pretos-Velhos, possuindo funções específicas. No Candomblé, por exemplo, quando o Orixá não fala, Erê funciona como seu porta-voz. Além disso, protege o médium de muitos perigos. Os nomes dos Erês no Candomblé geralmente correspondem ao regente da coroa mediúnica. Exemplos: Pipocão e Formigão (Obaluaê), Folhinha Verde (Oxóssi) e Rosinha (Oxum). Já na Umbanda, embora possa haver referências ao Orixá dono da coroa do médium, os nomes comumente reproduzem nomes brasileiros, tais como Rosinha, Cosminho, Pedrinho, Mariazinha e outros. Quanto aos quitutes, na Umbanda, as Crianças, no geral, pedem doces, balas, refrigerantes, frutas. Por influência do Candomblé, algumas casas também servem caruru.

Como no caso das crianças encarnadas, esses irmãozinhos do Alto precisam amorosamente de limite e disciplina. As brincadeiras são animadas, mas isso não deve significar bagunça ou impedir comunicações. Há os que pulam, preferem brinquedos, choram, ficam mais quietinhos, enfim: são formas quase despercebidas de descarregar e equilibrar o médium, a casa, a assistência. Preferem consultas a desmanches de demandas e desobsessões, são bastante sinceros sobre os desequilíbrios dos consulentes, bons conselheiros e curadores. Utilizam-se de quaisquer elementos e manipulam energias elementais sob a regência dos Orixás.

O calendário especial de comemoração das Crianças é extenso e variado: inicia-se em 27 de setembro (São Cosme e São Damião) e vai até 25 de outubro (São Crispim e São Crispiniano), contudo, a maioria das festas ocorre próximo ao 27 de setembro.

Elementais

São seres conhecidos nas mais diversas culturas, com características e roupagens mais ou menos semelhantes. Ligam-se aos quatro elementos (terra, água, ar, fogo), daí sua importância ser reconhecida na Umbanda, que se serve dos referidos elementos, tanto em seus aspectos físicos, quanto em sua contrapartida etérica.

ELEMENTO TERRA	
Dríades	Trabalhando nas florestas, diretamente nas árvores, ligam-se ao campo vibratório do Orixá Oxóssi. Possuem cabelos compridos e luminosos.
Gnomos	Trabalham no duplo etérico das árvores.
Fadas	Manipulam a clorofilia das plantas (matizes e fragrâncias), de modo a formar pétalas e brotos. Associam-se à vida das células da relva e de outras plantas.
Duendes	Cuidam da fecundidade da terra, das pedras e dos metais preciosos e semipreciosos.

ELEMENTO ÁGUA	
Sereias	Atuam nas proximidades de oceanos, rios e lagos, com energia e forma graciosas.
Ondinas	Atuam nas cachoeiras, auxiliando bastante nos trabalhos de purificação realizados pela Umbanda nesses pontos de força.

ELEMENTO AR	
Silfos	Apresentam asas, como as fadas, movimentando-se com grande rapidez. Atuam sob a regência de Oxalá.

ELEMENTO FOGO	
Salamandras	Atuando na energia ígnea solar e no fogo de modo geral, apresentam-se como correntes de energia, sem se afigurarem propriamente como humanos.

Os elementais são seres gerados artificialmente por pensamentos e sentimentos. São formas-pensamento benéficas ou maléficas, vivificadas por quem as cria, consciente ou inconscientemente.

A forma-pensamento é uma criação da mente que possui vibração benéfica ou deletéria, conforme a natureza e as circunstâncias, denotando, assim, a força do pensamento e do sentimento dos encarnados. Por similaridade e frequência vibratórias, as formas-pensamento atraem energias, Entidades e outros afins, que delas se alimentam.

ORGANIZAÇÃO E LITURGIA

Hierarquia

A hierarquia na Umbanda não é tão escalonada como, por exemplo, no Candomblé. Sob a responsabilidade dos Dirigentes Espirituais (Babás e Pai-pequeno e/ou Mãe-pequena), estão os médiuns de incorporação, os Ogãs e cambones. Alguns filhos têm funções bem específicas (como os seguranças de canto e porta, os quais, hierarquicamente, estão abaixo do Pai-pequeno e/ou da Mãe--pequena), sem que haja gradações hierárquicas entre eles, mas sim coordenação de responsabilidade.

O(a) Babá é o(a) Dirigente Espiritual. O termo se refere tanto ao Pai quanto à Mãe da casa, embora, originalmente, no Candomblé, Babalorixá (também empregado em algumas casas de Umbanda) se referisse aos homens, enquanto Ialorixá, às mulheres.

Popularmente também se usa o vocábulo "Babalaô", ainda que, em sua origem e no contexto dos cultos de Nação, Babalaô seja especificamente o sacerdote de Ifá.

Assim como há casas de Candomblé cuja direção espiritual é confiada a um Ogã, há templos de Umbanda onde o Dirigente Espiritual não é um médium de incorporação. Em ambos os casos, o Dirigente é secundado por um médium rodante.

A direção espiritual da casa é confiada a alguém pela própria Espiritualidade, não bastando os curso de formação em Teologia de Umbanda, ou mesmo a graduação nessa área. Por determinação da Espiritualidade, um filho de fé pode ser designado a participar de um processo de iniciação para o sacerdócio (geralmente mais breve do que no Candomblé), com preparação específica (recolhimento, obrigações e outros), ou então o guia de frente (no caso de um filho que pertença ou não à Umbanda, mas tenha mediunidade ostensiva e compromisso espiritual com a Umbanda nesta encarnação) assume a preparação desse filho para a abertura de uma casa, podendo ou não indicá-lo para um processo de preparação com outro(a) Babá.

Na direção espiritual da casa, conta-se ainda com o Pai-pequeno e/ou com a Mãe-pequena, auxiliares diretos do(a) Babá e, em sua ausência, substitutos.

O Ogã na Umbanda relaciona-se à curimba, dedicando-se ao toque e ao canto. Muitas das atribuições dos Ogãs nos Cultos de Nação são atribuídas na Umbanda aos cambones.

Muitos Ogãs, desde crianças, demonstram incrível habilidade para o toque, aperfeiçoando o dom no dia a dia do terreiro. Contudo, também existem cursos especializados para todos aqueles, homens e mulheres, que desejem aprender a tocar e cantar pontos de Umbanda, podendo ou não atuar num terreiro.

O Ogã é um médium de sustentação, de firmeza durante os rituais, atento ao andamento da gira, a fim de, por meio do toque e do canto, manter a vibração necessária e desejada. Em algumas casas, o Ogã também é médium de incorporação, dedicando-se a ambas as atividades (em especial nas casas em que existam poucos médiuns), ou à curimba, incorporando apenas em determinadas ocasiões.

Cambone é o médium de firmeza encarregado de, dentre várias funções, auxiliar os médiuns e a Espiritualidade incorporada, bem como fazer anotações, cuidar de detalhes da organização do terreiro, dar explicações e assistência aos consulentes. Pode ou não incorporar. Alguns cambones são médiuns de desenvolvimento que auxiliam nos cuidados da gira. Geralmente há um cambone-chefe em cada terreiro.

Em linhas gerais, é o médium que incorpora Orixás, Guias e Guardiões, os quais se acoplam à estrutura espiritual do aparelho ou cavalo, de modo a se servirem de seu corpo físico para os trabalhos espirituais. Os médiuns rodantes, quanto à incorporação, podem ser inconscientes, conscientes ou semi-conscientes.

O desenvolvimento mediúnico desses médiuns (como de todos os outros) deve ser bastante disciplinado, orientado e supervisionado pelos Guias-chefes, bem como pelos Dirigentes Espirituais.

Há casas de Umbanda em que há, conforme os dons mediúnicos e suas responsabilidades, os chamados Ogãs de frente (com responsabilidades de segurança de gira, dentre outras funções), Ogã de corte (não necessariamente para sacrifício ritual, mas também para preparo de comidas de Santo) e outros.

O terreiro

Nome genérico de um templo ou de uma tenda de Umbanda, também conhecido como congá.

Pontos vibracionais

Pontos-chave do templo, contribuindo para sua segurança e para sua vibração. Note-se que nem sempre um ponto chamado de casa é realmente uma construção desse quilate, porém um pequeno ou grande espaço estabelecido conforme a estrutura física do terreiro.

Assentamento

Elementos da natureza (ex.: pedra) e objetos (ex.: moedas) que abrigam a força dinâmica de uma divindade. São consagrados e alojados em continentes (ex.: louça) e locais específicos.

Firmeza

Cada firmeza é uma forma de segurança nos rituais de Umbanda, conforme suas Leis. Acender uma vela, por exemplo, representa, significa e aciona muito mais energias do que possa parecer. Com uma firmeza, estreita-se a relação com os Orixás, Guias, Entidades, Guardiões e outros, além de proporcionar a eles campo de atuação mais específico.

A firmeza não deve ser uma atitude mecânica, mas plena de fé, amor, devoção e consciência do que se está fazendo.

Tronqueira

Trata-se de local de firmeza, logo à entrada do terreiro, para o Exu guardião da casa, mais conhecido como Exu da Porteira, pois seu nome verdadeiro só é conhecido pela alta hierarquia do terreiro.

Assentamento de Ogum de Ronda

O assentamento de Ogum de Ronda é feito com o intuito de manter fora do terreiro energias deletérias, influências espirituais negativas. Em algumas casas também é chamado de tronqueira; em outras, com ela se confunde.

Casa dos Exus

Local dos assentamentos dos Exus dos médiuns, bem como de entregas, oferendas.

Casa de Obaluaê

Local do assentamento de Obaluaê.

Cruzeiro das Almas

Local para reverenciar e oferendar os Pretos-Velhos e acender velas para as almas. Há casas onde também se saúda Obaluaê, acendendo-lhe velas, no Cruzeiro das Almas.

Quartinha de Oxalá

Localizada acima da porta, ao lado do local onde se acendem velas para os anjos da guarda. Ponto de atração das energias de Oxalá, irradiadas para todos que aí passarem.

Casa do Caboclo

Local onde se homenageia o Caboclo fundador da casa, bem como onde se acendem velas para os Caboclos.

Cozinha

Local para o preparo de pratos ritualísticos e mesmo para cuidados gerais da casa. Alguns terreiros não dispõem de cozinha, sendo utilizada a da casa do Dirigente Espiritual ou de algum médium.

Em linhas gerais, o uso ritualístico da cozinha pressupõe o mesmo respeito, o mesmo cuidado de outras cerimônias de Umbanda, como as giras, as entregas e outros: roupas apropriadas, padrão de pensamento específico e centramento necessário etc. Além disso, os médiuns devem ser cruzados para a cozinha e/ou estarem autorizados a nela trabalhar.

Centro do terreiro

Uma das principais colunas energéticas do terreiro é seu centro (chão).

Ariaxé

Ao centro do terreiro, no alto. Trata-se de outra das colunas energéticas do terreiro.

Congá

O altar em si, onde ficam imagens dos Orixás, seus otás (pedras especialmente preparadas e consagradas), suas oferendas, objetos litúrgicos e outros.

Em algumas regiões, congá é também sinônimo de terreiro.

Casa dos Orixás

Local onde se mantêm os assentamentos dos Orixás dos médiuns, bem como, por vezes, lhe são entregues oferendas.

Para-raio

Local (sob o congá) para descarga de energias negativas que ocorram durante as sessões. O para-raio é composto de diversos elementos protegidos e encimados por uma barra de aço que perpassa uma tábua com ponto riscado de descarga.

Numa casa em que, por exemplo, se usam bastões para limpeza de aura, os mesmos são descarregados no para-raio.

Atabaque e coro

Em espaço previamente destinado ficam os atabaques, bem como o coro, o que se denomina de curimba (toque e canto). Embora todos os envolvidos na gira (médiuns da casa e assistência) sejam convidados a cantar os pontos, o papel do coro é fundamental para que se mantenha a vibração desejada.

Assistência

A assistência é composta por pessoas que, regular ou esporadicamente, frequentam as giras. Podem ou não ser umbandistas.

Algumas dessas pessoas costumam contribuir com doações para a manutenção do terreiro, festas, atividades assistenciais, etc.

Para o bom andamento dos trabalhos, é muito importante que as pessoas da assistência mantenham o silêncio e o padrão de pensamento elevado, a despeito dos problemas pelos quais estejam passando. O mesmo vale para a participação nas preces e nos pontos cantados (voz e palmas).

Com a assistência presente, vêm ao terreiro espíritos que tenham autorização para tanto: desencarnados, doentes em fase terminal, pessoas em desdobramento no momento do sono e outros. Todos são amorosamente atendidos e tratados pela Espiritualidade. Os espíritos que desejam apenas perturbar são barrados na entrada da casa e, conforme o caso, encaminhados para tratamento.

Geralmente a assistência fica de frente para o altar. Entre ele e a assistência, fica o corpo mediúnico da casa.

Quem faz tratamento numa casa de Umbanda não precisa necessariamente tornar-se umbandista: as portas estão sempre abertas a todos que desejem frequentar as giras, os tratamentos espirituais, as festas. A Umbanda não faz proselitismo. A decisão de se tornar umbandista e filiar-se a determinada casa é pessoal e atende, também, à identificação ou não dos Orixás com a casa em questão.

LITURGIA

Giras

As giras são os trabalhos ritualísticos mais conhecidos de Umbanda. Variações à parte, costumam ter mais ou menos a mesma estrutura:

Firmeza para Exu;
Abertura;
Defumação;
Preces e saudações;
Atendimentos e/ou consultas e trabalhos propriamente ditos;
Encerramento.

Geralmente, todos esses momentos são acompanhados de pontos cantados (com ou sem o uso de palmas e atabaques, dependendo da orientação de cada terreiro).

Conhecidas também como sessões de caridade, as giras são pautadas pela alegria e pela conjugação entre respeito e informalidade, afinal, tanto a Espiritualidade quanto médiuns e consulentes literalmente se sentem em casa. Na maioria das giras, dentre as várias preces, costuma-se fazer a Prece de Cáritas, bem como cantar o Hino da Umbanda.

Defumações

Uma das mais conhecidas formas de limpeza energética feitas na Umbanda, a defumação ocorre não apenas no início dos trabalhos (especialmente das giras), mas em outros locais e circunstâncias onde se fizer necessária.

As maneiras de se defumar um terreiro ou outro local variam (em casa ou local de trabalho, por exemplo, fazendo ou não um percurso em X em cada cômodo). Contudo, no caso de residência ou comércio, prevalece o hábito de se defumar dos fundos para a porta de entrada (limpeza) e da porta de entrada para os fundos (energização).

Sacudimentos

Ritual de limpeza espiritual com o intuito de expulsar energias negativas de pessoa ou ambiente. Para tanto, empregam-se folhas fortes que são batidas na pessoa ou no ambiente ("surra"), pólvora queimada no local em que se realiza o ritual e, em algumas casas, comidas e aves em contato com a pessoa ou o ambiente, os quais serão posteriormente oferecidos aos Eguns (as aves soltas, vivas). O ritual é completado com banho, no caso de pessoa, e com a defumação do corpo ou do local do sacudimento.

Sacramentos

Enquanto religião constituída, em sua ritualística, a Umbanda possui sacramentos, os quais, no tocante ao desenvolvimento mediúnico e outras particularidades (definidos por alguns também como sacramentos), variam de casa para casa. Como núcleo comum, os sacramentos de Umbanda são o Batismo e o Casamento. Outro ritual próprio, conhecido em outras religiões como sacramental, é a Encomendação (velório, cemitério e outros).

O Batismo na Umbanda existe tal qual é conhecido em diversas religiões e também como "Batismo de recepção", isto é, quando alguém, advindo de outra religião, deseja ser batizado na Umbanda (o Batismo de recepção se dá uma vez que esse sacramento é considerado indelével e válido como elemento de conexão com a Espiritualidade, independentemente da origem religiosa do batizando).

A água está presente nos rituais iniciáticos das mais diversas culturas. Na Umbanda, o Batismo significa a lavagem espiritual e a recepção do irmão de fé pela comunidade. Essa lavagem se repetirá, com múltiplas finalidades e meios, nos banhos ritualísticos.

Conforme visto acima, a Umbanda reconhece o Batismo realizado em outras religiões. Nesses casos, realiza-se um Batismo de recepção, representando a entrada na religião, sem necessariamente emitir o documento chamado popularmente de batistério.

Em alguns templos umbandistas, primeiro se batiza a criança na Igreja Católica antes de se realizar o Batismo Umbandista. Tal prática se dá, sobretudo, pela tradição de resistência, em períodos em que a discriminação contra as religiões de matriz africana era mais ostensiva, bem como uma forma de respeito à origem religiosa católica dos pais de muitas das crianças umbandistas.

Enquanto religião constituída, a Umbanda oferece a bênção matrimonial, geralmente feita pelo Guia-chefe do terreiro ou outra Entidade com a qual trabalhe o Dirigente Espiritual da casa.

Mesmo em terreiros onde não se registram bênçãos para casais homossexuais, acolhem-se essas relações e, em nome do amor e dos direitos civis, exigem respeito para com os irmãos com essa orientação sexual. Entretanto, há casas onde o matrimônio é oferecido como sacramento tanto para casais homossexuais quanto heterossexuais.

A Encomendação ou Encomenda é o ritual fúnebre. Chamada de sacramental por diversas religiões, a encomenda pode ser feita em velórios, cemitérios, residências, etc., conforme a tradição, a necessidade e outros fatores. Muitos segmentos umbandistas evitam encomendar corpos nos templos, principalmente quando se trata do desencarne de Dirigente Espiritual, considerando que se trataria da morte do próprio terreiro, enquanto outros o fazem nos próprios templos com desenvoltura e profundo significado espiritual.

Por sua vez, "tirar a mão de vumbe" significa realizar rituais para desligamento da energia de Dirigente Espiritual desencarnado(a) sobre filhos e terreiros.

Obrigações

Cada vez mais se consideram as obrigações não apenas como um compromisso, mas, literalmente, como uma maneira de dizer obrigado(a).

Em linhas gerais, as obrigações se constituem em oferendas feitas para, dentre outros, agradecer, fazer pedidos, reconciliar-se, isto é, reequilibrar a própria energia com as energias dos Orixás. Os elementos oferendados, em sintonia com as energias de cada Orixá, serão utilizados por eles como combustíveis ou repositores energéticos para ações mágicas (da mesma forma que o álcool, o alimento e o fumo utilizados quando o médium está incorporado). Daí a importância de cada elemento ser escolhido com amor, qualidade, devoção e pensamento adequado.

Existem obrigações menores e maiores, variando de terreiro para terreiro, periódicas ou solicitadas de acordo com as circunstâncias, conforme o tempo de desenvolvimento mediúnico e a responsabilidade de cada um com seus Orixás, com sua coroa, como no caso da saída (quando o médium deixa o recolhimento e, após período de preparação, apresenta solenemente seu Orixá, ou é, por exemplo, apresentado como sacerdote ou Ogã) e outros. Embora cada casa siga um núcleo comum de obrigações fixadas e de elementos para cada uma delas, dependendo de seu destinatário, há uma variação grande de cores, objetos, características. Portanto, para se evitar o uso de elementos incompatíveis para os Orixás, há que se dialogar com a Espiritualidade e com os Dirigentes Espirituais, a fim de que tudo seja corretamente empregado ou, conforme as circunstâncias, algo seja substituído.

Para diversos rituais da Umbanda, inclusive as giras, pede-se, além de uma alimentação leve, a abstenção de álcool e que se mantenha o "corpo limpo" (expressão utilizada em muitos terreiros e que representa abstenção de relações sexuais). No caso da abstenção de álcool, o objetivo é manter a consciência desperta e não permitir abrir brechas para espíritos e energias com vibrações deletérias. No tocante à abstenção sexual, a expressão "corpo limpo" não significa que o sexo seja algo sujo ou pecaminoso: em toda e qualquer relação, mesmo a mais saudável, existe uma troca energética; o objetivo da abstenção, portanto, é que o médium mantenha concentrada a própria energia e não se deixe envolver, ao menos momentaneamente, pela energia de outra pessoa, em troca íntima.

O período dessas abstenções varia de casa para casa, mas geralmente é de um dia (pode ser da meia-noite do dia do trabalho até a próxima meia-noite, ou do meio-dia do dia anterior ao trabalho até o meio-dia do dia seguinte ao trabalho, etc.). Há períodos maiores de abstenções chamados de preceitos ou resguardos.

Em casos de banhos e determinados trabalhos, além de época de preceitos e resguardos, também há dieta alimentar específica, além de cores de vestuário que devem ser evitadas (salvo exceções como as de uniformes de trabalho, por exemplo).

Toques

Os atabaques mais conhecidos são, por influência dos Cultos de Nação, o Rum (maior e som mais grave), o Rumpi (que responde ao Rum) e o Lê (que acompanha o Rumpi). Contudo, na maioria das casas de Umbanda, há um tipo padrão de atabaque, e não essas variações.

São muito importantes, constituindo um dos fundamentos do Culto aos Orixás. Formatos, confecção, materiais e modos de tocar variam de acordo com as diversas Nações de Candomblé. Entretanto, tanto no Candomblé quanto na Umbanda, a hierarquia possui características mais ou menos semelhantes, sendo o Alabê o chefe dos Ogãs, isto é, músicos responsáveis pelo toque e pelo canto (curimba).

Cercados de cuidados especiais e respeito, na Umbanda os atabaques podem também ser tocados por mulheres, o que é bastante raro nos Cultos de Nação. Mesmo que na Umbanda alguns Ogãs também incorporem, quando estão tocando são médiuns de firmeza, grandes responsáveis pela vibração da gira.

SÍNTESE DOS TOQUES MAIS COMUNS PARA ALGUNS ORIXÁS	
Orixás	Toques
Oxalá	bate-folha, cabula, ijexá
Ogum	barravento, cabula, congo de ouro, ijexá, muxicongo
Xangô	barravento, cabula, congo de ouro, ijexá, muxicongo
Oxóssi	barravento, cabula, congo de ouro, ijexá, muxicongo
Omolu	barravento, cabula, congo de ouro, ijexá, muxicongo
Logun-Edé	barravento, ijexá
Ossaim	barravento, cabula, congo, samba angola
Oxumaré	cabula, congo, ijexá
Oxum	cabula, congo, ijexá
Iansã	agerrê, barravento, cabula, congo de ouro, ijexá
Tempo	barravento, cabula, congo de ouro, ijexá
Iemanjá	cabula, ijexá
Nanã	cabula, congo, ijexá

Pontos cantados

Com diversas funções, os pontos cantados impregnam o ambiente de determinadas energias enquanto o libera de outras, representam imagens e traduzem sentimentos ligados a cada vibração, variando de Orixá para Orixá, Linha para Linha, circunstância para circunstância etc. Aliados ao toque e às palmas, o ponto cantado é um fundamento bastante importante na Umbanda e em seus rituais.

Em linhas gerais, dividem-se em pontos de raiz (trazidos pela Espiritualidade) e terrenos (elaborados por encarnados e apresentados à Espiritualidade, que os ratifica).

Há pontos cantados que migraram para a Música Popular Brasileira (MPB) e canções de MPB que são utilizadas como pontos cantados em muitos templos.

FINALIDADE DOS PONTOS CANTADOS	
Pontos de abertura e de fechamento de trabalhos	Cantados no início e no final das sessões.
Pontos de boas-vindas	Cantados em saudação aos dirigentes de outras casas presentes em uma sessão, convidando-os para, caso desejem, ficarem junto ao corpo mediúnico.
Pontos de chegada e de despedida	Cantados para incorporações e desincorporações.
Pontos de consagração do congá	Cantados em homenagem aos Orixás e aos Guias responsáveis pela direção da casa.
Pontos de cruzamento de linhas e/ou falanges	Cantados para atrair mais uma de vibração ao mesmo tempo, a fim trabalharem conjuntamente.
Pontos de cruzamento de terreiro	Cantados quando o terreiro está sendo cruzado para o início da sessão.
Pontos de defumação	Cantados durante a defumação.
Pontos contra demandas	Cantados quando, em incorporação, Guias e Guardiões acharem necessário.
Pontos de descarrego	Cantados quando são feitos descarregos.
Pontos de doutrinação	Cantados para encaminhar um espírito sofredor.
Pontos de firmeza	Cantados para fortalecer trabalho sendo feito.

Pontos de fluidificação	Cantados durante os passes ou quando algum elemento está sendo energizado.
Pontos de homenagem	Cantados para homenagear Orixás, Guias e Guardiões.
Pontos de segurança ou proteção	Cantados antes do trabalho (e antes dos pontos de firmeza) para proteger a corrente contra más influências
Pontos de vibração	Cantados para atrair a vibração de determinado Orixá, Guia ou Guardião.

Ponto das Sete Linhas

(Versão cantada na Tenda de Umbanda Caboclo Pena Branca e Mãe Nossa Senhora Aparecida, em Piracicaba, SP)

Auê, Pai Oxalá
Salve a Umbanda, salve todos os Orixás
Salve Xangô, ele é rei lá das pedreiras
Salve Oxum, rainha das cachoeiras
Iemanjá, guerreira Mãe Iansã,
Salve Atotô, saravá vovó Nanã
Pai Oxalá...

Salve Ogum, guerreiro de minha fé
Cacique Pena Branca, salve a folha da guiné
Oni Ibejada, Preto-Velho quimbandeiro
Saravá todos os Exus e as Pombogiras do terreiro

Pontos riscados

Muito mais do que meio de identificação de Orixás, Guias e Guardiões, os pontos riscados constituem fundamento de Umbanda, sendo instrumentos de trabalhos, riscados com pemba (giz), bordados em tecidos etc. Funcionam como chaves, meios de comunicação entre os planos, proteção, tendo, ainda, diversas outras funções, tanto no plano dos encarnados quanto no da Espiritualidade.

O ponto riscado de um determinado Caboclo Pena Branca, por exemplo, embora tenha elementos comuns, poderá diferir do de outro Caboclo Pena Branca. Portanto, pontos riscados que aparecem nos mais diversos materiais de estudos de Umbanda servem de base para a compreensão do tema, mas não devem ser copiados. De qualquer maneira, embora também possam variar, existem elementos comuns para os diversos Orixás (e, consequentemente, para as Linhas que regem), conforme a tabela abaixo:

Iansã	Raio, taça.
Ibejis	Brinquedos em geral, bonecos, carrinhos, pirulitos etc.
Iemanjá	Âncora, estrelas, ondas etc.
Nanã	Chave, ibiri.
Obaluaê	Cruzeiro das almas.
Ogum	Bandeira usada pelos cavaleiros, espada, instrumentos de combate, lança.
Oxalá	Representações da luz.
Oxóssi	Arco e flecha.
Oxum	Coração, lua etc.
Xangô	Machado.

O tridente é um elemento comum nos pontos riscados de Exus e Pombogiras. Quando tratamos de Orixás, símbolos não são apenas símbolos. Por exemplo, o símbolo de um Orixá num ponto riscado abre dimensões para o trabalho espiritual. O mesmo se dá com as ferramentas de Orixás: quando Xangô dança num barracão e utiliza seu machado, estão sendo cortadas energias deletérias e disseminado o Axé do Orixá.

Ervas

Fundamentais nos rituais de Umbanda para banhos, defumações, chás e outros, as ervas devem ser utilizadas com orientação da Espiritualidade e do Dirigente Espiritual.

Não apenas os nomes das ervas variam de região para região, de casa para casa, mas também as maneiras de selecioná-las, substituí-las, manipulá-las e prepará-las. Daí a necessidade de orientação e direcionamento para seu uso ritualístico.

Banhos

A água, enquanto elemento de terapêutica espiritual, é empregada em diversas tradições espirituais e/ou religiosas. Na Umbanda, em poucas palavras, pode-se dizer que a indicação de banhos, as suas formas de preparo, sua ritualística, os cuidados, a coleta ou a compra de folhas, dentre tantos outros aspectos, devem ser orientados pela Espiritualidade e/ou pela Direção Espiritual de uma casa. As variações são muitas, contudo, procuram atender a formas específicas de trabalhos, bem como aos fundamentos da Umbanda.

Abaixo, um quadro sintético dos tipos mais comuns de banhos empregados na Umbanda.

Banhos de descarga/ descarrego	Servem para livrar a pessoa de energias deletérias, de modo a reequilibrá-la. Pode ser de ervas ou de sal grosso, podendo, ainda, serem acrescidos outros elementos.
Banho de descarga com ervas	Para esse banho, são recomendadas ervas de acordo com cada necessidade. Após o banho, as ervas devem ser recolhidas e despachadas na natureza ou em água corrente. Depois dele, aconselha-se um banho de energização.
Banho de sal grosso	Banho de limpeza energética, do pescoço para baixo, depois do qual devem ser feitos banhos de energização, a fim de se equilibrarem as energias (visto que, além de retirar as energias negativas, também se descarregam as positivas). Alguns o substituem pelo próprio banho de mar.
Banhos de energização	Ativam as energias dos Orixás e Guias, afinando-as com as daquele que toma os banhos. Melhoram, portanto, a sintonia com a Espiritualidade, ativam e revitalizam funções psíquicas, melhoram a incorporação, etc.
Amaci	Banho mais comum, da cabeça aos pés, ou só de cabeça, orientado por Entidades ou pelo Guia-chefe do Dirigente Espiritual. Existem também amacis periódicos para o corpo mediúnico, que ritualisticamente o toma.

Banho natural de cachoeira	Possui a mesma função dos banhos de mar, porém em água doce. O choque provocado pela queda d'água limpa e energiza. Melhor ainda quando feito em cachoeiras próximas das matas e sob o sol.
Banho natural de chuva	Promovendo limpeza de grande força, é associado ao Orixá Nanã.
Banho natural de mar	Muito bom para descarregos e energização, em especial sob a vibração de Iemanjá.

Há outras qualidades de banho, como os de pipoca (de Obaluaê).

Bebidas

Orixás, Guias e Guardiões têm bebidas próprias, algumas delas alcoólicas.

O álcool serve de verdadeiro combustível para a magia, além de limpar e descarregar, seja organismos ou pontos de pemba ou pólvora, por exemplo. Ingerido sem a influência do animismo, permanece em quantidade reduzida no organismo do médium e mesmo do consulente.

Por diversas circunstâncias, tais como disciplina, para médiuns menores de idade e/ou que não consumam álcool ou lhes tenham intolerância, seus Orixás, Guias e Guardiões não consumirão álcool.

Em algumas casas, o álcool é utilizado apenas em oferendas ou deixado próximo ao médium incorporado.

Fumo

A função primeira do fumo é defumar (por isso, exceções à parte, a maioria dos Guias e Guardiões não tragam: enchem a boca de fumaça, expelindo-a no ar, sobre o consulente, uma foto etc.). Por essa razão, se o terreiro for defumado e for mantido aceso algum defumador durante os trabalhos, há Guias e Guardiões que nem se utilizam do fumo. O mesmo vale quando o médium não é fumante ou não aprecia cigarros, charutos e outros.

Cada Orixá, Linha, Guia ou Guardião que se utiliza do fumo tem características próprias, entretanto, o cigarro parece ser um elemento comum para todos, embora muitas casas não os tenha mais permitido, em virtude das substâncias viciantes, aceitando apenas charutos, charutinhos, cachimbos e palheiros (cigarros de palha), conforme cada Entidade ou Linha.

O fumo desagrega energias deletérias e é fonte de energias positivas, atuando em pessoas, ambientes e outros.

A Umbanda não foi prejudicada pela Lei Anti-fumo do Estado de São Paulo, uma vez que templos religiosos foram excluídos da proibição de fumo em locais fechados no Estado de São Paulo (Lei 577/08, Artigo 6º, Item I e Parágrafo Único, aprovada em 07 de abril de 2009).

Uniforme

DIREITA

A roupa branca representa Oxalá, a pureza. Geralmente as casas adotam uniformes, para que seus membros não se vistam cada qual de uma forma diferente: calças e camisas brancas para homens e saias, calças e camisas brancas para mulheres.

Algumas casas apresentam outros elementos que definem a hierarquia da casa, em especial Babá, Pai-pequeno ou Mãe-pequena, Seguranças de canto e porta: torso, tecido diferenciado etc.

Existem também casas que optam por homenagear diretamente seu Orixá patrono por meio do uniforme. Dessa forma, num templo cujo Orixá chefe é Ogum têm-se médiuns com calça branca e camisa vermelha.

Os pés podem estar descalços por humildade, contato com o solo ou com folhas. Ou calçados, geralmente por proteção energética ou em razão de padrão de vestimenta da casa.

ESQUERDA

Para os Exus, calça e camisa. Para as Pombogiras, saia e camisa. As cores utilizadas são preto e vermelho, ou apenas preto. A maioria das casas, assim como no caso da roupa da Direita, utiliza-se de uniforme, a fim de não haver exageros, personalismos, inadequações para o ambiente etc.

Guias

Também conhecidas como fios de contas, colares de santo ou cordões de santo, as guias são preparadas pelo Dirigente Espiritual, ou por auxiliares e cruzadas. Há uma grande variabilidade de materiais utilizados para as guias, bem como em sua composição (números, cores etc.) conforme a casa, os Orixás e Guias a que são consagradas. Uma das guias mais comuns é a de proteção, na cor do Orixá de cabeça, ou branca, de Oxalá, podendo ser usada por dentro da roupa ou por fora, conforme orientação específica de cada casa. Também há guias de Esquerda.

Ao longo de seu desenvolvimento na Umbanda, um médium terá diversas guias, as quais devem ser bem cuidadas, limpas e lavadas periodicamente conforme orientação da Espiritualidade e do Dirigente Espiritual. Quando uma guia se quebra, deve-se tentar recuperar o maior número possível de contas para que seja remontada e novamente consagrada ou cruzada.

As guias também identificam os Orixás (em especial o Eledá) dos médiuns. São utilizadas nas giras, em diversos trabalhos, comemorações e outros.

O brajá, outra guia comum na Umbanda, é um colar de longos fios montados de dois em dois, em pares opostos, para serem usados a tiracolo e cruzando o peito e as costas. Simboliza a inter-relação do direito com o esquerdo, do masculino com o feminino, do passado e do presente.

Dirigentes espirituais costumam usar uma espécie de brajá, com as cores de seu Orixá de Cabeça, de búzios ou com as cores de seu Guia de Cabeça (Caboclo ou Preto-Velho).

Velas

O fogo e a vela estão presentes em rituais de diversas tradições espirituais e/ou religiosas. O mesmo acontece com a Umbanda, para a qual a vela acesa constitui-se num ponto de convergência da atenção dos médiuns, consulentes e outros. A vela reforça a energia, a conexão, o desejo, além de fomentar a energia da vida (ígnea). Ajuda a dissipar energias deletérias e, portanto, abre espaço para que as energias positivas se instaurem e/ou permaneçam no ambiente.

O material "ideal" de uma vela é a cera de abelha, pois traz em si os quatro elementos: o fogo (chama), a terra e a água (a própria cera) e o ar (aquecido). Há diversos formatos, materiais, tamanhos, decorações adicionais e outros. Além disso, por exemplo, na ritualística de cada terreiro, é possível encontrar orientações para que as velas sejam acesas com fósforos ou com isqueiros. Variações à parte, o uso de velas é bastante importante nos fundamentos e nas práticas umbandistas.

VELAS Cores mais comuns na Umbanda (A cor branca substitui as demais)	
Orixás, Guias, Guardiões	**Cores das velas**
Oxalá	Branca
Iemanjá	Azul claro
Oxum	Azul Royal
Iansã	Amarela
Obá	Vermelha ou magenta
Xangô	Marrom
Ogum	Vermelha
Oxóssi	Verde
Ossaim	Verde e branca
Obaluaê	Amarela ou preta e branca
Pretos-Velhos	Preta e branca
Crianças	Rosa e/ou azul
Caboclos	Verde
Boiadeiros	Amarela

Marinheiros	Azul claro
Baianos	Amarela
Ciganos	Azul claro ou rosa para Santa Sara; para Ciganos, pode haver variações.
Exus	Preta e vermelha
Pombogiras	Preta e vermelha

Saudações

RELIGIÕES

Em ordem alfabética, algumas saudações e/ou pedidos de bênção. Grafias e mesmo significados possuem variações. Os usos variam ainda conforme as Nações e do Candomblé para a Umbanda. Nesse sentido, há uma célebre saudação que unifica e representa a diversidade: *A benção pra quem é de benção, kolofé pra quem é de kolofé, mucuiú pra quem é de mucuiú e motumbá pra quem é de motumbá!*

Axé	Saudação genérica entre o povo-de-santo, evocando a força que assegura o dinamismo da vida, isto é, o Axé.
Bênção	Saudação genérica, utilizada nas diversas Nações.
Kolofé	Saudação mais comum na Nação Jeje. Como complemento, tem-se *Kolofé lorum.*
Motumbá	Saudação mais comum na Nação Ketu. Do iorubá *mo túmba*, com o sentido de "eu o saúdo humildemente". Como complemento, tem-se *Motumbá Axé.*
Mucuiú	Variante de Mocoiú. Saudação mais comum na Nação Angola. Do quicongo *mu-kuyu* com o sentido de espírito. A saudação ritual completa-se com *Mucuiú nu Zâmbi.*
Salve	Saudação genérica, utilizada nas diversas Nações.
Saravá	Saudação mais comum da Umbanda, como sinônimo de "salve!". Trata-se do resultado da *bantuização* do português "salvar", "saudar"..

TERREIRO

Abaixo, algumas saudações comuns no terreiro e seus significados:

Bater cabeça

Com o corpo estirado, ou de joelhos, conforme a situação e o ritual de cada casa, toca-se o chão com a testa. Sinal de respeito e devoção aos Orixás em geral, aos do congá e dos Dirigentes Espirituais da casa. Também se trata de forma de absorção de energias benfeitoras. Há outra maneira mais elaborada, usada principalmente por Dirigentes Espirituais e médiuns de coroa feita.

Por influência dos Cultos de Nações, algumas casas se utilizam do Dobalê e do Iká.

Dobale ou Dobalê

Saudação daquele que tem o primeiro Orixá masculino (Aborô), que consiste em prosternar-se no chão, ao comprido, diante do Orixá, de um sacerdote e outros.

Iká

Saudação daquele que tem o primeiro Orixá feminino (Iabá), que consiste em deitar-se de bruços, diante do Orixá, de um sacerdote e outros, com a cabeça tocando o solo enquanto o corpo move-se para os lados, sobre os braços estendidos.

Há regiões e casas onde os gestos de Dobalê e Iká têm os nomes invertidos. Em outras, o termo Dobalê é empregado para ambos os gestos.

Bater paô

Na Umbanda, geralmente batem-se três palmas em sinal de respeito (diante da Tronqueira, após se bater cabeça diante do altar etc.).

Bater as pontas dos dedos no chão

Sinal de respeito e reverência, complementado de diversas maneiras, como:

- saudação a Exu – bate-se com os dedos da mão esquerda e depois se cruzam os dedos das mãos com as palmas voltadas para o solo;
- saudação aos Pretos-Velhos – bate-se com os dedos da mão direita, fazendo-se uma cruz e depois traçando o sinal da cruz no peito;
- saudação aos Orixás e Guias – bate-se com os dedos da mão direita, toca-se a fronte (saudação ao Eledá – 1º. Orixá), o lado direito da cabeça (2º. Orixá) e a nuca (Ancestrais). Batendo-se a mão três vezes ao chão e tocando-se os três pontos da cabeça descritos, tem-se uma saudação a Obaluaê.

Beijar a mão do(da) Dirigente Espiritual

Pedido de bênção.

Cumprimento ombro a ombro

Sinal de amizade, fraternidade e igualdade. Cumprimento muito bonito, portanto, quando feito por um Guia, mas também com Dirigentes Espirituais, por exemplo. Feito direito, esquerdo, direito.

Além disso, bater palmas é forma de saudar, acompanhar pontos cantados e outros. Bater palmas auxilia a estar numa mesma vibração energética, com alegria, entusiasmo, devoção e amor.

ALGUMAS POSTURAS

Isolamento ou repouso vibratório

Com as mãos cruzadas à frente do corpo, serve para isolar o médium de energias deletérias de diversas origens. Algumas casas utilizam essa posição durante a defumação, até que toda a corrente mediúnica tenha sido defumada.

Vênia

Com a perna direita dobrada, em genuflexão, os antebraços formam dois ângulos retos, com as palmas das mãos voltadas para cima, enquanto a cabeça permanece inclinada ou semi-inclinada para frente. Representa humildade, devoção, respeito ao Chefe Espiritual e/ou à Entidade incorporada. Saudação também utilizada, de modo especial, para Oxalá.

Corrente vibratória

Em círculo, ou semicírculo, os médiuns dão-se as mãos, com a direita espalmada para baixo (dar, oferecer) sobre a esquerda do(a) companheiro(a), espalmada para cima (receber, acolher). Essa corrente vibratória é utilizada em diversas tradições religiosas e/ou espirituais, bem como em grupos de apoio, de teatro, etc.

Estar de joelhos

Traduz respeito, humildade, equilíbrio/reequilíbrio energético entre o que está no alto e o que está embaixo (em especial, a energia telúrica).

Orações

Algumas das orações utilizadas em diversos templos umbandistas.

Pai Nosso

Oração mais conhecida do Cristianismo, ensinada pelo próprio Jesus, segundo os Evangelhos.

Pai Nosso, que estais no céu. Santificado seja o Vosso nome. Venha a nós o Vosso reino. Seja feita a Vossa vontade, assim na terra como no céu. O pão nosso de cada dia nos dai hoje. Perdoai-nos as nossas ofensas, assim como nós perdoamos a quem nos tem ofendido. E não nos deixeis cair em tentação, mas livrai-nos do mal. Amém.

Ave Maria

Oração da tradição católica, amplamente divulgada e difundida na Umbanda, dirigida seja a Maria (Mãe de Jesus), seja às Iabás (especialmente a Oxum).

Ave Maria, cheia de graça. O Senhor é convosco. Bendita sois vós, entre as mulheres. Bendito é o fruto do vosso ventre, Jesus. Santa Maria, Mãe de Deus, rogai por nós, pecadores, agora e na hora da nossa morte. Amém.

Salve Rainha

Oração católica, dedicada a Nossa Senhora, também rezada por muitos umbandistas, por vezes aconselhada, por exemplo, por Pretos-Velhos.

Salve, Rainha, mãe de misericórdia; vida, doçura, esperança nossa, salve! A vós bradamos, os degredados filhos de Eva. A vós suspiramos, gemendo e chorando neste vale de lágrimas. Eia, pois, advogada nossa, esses vossos olhos misericordiosos a nós volveie, depois deste desterro, mostrai-nos Jesus, bendito fruto do vosso ventre. Ó, clemente, ó piedosa, ó doce sempre Virgem Maria.

Rogai por nós, ó Santa Mãe de Deus, para que sejamos dignos das promessas de Cristo.

Glória ao Pai

Oração católica referente à Santíssima Trindade, utilizada por diversos umbandistas.

Glória ao Pai, ao Filho e ao Espírito Santo. Como era no princípio, agora e sempre. Amém.

Santo Anjo

Oração popular católica, também rezada por muitos umbandistas.

Santo Anjo do Senhor, meu zeloso guardador; se a Ti me confiou a piedade divina, sempre me rege, guarda, governa e ilumina. Amém.

Credo

Oração católica bastante comum em templos umbandistas, não necessariamente interpretada à luz dos dogmas do Catolicismo, como quando se afirma a fé na Igreja Católica (conforme indicam Guias e a própria etimologia, leia-se "católica" como "universal", isto é, a grande família humana), na Comunhão dos Santos, na ressurreição da carne, dentre outros tópicos da fé católica.

Conhecida também popularmente como "Creio em Deus Pai", da mesma forma como orações de tantas manifestações e segmentos religiosos, cria uma egrégora protetora e facilita a concentração ao ser recitada.

> *Creio em Deus Pai Todo-Poderoso, criador do céu e da terra. E em Jesus Cristo, seu único Filho, Nosso Senhor, que foi concebido pelo poder do Espírito Santo, nasceu da Virgem Maria, padeceu sob Pôncio Pilatos, foi crucificado, morto e sepultado, desceu à mansão dos mortos, ressuscitou ao terceiro dia, subiu aos Céus, está sentado à direita de Deus Pai todo-poderoso, donde há de vir a julgar os vivos e mortos. Creio no Espírito Santo. Na Santa Igreja Católica, na comunhão dos santos, na remissão dos pecados, na ressurreição da carne, na vida eterna. Amém.*

Prece de Cáritas

Prece bastante utilizada nas giras e em outros rituais de Umbanda. Foi psicografada no Natal de 1873, em Bordeaux (França), pela médium Mme. W. Krell, com a qual trabalhava o espírito da suave Cáritas.

Deus, Nosso Pai, que sois todo poder e bondade, dai a força àquele que passa pela provação; dai a luz àquele que procura a verdade; ponde no coração do homem a compaixão e a caridade!

Deus, dai ao viajante a estrela-guia; ao aflito a consolação; ao doente o repouso.

Pai, dai ao culpado o arrependimento; ao espírito a verdade; à criança o guia e ao órfão o pai!

Senhor, que a Vossa bondade se estenda sobre tudo o que criastes.

Piedade, Senhor, para aquele que Vos não conhece, esperança para aquele que sofre. Que a Vossa bondade permita aos espíritos consoladores derramarem por toda a parte a paz, a esperança, a fé.

Deus! Um raio, uma faísca do Vosso amor pode abrasar a Terra; deixai-nos beber nas fontes dessa bondade fecunda e infinita, e todas as lágrimas secarão, todas as dores se acalmarão.

E um só coração, um só pensamento subirá até Vós, como um grito de reconhecimento e de amor.

Como Moisés sobre a montanha, nós Vos esperamos com os braços abertos, oh poder!, oh bondade!, oh beleza!, oh perfeição!, e queremos de alguma sorte merecer a Vossa divina misericórdia.

Deus, dai-nos a força para ajudar o progresso, a fim de subirmos até Vós; dai-nos a caridade pura, dai-nos a fé e a razão; dai-nos a simplicidade que fará de nossas almas o espelho onde se refletirá a Vossa Divina e Santa Imagem.

Assim seja.

Pai Nosso Umbandista

Pai Nosso que estás nos céus, nas matas, nos mares e em todos os mundos habitados.

Santificado seja o Teu nome, pelos Teus filhos, pela natureza, pelas águas, pela luz e pelo ar que respiramos.

Que o Teu reino, reino do bem, do amor e da fraternidade, nos una a todos e a tudo que criaste, em torno da sagrada cruz, aos pés do divino salvador e redentor.

Que a Tua vontade nos conduza sempre para o culto do amor e da caridade.

Dá-nos hoje e sempre a vontade firme para sermos virtuosos e úteis aos nossos semelhantes.

Dá-nos hoje o pão do corpo, o fruto das matas e a água das fontes para o nosso sustento material e espiritual.

Perdoa, se merecermos, as nossas faltas e dá o sublime sentimento do perdão para os que nos ofendam.

Não nos deixes sucumbir ante a luta, dissabores, ingratidões, tentações dos maus espíritos e ilusões pecaminosas da matéria.

Envia, Pai, um raio de Tua divina complacência, luz e misericórdia para os Teus filhos pecadores que aqui habitam, pelo bem da humanidade.

Que assim seja, em nome de Olorum, Oxalá e de todos os mensageiros da luz divina.

Credo Umbandista

Creio em Deus, onipotente e supremo; creio nos Orixás e nos Espíritos Divinos que nos trouxeram para a vida por vontade de Deus. Creio nas falanges espirituais, orientando os homens à vida terrena; creio na reencarnação das almas e na Justiça divina, segundo a lei do retorno; creio na comunicação dos Guias Espirituais, encaminhando-nos para a caridade e a prática do bem; creio na invocação, na prece e na oferenda como atos de fé, e creio na Umbanda como religião redentora, capaz de nos levar pelo caminho da evolução até o nosso Pai Oxalá.

Salmo 23 na Umbanda

Oxalá é meu Pastor, nada me faltará.
Deitar-me faz nos verdes campos de Oxóssi.

Guia-me, Pai Ogum, mansamente nas águas tranquilas de Mãe Nanã Buruquê.

Refrigera minha alma meu Pai Obaluaê.

Guia-me, Mãe Iansã, pelas veredas da Justiça de Xangô.

Ainda que andasse pelo vale das sombras e da morte de meu Pai Omolu, eu não temeria mal algum, porque Zambi está sempre comigo.

A tua vara e o teu cajado, são meus guias na direita e na esquerda.

Me consola, Mamãe Oxum. Prepara uma mesa cheia de vida perante mim, minha Mãe Iemanjá.

Exu e Pombogira, vos oferendo na presença de meus inimigos.

Unge a minha coroa com o óleo consagrado a Olorum, e o meu cálice, que é meu coração, transborda. E certamente que a bondade e a misericórdia de Oxalá estarão comigo por todos os dias.

E eu habitarei a casa dos Orixás, que é Aruanda, por longos dias!

Que assim seja!

SARAVÁ!

Oração ao Criador

Senhor Deus, criador do Céu e da Terra,

Poderoso é Vosso nome! Grande é vossa misericórdia!

Em nome de Vosso filho, Jesus Cristo, recorremos a Vós, neste momento, para pedir bênçãos para nossa vida, se for do nosso merecimento.

Que Vossa Divina Luz incida sobre nós.

Com Vossas poderosas mãos, retirai todo o mal, todos os problemas e todos os perigos que estejam ao nosso redor.

Que as forças negativas que nos abatem e nos entristecem se desfaçam no sopro de Vossa bênção.

Que o Vosso poder destrua todas as barreiras que impedem o nosso progresso.

E do Céu, Vossas virtudes penetrem em nosso ser, dando-nos paz, amor, tranquilidade, harmonia e equilíbrio.

Abri, Senhor, os nossos caminhos.

Que nossos passos sejam dirigidos por Vós, para que não tropecemos na caminhada da Vida.

Que nosso viver, nosso lar e nosso trabalho sejam por Vós abençoados.

Entregamo-nos em Vossas mãos poderosas, na certeza de que tudo iremos alcançar.

Agradecemos em nome do Pai, do Filho e do Espírito Santo.

Amém.

A UMBANDA E OUTRAS RELIGIÕES: DIÁLOGOS

Candomblé

Candomblé é um nome genérico que agrupa o Culto aos Orixás Jeje-Nagô, bem como outras formas que dele derivam ou com eles se interpenetram, as quais se espraiam em diversas Nações.

Trata-se de uma religião constituída, com teologia e rituais próprios, que cultua um poder supremo, cujo alcance espiritual mais visível é por meio dos Orixás. Sua base é formada por diversas tradições religiosas africanas, destacando-se as da região do Golfo da Guiné, desenvolvendo-se no Brasil a partir da Bahia.

O Candomblé não faz proselitismo e valoriza a ancestralidade, tanto por razões históricas (antepassados africanos) quanto espirituais (filiação aos Orixás, cujas características se fazem conhecer por seus mitos e por antepassados históricos ou semi-históricos divinizados).

Embora ainda discriminado pelo senso comum e atacado por diversas denominações religiosas que o associam à chamada "baixa magia", o Candomblé tem sua influência cada vez mais reconhecida em diversos setores da vida social brasileira, na música (percussão, toques, base musical, etc.), na culinária (pratos da cozinha de Santo que migraram para restaurantes e para as mesas das famílias brasileiras) e na medicina popular (fitoterapia e outros).

O Candomblé não existia em África tal qual o conhecemos, uma vez que, naquele continente, o Culto aos Orixás era segmentado por regiões (cada região e, portanto, famílias/clãs cultuavam determinado Orixá ou apenas alguns). No Brasil, os Orixás tiveram seus cultos reunidos em terreiros, com variações e interpenetrações teológicas e litúrgicas das diversas Nações.

Embora haja farta bibliografia a respeito do Candomblé e muitas de suas festas sejam públicas e abertas a não-iniciados, trata-se de uma religião iniciática, com ensino-aprendizagem pautado pela oralidade, com conteúdo exotérico (de domínio público) e esotérico (segredos os mais diversos transmitidos apenas aos iniciados).

Conforme sintetiza Vivaldo da Costa Lima,

> "a filiação nos grupos de Candomblé é, a rigor, voluntária, mas nem por isso deixa de obedecer aos padrões mais ou menos institucionalizados das formas de apelo que determinam a decisão das pessoas de ingressarem formalmente num terreiro, através dos ritos de iniciação. Essas formas de chamamento religioso se enquadram no universo mental das classes e estratos de classes de que provém a maioria dos adeptos do Candomblé, e são, geralmente, interpretações de sinais que emergem dos sistemas simbólicos culturalmente postulados. Sendo um sistema religioso – portanto uma forma de relação expressiva e unilateral com o mundo sobrenatural – o Candomblé, como qualquer outra religião iniciática, provê a circunstância em que o crente poderá, satisfazendo suas emoções e suas outras necessidades existenciais, situar-se plenamente num grupo socialmente reconhecido e aceito, que lhe garantirá status e segurança – que esta parece ser uma das funções principais dos grupos de Candomblé: dar a seus participantes um sentido para a vida e um sentimento de segurança e proteção contra 'os sofrimentos de um mundo incerto'".

FORMAÇÃO

O Culto aos Orixás pelos africanos no Brasil tem uma longa história de resistência e sincretismo. Impedidos de cultuar os Orixás, valiam-se de imagens e referências católicas para manter viva a sua fé. Por sua vez, a combinação de cultos que deu origem ao Candomblé deveu-se ao fato de serem agregados numa mesma propriedade (e, portanto, na mesma senzala) escravos provenientes de diversas nações, com línguas e costumes diferentes - certamente uma estratégia dos senhores brancos para evitar revoltas, além de uma tentativa de fomentar rivalidades entre os próprios africanos. Vale lembrar que, em África,o Culto aos Orixás era segmentado por regiões: cada região cultuava determinado Orixá (ou apenas alguns).

Em 1830, algumas mulheres originárias de Ketu, na Nigéria, filiadas à irmandade de Nossa Senhora da Boa Morte, reuniram-se para estabelecer uma forma de culto que preservasse as tradições africanas em solo brasileiro. Reza a tradição (e documentos históricos) que a reunião aconteceu na antiga Ladeira do Bercô (hoje, rua Visconde de Itaparica), nas proximidades da Igreja da Barroquinha, em Salvador (BA). Nesse grupo, e com o auxílio do africano Baba-Asiká, destacou-se Íyànàssó Kalá ou Oká (Iya Nassô). Seu òrúnkó no Orixá (nome iniciático) era Íyàmagbó-Olódùmarè.

Para conseguirem seu intento, essas mulheres buscaram fundir aspectos diversos de mitologias e liturgias. Uma vez distantes da África, a Ìyá ìlú àiyé èmí (literalmente "Mãe Pátria Terra da Vida"), teriam de adaptar-se ao contexto local, não cultuando necessariamente apenas Orixás locais (característicos de tribos, cidades e famílias específicos) em espaços amplos, como a floresta – cenário de muitas iniciações –, mas o fazendo num espaço previamente estabelecido: a casa de Culto. Nessa "reprodução em miniatura da África", os Orixás seriam cultuados em conjunto. E nascia o Candomblé.

Ao mesmo tempo em que designava as reuniões feitas por escravos com o intuito de louvar os Orixás, a palavra Candomblé também era empregada para toda e qualquer reunião ou festa organizada pelos negros no Brasil. Por essa razão, antigos Babás e Iyás evitavam chamar o Culto aos Orixás de Candomblé. Em linhas gerais, Candomblé seria uma corruptela de "candonbé" (atabaque tocado pelos negros de Angola) ou viria de "candonbidé" (louvar ou pedir por alguém ou por algo).

Cada grupo tem características próprias (teológicas, linguísticas e de culto – muito embora, não raro, as características se interpenetrem) e ficou conhecido como Nação:

Nação Ketu;
Nação Angola;
Nação Jeje;
Nação Nagô;
Nação Congo;
Nação Muxicongo;
Nação Efon.

Constituída por grupos que falavam iorubá, dentre eles os de Oyó, Abeokutá, Ijexá, Ebá e Benim, a Nação Ketu também é conhecida como Alaketu.

Os iorubás, guerreando com os jejes, em África, perderam e foram escravizados, vindo então para o Brasil. Maltratados, foram chamados pelos fons de "ànagô" (dentre várias acepções, "piolhentos, sujos"). O termo, com o tempo, modificou-se para "nàgó" e foi incorporado pelos próprios iorubás como marca de origem e de forma de culto. Em sentido estrito, não há uma nação política chamada nagô.

Em linhas gerais, os Candomblés dos Estados da Bahia e do Rio de Janeiro ficaram conhecidos como de Nação Ketu, com raízes iorubanas. Entretanto, existem variações dentro de cada Nação. No caso do Ketu, por exemplo, destacam-se a Nação Efan e a Nação Ijexá. Efan é uma cidade da região de Ijexá, nas proximidades de Oxogbô e do rio Oxum, na Nigéria. A Nação Ijexá é conhecida pela posição de destaque que nela possui o Orixá Oxum, sua rainha.

No caso do Candomblé Jeje, por exemplo, uma variação é o Jeje Mahin, sendo Mahin uma tribo que havia nas proximidades da cidade de Ketu. Quanto às Nações Angola e Congo, seus Candomblés se desenvolveram a partir dos cultos de escravos provenientes dessas regiões africanas.

De fato, a variação e o cruzamento de elementos de Nações não são estanques, como demonstram o Candomblé Nagô-Vodum (o qual sintetiza costumes iorubás e jeje) e o Alaketu (de Nação iorubá, também da região de Ketu, tendo como ancestrais da casa Otampé, Ojaró e Odé Akobí).

PRIMEIROS TERREIROS

A primeira organização de Culto aos Orixás foi a da Barroquinha (Salvador, BA), em 1830, semente do Ilê Axé Iya Nassô Oká, uma vez que foi capitaneado pela própria Iya Nassô, filha de uma escrava liberta que retornou à África. Posteriormente foi transferido para o Engenho Velho, onde ficou conhecido como Casa Branca ou Engenho Velho. Ainda no século XIX, dele originou-se o Candomblé do Gantois e, mais adiante, o Ilê Axé Opô Afonjá.

Entre 1797 e 1818, Nan Agotimé, rainha-mãe de Abomé, teria trazido o Culto dos Voduns jeje para a Bahia, levando-os a seguir para São Luís, MA. Traços da presença daomeana teriam permanecido no Bogum, antigo terreiro jeje de Salvador, o qual ostenta, ainda, o vocábulo "malê" (bastante curioso, uma vez que o termo refere-se ao negro do Islã). Antes mesmo do Bogum há registros de um terreiro jeje, em 1829, no bairro hoje conhecido como Acupe de Brotas.

Tumbensi é considerada a casa de Angola mais antiga da Bahia, fundada por Roberto Barros Reis (dijina: Tata Kimbanda Kinunga) por volta de 1850, escravo angolano de propriedade da família Barros Reis, que lhe emprestou o nome pelo qual era conhecido. Após seu falecimento, a casa (inzo) passou à liderança de Maria Genoveva do Bonfim, mais conhecida como Maria Neném (dijina: Mam´etu Tuenda UnZambi) gaúcha, filha de Kavungo, considerada a mais importante sacerdotisa do Candomblé Angola. Ela assumiu a chefia da casa por volta dos anos 1909, vindo a falecer em 1945.

Já o Tumba Junçara foi fundado, em 1919 em Acupe, na Rua Campo Grande, Santo Amaro da Purificação, BA, por dois irmãos de esteira: Manoel Rodrigues do Nascimento (dijina: Kambambe) e Manoel Ciriaco de Jesus (dijina: Ludyamungongo), ambos iniciados em 13 de junho de 1910 por Mam'etu Tuenda UnZambi, Mam'etu Riá N'Kisi do Tumbensi. Kambambe e Ludyamungongo tiveram Sinhá Badá como Mãe-pequena e Tio Joaquim como Pai-pequeno. O Tumba Junçara foi transferido para Pitanga, também em Santo Amaro da Purificação, e posteriormente para o Beiru. A seguir foi novamente transferido para a Ladeira do Pepino, 70, e finalmente para Ladeira da Vila América, 2, Travessa 30, Avenida Vasco da Gama (que hoje se chama Vila Colombina), 30, em Vasco da Gama, Salvador (BA). E assim a raiz foi-se espalhando.

O histórico das primeiras casas de Candomblé e outras formas de culto marginalizadas pelo poder constituído (Estado, classes economicamente dominantes, Igreja, etc.), como a Umbanda no século XX, assemelha-se pela resistência à repressão institucionalizada e ao preconceito.

NAÇÕES

Quando se refere ao *Candomblé*, o vocábulo *Nação*, como bem observa Nei Lopes, refere-se às "unidades de culto, caracterizadas pelo conjunto de rituais peculiares aos indivíduos de cada uma das divisões étnicas que compunham, real ou idealmente, a massa dos africanos vindos para as Américas".

As três nações mais conhecidas no Brasil:

NAÇÃO KETU

A Nação Ketu, com suas características de culto aos Orixás e aos antepassados, talvez seja a mais conhecida do grande público. Muito contribuíram para diversas manifestações culturais, como a Literatura (Jorge Amado e João Ubaldo Ribeiro, dentre outros) e a Música (Vinicius de Moraes, Baden Powell, Chico Buarque etc.).

Segundo Nei Lopes, Ketu refere-se a "antigo reino da África ocidental cujo território foi cortado em dois pela fronteira Nigéria-Benin, estabelecida pelo colonialismo europeu. Não obstante, a região de Mèko, no lado nigeriano, ainda é vista como parte dele e o alákétu, governante tradicional, ainda a visita em sua cerimônia de posse. O povo Ketu é um subgrupo dos Iorubás, e seu Ancestral, segundo a tradição, é o segundo filho de Oduduwa. O Reino de Ketu era um dos seis reinos que constituíam a confederação chamada pelos Hauçás de Bansa bokoï, em contraposição aos seus Hausa bokoï. A tradição relata que esses reinos foram fundados por seis irmãos, numa lenda análoga à da criação dos Estados hauçás.".

NAÇÃO ANGOLA

Baseado na herança das religiões bantu, o chamado rito angola engloba essencialmente o cerimonial congo e cabinda. Além dos Inquices, costumam ser cultuados também Orixás, Voduns, Vunjes (espíritos infantis) e Caboclos. Tocam-se atabaques com as mãos, sendo os ritmos predominantes cabula, congo e barravento ou muzenza. As cantigas possuem termos ou trechos em português.

O Candomblé Angola disseminou-se em quase todo o Brasil, em virtude da afluência e da inserção dos bantos no país. Bastante receptivo a influências do Catolicismo e das religiões ameríndias, no final do século passado, em alguns estados, passou a receber nomes característicos - tais como Cabula (Espírito Santo), Macumba (Rio de Janeiro) e Candomblé de Caboclo (Bahia). Também a influência jeje-nagô fez-se presente nesses cultos.

NAÇÃO JEJE

A Nação Jeje caracteriza-se pelo culto aos Voduns do Reino do antigo Daomé (mitologia fon) trazidos para o Brasil pelos escravos de várias regiões da África Ocidental e África Central. Os diversos grupos étnicos daomeanos (como fon, ewe, fanti, ashanti, mina), em solo brasileiro, eram chamados *djedje* (do iorubá *ajeji*, significando "estrangeiro", "estranho").

Os primeiros templos da Nação Jeje foram organizados na Bahia e no Maranhão, estendendo-se, posteriormente, para outros estados brasileiros.

Conforme a origem, a Nação Jeje divide-se em diversos segmentos: Jeje-Mahi, Jeje Daomé, Jeje Savalu, Jeje Modubi, Jeje Mina (Tambor-de-mina) e Jeje-Fanti-Axanti.

No Jeje Mahi, por exemplo, são cultuados Voduns relacionados aos Orixás, com origem de culto na África, e da região Mahi. Por outro lado, Eguns e Voduns com vida terrena, como os reis do Daomé, não são cultuados. Cultuam-se os antepassados por meio do Vodum Ayizan, na região do Mahi, mulher de Legba e ligada à terra, à morte e aos ancestrais. Os Voduns Jeje-Mahi são, portanto, antepassados míticos. Representa essa Nação o Vodum Gbesen (Bessém).

No Brasil, a africana Ludovina Pessoa, de Mahi, segundo a tradição, foi escolhida pelos Voduns para fundar três terreiros: o Zògodo Bogum Malé Hundò (Terreiro do Bogum), para Heviossô;

o Zòogodo Bogum Malé Seja Undè (Kwe Seja Undê), para Dã; o terceiro, não se sabe onde, para Ajunsun Sakpata.

No Jeje Modubi cultuam-se os Akututos (Eguns), reinando aí o Vodum Azonsu.

Outras nações menos conhecidas no Brasil, contudo tão importantes quanto as demais: Efon (Efã), Ijexá, Congo, Muxicongo, Nagô. Com elas, se interpentram as anteriores (além de interpenetrarem entre as três) numa riqueza teológica, litúrgica e cultural.

Candomblé de Caboclo

Modalidade de Candomblé na qual também se trabalha com Caboclos. Durante algum tempo (e ainda hoje em algumas casas), a participação dos Caboclos é velada, de modo a preservar a "pureza" ritual do Candomblé. Em determinadas casas, além dos chamados Caboclos de Pena, também trabalham os popularmente chamados Caboclos Boiadeiros, ou simplesmente Boiadeiros.

Macumba

Nome genérico e geralmente pejorativo que se refere às religiões afro-brasileiras. Macumba foi também uma manifestação religiosa, no Rio de Janeiro, que em muito se aproximava da cabula. O chefe do culto também era conhecido como embanda, umbanda ou quimbanda, tendo como ajudantes cambonos ou cambones. As iniciadas eram conhecidas ora como filhas-de-santo (influência jeje-nagô), ora como médiuns (influência do espiritismo).

Orixás, Inquices, caboclos e santos católicos eram alinhados em falanges ou linhas, como a da Costa, de Umbanda, de Quimbanda, de Mina, de Cambinda, do Congo, do Mar, de Caboclo, Cruzada e outros.

De origem banta, porém com étimo controvertido, macumba poderia advir do quimbundo *macumba*, plural de *dikumba*, significando "cadeado" ou "fechadura", em referência aos rituais de fechamento de corpo. Ou ainda viria do quicongo *macumba*, plural de *kumba*, com o sentido de "prodígios", "fatos miraculosos" - em referência à cumba, feiticeiro. Com outras raízes etimológicas, no Brasil, o vocábulo também designou um tipo de reco-reco e um jogo de azar.

Para dissociar-se do sentido pejorativo, o vocábulo macumba tem sido utilizado nas artes em geral com valor positivo. O marco mais recente é o disco "Tecnomacumba", da cantora maranhense Rita Benneditto.

Cabula

Culto religioso afro-brasileiro do século XIX, no Espírito Santo, com rituais ao ar livre e evocações aos espíritos dos antepassados e utilização de vocabulário de origem banta. A reunião, nas florestas ou em casa determinada, era conhecida como mesa, destacando-se a de Santa Bárbara e a de Santa Maria. O chefe da mesa era chamado de embanda, tendo como ajudantes os cambones. Os adeptos eram conhecidos como camanás; suas reuniões formavam engiras.

Catimbó

Fundindo elementos da pajelança (influência indígena) e de cultos bantos (influência afro), o Catimbó é conhecido pela terapêutica notadamente marcada por passes, defumações e banhos lustrais (de purificação). O catimbó é conduzido por mestres, sendo um dos mais conhecidos o Sr. Zé Pelintra.

Tambor de Mina

Culto afro-brasileiro, de origem Jeje, característico principalmente no Estado do Maranhão. O vocábulo "mina" refere-se à origem dos escravos, aprisionados no forte de São Jorge da Mina, de propriedade dos portugueses, na África Ocidental, antes de serem trazidos para o Brasil como escravos.

Na Casa das Minas, em São Luís, MA, os Voduns são cultuados conforme as famílias a que pertençam. Dessa forma, a família de Davice é constituída por Voduns chamados nobres (reis e rainhas) do Daomé. A família de Savaluno é composta de Voduns da região norte do Daomé. Já a família de Dambirá comporta os Voduns da terra, das doenças e da peste. A família de Quevioso e Aladanu, considerada de origem nagô, abarca os Voduns dos raios, dos trovões, do ar e da água.

No tambor-de-mina há também a manifestação dos encantados de diversas origens: caboclos da mata, fidalgos/nobres portugueses e franceses e turcos/mouros.

Babaçuê

Também conhecido como Batuque de Santa Bárbara ou Batuque de Mina, trata-se de culto afro-ameríndio comum no Norte e no Nordeste do Brasil, notadamente no Pará.

No Babaçuê, cultuam-se Orixás e Voduns. Já no Batuque de Santa Bárbara, Iansã é protetora das mulheres e Xangô, dos homens. O Batuque de Mina, por sua vez, cultua Orixás.

O Babaçuê lembra o Candomblé de Caboclo e o Catimbó. Mescla crenças africanas e ameríndias, com forte influência da Nação Jeje. Seus cânticos são conhecidos como Doutrina.

Vale do Amanhecer

Religião sincrética que tem seu marco, no plano terreno, no ano de 1959, com os desdobramentos de sua fundadora carnal, Tia Neiva, e aprendizados no Tibete, com o Mestre Humahã.

A primeira comunidade do Vale do Amanhecer funcionou na Serra do Ouro, nas proximidades da cidade de Alexânia (GO). Depois de se mudar para Taguatinga, em 1969, alojou-se na zona rural de Planaltina, em região hoje conhecida como Vale do Amanhecer.

Pretos-Velhos e Caboclos trabalham nas Linhas dos Orixás em atendimentos ao público nos diversos templos espalhados pelo país.

Catolicismo

A força da influência do Catolicismo na Umbanda pode ser, em linhas gerais, literal ou simbólica/sincrética.

Em virtude do sincretismo, a maioria dos templos umbandistas apresenta imagens católicas em seus altares. Contudo, há templos que se utilizam de imagens com representações ditas africanas dos

Orixás, enquanto outros não usam imagem alguma, mas apenas quartinhas com pedras correspondentes (otás), por exemplo.

Interessante notar que, mesmo nos templos que se valem de imagens católicas (a maioria), a imagem de Obaluaê costuma figurar ao lado das imagens de santos católicos aos quais esse Orixá é sincretizado (notadamente São Lázaro e São Roque). O mesmo vale para outros Orixás e os santos católicos correspondentes.

Nas palavras do célebre teólogo Leonardo Boff, em seu texto *O encanto dos Orixás*,

> "Quando atinge grau elevado de complexidade, toda cultura encontra sua expressão artística, literária e espiritual. Mas ao criar uma religião a partir de uma experiência profunda do Mistério do mundo, ela alcança sua maturidade e aponta para valores universais. É o que representa a Umbanda, religião nascida em Niterói, no Rio de Janeiro, em 1908, bebendo das matrizes da mais genuína brasilidade - feita de europeus, de africanos e de indígenas. Num contexto de desamparo social, com milhares de pessoas desenraizadas, vindas da selva e dos grotões do Brasil profundo, desempregadas, doentes pela insalubridade notória do Rio nos inícios do século 20, irrompeu uma fortíssima experiência espiritual. O interiorano Zélio Moraes atesta a comunicação da Divindade sob a figura do Caboclo das Sete Encruzilhadas da tradição indígena e do Preto-Velho dos escravos. Essa revelação tem como destinatários primordiais os humildes e destituídos de todo apoio material e espiritual. Ela quer reforçar neles a percepção da profunda igualdade entre todos, homens e mulheres; se propõe a potenciar a caridade e o amor fraterno, mitigar as injustiças, consolar os aflitos e reintegrar o ser humano na natureza sob a égide do Evangelho e da figura sagrada do Divino Mestre Jesus.
>
> O nome Umbanda é carregado de significação. É composto de OM (o som originário do universo nas tradições orientais) e de BANDHA (movimento incessante da força divina). Sincretiza de forma criativa elementos das várias tradições religiosas de nosso país criando um sistema coerente. Privilegia as tradições do Candomblé da Bahia por serem as mais populares e próximas aos seres humanos

em suas necessidades. Mas não as considera como entidades, apenas como forças ou espíritos puros que, através dos Guias espirituais, se acercam das pessoas para ajudá-las. Os Orixás, a Mata Virgem, o Rompe Mato, o Sete Flechas, a Cachoeira, a Jurema e os Caboclos representam facetas arquetípicas da Divindade. Elas não multiplicam Deus num falso panteísmo - mas concretizam, sob os mais diversos nomes, o único e mesmo Deus. Este se sacramentaliza nos elementos da natureza como nas montanhas, nas cachoeiras, nas matas, no mar, no fogo e nas tempestades. Ao confrontar-se com estas realidades, o fiel entra em comunhão com Deus.

A Umbanda é uma religião profundamente ecológica. Devolve ao ser humano o sentido da reverência face às energias cósmicas. Renuncia aos sacrifícios de animais para restringir-se somente às flores e à luz, realidades sutis e espirituais.

Há um diplomata brasileiro, Flávio Perri, que serviu em embaixadas importantes como Paris, Roma, Genebra e Nova York que se deixou encantar pela religião da Umbanda. Com recursos das ciências comparadas das religiões e dos vários métodos hermenêuticos, elaborou perspicazes reflexões que levam exatamente este título, O Encanto dos Orixás, desvendando-nos a riqueza espiritual da Umbanda. Permeia seu trabalho com poemas próprios de fina percepção espiritual. Ele se inscreve no gênero dos poetas-pensadores e místicos como Álvaro de Campos (Fernando Pessoa), Murilo Mendes, T. S. Elliot e o sufi Rumi. Mesmo sob o encanto, seu estilo é contido, sem qualquer exaltação, pois é esse rigor que a natureza do espiritual exige.

Além disso, ajuda a desmontar preconceitos que cercam a Umbanda, por causa de suas origens nos pobres da cultura popular espontaneamente sincréticos. Que eles tenham produzido significativa espiritualidade e criado uma religião cujos meios de expressão são puros e singelos revela quão profunda e rica é a cultura desses humilhados e ofendidos, nossos irmãos e irmãs. Como se dizia nos primórdios do Cristianismo que, em sua origem, também era uma religião de escravos e de marginalizados, 'os pobres são nossos mestres, os humildes, nossos doutores'.

Talvez algum leitor(a) estranhe que um teólogo como eu diga tudo isso que escrevi. Apenas respondo: um teólogo que não consegue ver Deus para além dos limites de sua religião ou igreja não é um bom teólogo. É antes um erudito de doutrinas. Perde a ocasião de se encontrar com Deus que se comunica por outros caminhos e que fala por diferentes mensageiros, seus verdadeiros anjos. Deus desborda de nossas cabeças e dogmas."

Espiritismo

O Espiritismo foi codificado por Allan Kardec (pseudônimo de Hyppolite Léon Denizard Rivail), no século XIX, e ganhou o mundo, especialmente por meio de publicações (livros, jornais e revistas). No Brasil, é popularmente chamado de Kardecismo, até mesmo para diferenciá-lo de outras religiões, termo oficialmente não empregado pelos espíritas - segundo os quais seria equivocado, uma vez que a doutrina é dos espíritos, e não de Kardec.

Nas palavras do célebre médium espírita Chico Xavier, em entrevista em 1976:

> "Eu sempre compreendi a Umbanda como uma comunidade de corações profundamente veiculados à caridade com a benção de Jesus Cristo e nesta base eu sempre devotei ao movimento umbandista no Brasil o máximo de respeito e a maior admiração.
>
> (...)

A meu ver, o movimento de Umbanda no Brasil está igualmente ligado ao Espírito de amor do Cristianismo. Sem conhecimento de alicerces umbandísticos para formar uma opinião específica, eu prefiro acreditar que todos os umbandistas são também grandes cristãos construindo a grandeza da solidariedade cristã no Brasil para a felicidade do mundo.

> (...)
>
> Acredito que o mediunismo no movimento de Umbanda é tão respeitável quanto a mediunidade das instituições kardecistas, com

uma única diferença que eu faria se tivesse um estudo mais completo de Umbanda; é que seria extremamente importante se a mediunidade recebesse a doutrinação do espírita do evangelho com as explicações de Allan Kardec fosse onde até mesmo noutras faixas religiosas que não fosse a Umbanda. Porque a mediunidade esclarecida pela responsabilidade decorrente dos princípios cristãos é sempre um caminho de interpretação com Jesus de qualquer fenômeno mediúnico."

Universalismo crístico

Movimento de universalização da Espiritualidade, focado em valores comuns a todos os seres humanos. No Brasil, tem-se destacado o chamado Universalismo Crístico, liderado pelo médium e escritor Roger Bottini Paranhos.

A respeito da Umbanda, ditou o espírito Hermes a Paranhos:

"-Meu jovem, eu creio que você está fazendo um julgamento sobre algo que desconhece. O poder dos trabalhos de Umbanda vem dos rituais que despertam as forças espirituais dos orixás. Não raro vejo espíritas como você em casas de Umbanda pedindo socorro aos Pretos-Velhos porque na Umbanda se trabalha com energias mais densas e difíceis de dissipar. Não acho justo que você desmereça os trabalhos que realizamos com tanto amor pelos nossos semelhantes.

Rafael aguardou em silêncio e voltou a falar:

-Antes de tudo, eu gostaria de lembrar a todos que não estou aqui na condição de espírita. Essa foi a minha religião de formação, mas não estou aqui para defendê-la; pelo contrário, ainda nessa noite exporemos aqui os pontos em que ela também deve ser chamada a uma reflexão, da mesma forma como devemos fazer com todas as religiões, inclusive os orientais como o Budismo, o Hinduísmo, o Islamismo, que devem também ser avaliadas conforme o crivo da razão no que concerne aos rituais.

Quanto aos ritos de Umbanda, posso afirmar que eles não deixarão de ser utilizados e muito menos serão recriminados. Estou aqui para preparar a visão espiritual do futuro, ou seja, para atender as novas gerações. E elas terão algo claro em mente: a certeza de que podemos realizar curas ou promover doenças, atrair espíritos de luz ou obsessores terríveis, encontrar felicidade ou depressão, tudo apenas com o poder de nossa mente, independentemente dos rituais."

Reglas

O culto aos Orixás, Inquices, Voduns e outros espalhou-se e criou formatos próprios em países onde o elemento africano se fixou, notadamente, pela escravidão. Além do Brasil, o exemplo mais visível (mas não único) é o de Cuba, onde os cultos de origem afro são conhecidos genericamente como santería - vocábulo impreciso e "subversivo", como o brasileiro "macumba". Por sua vez, a palavra "regla" é popularmente utilizada com o sentido de culto ou religião.

Dessa forma, em Cuba, encontram-se:

Regla de Ocha (origem iorubana/lucumí)	Cultos de Orixás iorubanos, comandada por um obá, com cânticos ao som de tambores batá. Compreende, à parte, a Regla de Ifá.
Regla de Mayombe, Regla de Palo Monte ou Regla de Palo (origem banta/conga)	A Regla de Mayombe é dividida em duas vertentes: mayombe judío, voltado para o mal, e mayombe cristiano[16]. Compreende subdivisões, como Brillumba ou Vryumba, Kimbisa e outras.

Ao lado dessas duas reglas principais, destaca-se também, em especial na província de Matanzas, a Regla Arara ou Arara Daomey.

Em especial, a partir do século XX, diversos países passaram a ter terreiros de Candomblé e Umbanda - cujas raízes, direta ou indiretamente, estão em casas brasileiras.

---

16 Note-se que os termos "judío" e "cristiano" possuem aqui valoração de "negativo" e "positivo", o que precisa ser compreendido no contexto em que os termos foram atribuídos a cada mayombe. Certamente tal distinção, preconceituosa contra os judeus, é hoje revista. Grosso modo, o mesmo ocorre com o vocábulo português "pagão" - o qual, em sua origem, não tem a acepção negativa de "não-cristão", mas "aquele que vem do campo" (nesse contexto, a Wicca se denomina orgulhosamente religião pagã).

Culto aos Orixás

Chamada genericamente de culto aos Orixás, trata-se de tendência e prática que visa a se aproximar ainda mais das raízes africanas no que tange ao formato e à organização do culto em si, à liturgia, ao uso de línguas dos antepassados, dentre outros elementos.

Culto a Ifá

O culto a Ifá, cujo patrono é Orunmilá (e o símbolo, o camaleão), tem crescido no Brasil, havendo diversas casas a ele dedicadas. O sacerdote de Ifá é o Babalaô ("pai do segredo"; não confundir com o babalaô de Umbanda, sinônimo de dirigente espiritual ou babá). O Alabá (*alabá* é também o sacerdote-chefe da sociedade secreta Egungum, bem como título de honra de algumas autoridades do Candomblé) é o chefe dos Oluôs (o oluô é um grau entre os sacerdotes de Ifá). O iniciante é chamado de Kekereaô-Ifá, tornando-se Omo-Ifá (filho de Ifá) após o chamado pacto.

O sistema divinatório de Ifá, aliás, não se restringe apenas aos búzios, mas abarca outras técnicas - dentre elas os iquines (16 caroços de dendê) e o opelê (corrente fina, aberta em duas, contendo cada parte 04 caroços de dendê).

Culto aos Egunguns

Trata-se do culto aos ancestrais, os quais têm o merecimento de apresentar-se invocados em forma corporal. Apenas os espíritos devidamente preparados podem ser invocados e materializados.

Nos terreiros devotados aos Egunguns, a invocação dos ancestrais converte-se na essência do culto, e não a invocação dos Orixás, como nos terreiros de Candomblé. O culto aos ancestrais é também o culto ao respeito hierárquico, aos "mais velhos". Os Egunguns abençoam, aconselham, mas não são tocados e permanecem isolados dos encarnados, controlados pelos sacerdotes (ojés). Apresentam-se com vestimentas coloridas, ricas e com símbolos que permitem ao observador identificar sua hierarquia.

Os Egunguns mais antigos são conhecidos como Agbás, e manifestam-se envolvidos por muitas tiras coloridas (*abalás*), espelhos e por um tipo de avental (*bantê*). Os mais jovens são os Aparakás, sem vestimenta e forma definidas. Nesse culto, manifestam-se apenas os ancestrais masculinos, sendo também cuidados apenas por homens (embora haja mulheres com funções específicas no culto). Por outro lado, Oyá Igbalé, também conhecida como Iansã Balé, é considerada e respeitada como rainha e mãe dos Egunguns - cultuada, portanto, em assentamento próprio e especial.

O foco do culto aos Egunguns em solo brasileiro seria a Ilha de Itaparica, a partir dos terreiros de Vera Cruz (cuja fundação data de cerca de 1820); da fazenda Mocamdo, em local conhecido como Tuntun; e da Encarnação. Todos esses terreiros são ancestrais do Ilê Agboulá, no Alto da Vela Vista. Já no continente, em Salvador, destacou-se o terreiro do Corta-Braço, na estrada das Boiadas, hoje o bairro da Liberdade.

Em contrapartida, as mulheres organizaram-se em sociedades como Geledé, Geledés ou Gueledés. Segundo Nei Lopes, Gueledés são

> "máscaras outrora usadas no candomblé do Engenho Velho, por ocasião da Festa dos Gueledés, em 8 de dezembro. O nome deriva do iorubá Gèlèdé, sociedade secreta feminina que promove cerimônias e rituais semelhantes ao da sociedade Egungum, mas não ligados a ritos funerários, como os daquela. Por extensão, passou a designar as cerimônias e as máscaras antropomorfas esculpidas em madeira. No Brasil, a sociedade funcionou nos mesmos moldes iorubanos e sua última sacerdotisa foi Omoniké, de nome cristão Maria Júlia Figueiredo. Com sua morte, encerram-se as festas anuais, bem como a procissão que se realizava no bairro da Boa Viagem".

A própria Irmandade de Nossa Senhora da Boa Morte, fundamental para a organização do Candomblé tal qual o conhecemos hoje, reflete a força do feminino no culto aos Orixás.

A UMBANDA E O MEIO AMBIENTE

Por ser uma reunião ecológica em que o corpo, a mente e o espírito se conectam com o meio ambiente, a Umbanda está atenta às questões do meio ambiente. Por esse motivo, cada vez mais os umbandistas têm consciência de como utilizar materiais que não agridam a natureza. Exemplo disso são os pentes feitos com materiais não-poluentes entregues em oferendas a Iemanjá, no mar, onde também a alfazema é vertida (no mar, em barquinhos, etc.) de modo a não se deixar ali os vidros.

Abaixo estão duas propostas/ações que alguns terreiros têm adotado, em especial em Santa Catarina.

Compostagem orgânica

Processo biológico de reaproveitamento de materiais que vem sendo adotado em diversos terreiros. Nas palavras do dirigente espiritual, professor de Geografia, escritor e divulgador do processo Giovani Martins,

> "(...) com relação às oferendas, após o tempo mínimo de permanência no altar ou em outros locais sagrados dos terreiros, são tratadas em sistema de geração de adubos denominado compostagem orgânica. A compostagem é um processo biológico em que os microorganismos transformam a matéria orgânica, como folhas, papel e restos de comida num material semelhante ao solo, a que se chama composto, e que pode ser utilizado como adubo. Os adubos produzidos a partir desse sistema são utilizados nos herbários que ficam localizados nos próprios terreiros, em que são plantadas todas as ervas destinadas ao culto aos Orixás e demais atividades ritualísticas. No sistema de compostagem são aproveitadas as frutas, as comidas de santo e outras oferendas que possibilitem o tratamento e reutilização (as carnes vermelhas e/ou brancas não entram no sistema de compostagem). Com a compostagem, dá-se uma finalidade sustentável para as oferendas e, ao mesmo tempo em que melhora a estrutura e aduba o solo, gera redução de herbicidas e pesticidas

devido à presença de fungicidas naturais e microorganismos, aumentando a retenção de água no solo."

Sistema de incineração

Processo de tratamento de lixo que vem sendo adotado em diversos terreiros. Nas palavras do dirigente espiritual, professor de Geografia, escritor e divulgador do sistema Giovani Martins,

> "(...) os resíduos e despachos provenientes dos ebós, que até então eram jogados em locais públicos, passam agora pela incineração para depois serem devidamente enterrados em áreas de plantio e reflorestamento. A incineração de resíduos, principalmente do lixo, é uma prática muito antiga, ainda hoje comum nas zonas rurais. Apesar da queima em céu aberto colaborar para a poluição atmosférica com os gases de combustão, a queima ainda é uma alternativa viável para a eliminação dos resíduos. Com a incineração existe uma redução de aproximadamente 80% no volume do material. Os incineradores hoje utilizados nos terreiros em sua maioria são domésticos, ou seja, construídos de forma artesanal com tijolo e cimento. Nos ebós não são utilizados plásticos, metais e outros materiais que acarretariam problemas ambientais mesmo incinerados. A combustão de plásticos clorados (PVC), por exemplo, resulta no ácido clorídrico altamente poluente, devendo de fato ser evitado."

Como há entregas em que se usam, por exemplo, moedas e outros objetos, estes não podem passar por esse processo, tendo outro encaminhamento.

A UMBANDA E A ESPIRITUALIDADE NO TERCEIRO MILÊNIO

Holismo

Por ser uma religião ecológica, a Umbanda visa ao equilíbrio do trinômio corpo, mente e espírito - a saúde física, o padrão de pensamento e o desenvolvimento espiritual de cada indivíduo.

Ecumenismo e Diálogo Inter-religioso

Além de ter suas portas abertas a todo e qualquer espírito (encarnado ou desencarnado) que deseje vivenciar a Espiritualidade de acordo com suas diretrizes, a Umbanda mantém fortes laços dialógicos com as mais diversas tradições religiosas e/ou espirituais, algumas das quais a influenciaram bastante em vários aspectos, dentre eles, a ritualística. A Umbanda não é proselitista.

Valorização da vivência/experiência pessoal

Embora tenha uma teologia própria e, em virtude do forte sincretismo, por vezes ainda vivencie pontos doutrinários de outras tradições religiosas e/ou espiritualistas, a Umbanda valoriza a experiência pessoal (concepções, opiniões, formas de vivenciar a espiritualidade, etc.), respeitando o livre pensamento e irmanando a todos em seus rituais e nas mais diversas atividades caritativas, de modo a respeitar as diferenças, sem tratá-las ostensivamente como divergências.

Fé e cotidiano: a concretude da fé

Fortemente marcada pela ecologia, a Umbanda convida a todos a vivenciar sua fé no cotidiano – cuidando do próprio corpo, do meio ambiente, vivenciando relações saudáveis, etc. Exemplo: cultuar o Orixá Oxum é, ao mesmo tempo, um convite para se viver amorosamente o cotidiano, de forma compassiva, e utilizar os recursos hídricos de maneira consciente (escovar os dentes com a torneira fechada, não jogar lixo nas águas, etc.). A gira literalmente prossegue no cotidiano.

Fé e Ciência: uma parceria inteligente

Allan Kardec, Dalai Lama e outros líderes fazem coro: se a Ciência desbancar algum ponto de fé, sem dúvida, a opção é ficar com a Ciência. A Umbanda possui fundamentos próprios, de trabalhos religiosos, energéticos, mágicos; contudo, não devem confundir-se com superstição e obscurantismo. Por outro lado, sua alta Espiritualidade, muitas vezes ensinada de maneira analógica/simbólica, é cotidianamente explicada pela Ciência, na linguagem lógica/racional. A medicina dos Pretos-Velhos, por exemplo, é complementar à do médico com formação universitária e vice-versa: ambas dialogam, não se excluem.

Simplicidade

A construção de templos, a realização de festas e outros devem visar a gratidão, entrelaçamento de ideais, conforto e bem-estar; e não a ostentação pseudo-religiosa e a vaidade dos médiuns e dos Dirigentes Espirituais. Mestre Jesus, na vibração de Oxalá, simbolicamente nasceu numa gruta e, posto numa manjedoura, fez do ambiente um local de grande celebração, envolvendo pastores e reis magos.

Leitura e compreensão do simbólico

Para vivenciar a espiritualidade umbandista de maneira plena, é preciso distinguir a letra e o espírito - no tocante, por exemplo, aos mitos e às lendas dos Orixás, aos pontos cantados e riscados, etc. Quando se desconsidera esse aspecto, existe a tendência de se desvalorizar o diálogo ecumênico e inter-religioso, assim como a vivência pessoal da fé. O simbólico é um grande instrumento para a reforma íntima, o auto-aperfeiçoamento, a evolução.

Cooperativismo

Numa comunidade, cada individualidade faz a diferença. Por essa razão, o cooperativismo não é vivenciado apenas em trabalhos que envolvam atividade física, mas também, por exemplo, na manutenção de padrão vibratório adequado ao ambiente e aos cuidados com a língua e a palavra, de modo a não prejudicar ninguém.

Liderança: autoridade não rima com autoritarismo

Num terreiro, todos são líderes, cada qual em sua área de atuação - do irmão mais novo na casa ao Dirigente Espiritual. Essa liderança deve ser exercida amorosamente, a exemplo do Mestre Jesus - o qual, simbolicamente, lavou os pés dos Apóstolos.

O exercício do livre-arbítrio

A Umbanda não ensina a entrega do poder pessoal, da consciência e do livre-arbítrio nas mãos dos Orixás, dos Guias e Guardiões ou dos Dirigentes Espirituais. A caminhada espiritual-evolutiva é única, pessoal e intransferível.

VOCABULÁRIO COMPLEMENTAR

Abará

Bolinho que tem a mesma massa do acarajé (feita com feijão fradinho), contudo é assado, não frito. À massa de feijão acrescenta-se camarão seco, azeite de dendê, cebola ralada e pó de camarão.

Para prepará-lo, a massa é envolvida em pedaços de folha de bananeira e cozida em vapor, em banho-maria. O vocábulo *abará* vem do iorubá[17] *àbalá*, cujo significado original é "bolo de arroz".

Abô

Também conhecido como "Abô dos Axés", trata-se do banho preparado com ervas maceradas nas águas das quartinhas dos Orixás, ao qual acrescenta-se o sangue de animais sacrificados. É, portanto, comum em casas de Umbanda que se utilizam do corte ritualístico e/ou nas ditas "casas cruzadas" (que tocam Umbanda e Candomblé).

Em algumas casas, o vocábulo "abo" é utilizado como sinônimo de "amaci", embora, em origem e concepção, sejam banhos diferentes.

Acaçá

Bolinho feito com milho branco (e, às vezes, vermelho), de sabor agridoce e servido em folha de bananeira. O vocábulo deriva do fongbé[18] *akansan* (pasta de farinha de mandioca) e se relaciona ao haussá *akaza* (creme).

---

17 *iorubá*: substantivo de dois gêneros, podendo nomear indivíduo dos *iorubás* (do povo *iorubá*), a língua nigero-congolesa do grupo *Kwa*, falada por esse povo (no Brasil também chamada de "língua do santo") e, ainda, o próprio povo africano do sudoeste da República Federal da Nigéria, com grupos espalhados também pela República do Benim e pelo norte da República do Togo. Foi trazido em grandes levas para o Brasil, onde recebeu a denominação de *nagô*. Esse povo exerceu na Bahia forte domínio social e religioso sobre outros grupos também escravizados, exceto sobre os grupos islamizados.
A palavra pode, ainda, funcionar como adjetivo de dois gêneros, caracterizando indivíduos ou objetos próprios desse povo e sua cultura.

18 *fongbé* = variação de fon, língua nigero-congolesa que faz parte do grupo gbe, falada majoritariamente no Benim.

Acarajé

Bolinho preparado a partir da massa de feijão fradinho ralado. Geralmente é servido com vatapá e molho à base de camarão seco após ser frito no azeite de dendê. É comida ritualística de Iansã. Deriva do iorubá *àkàrà* (pão) + *onje* (alimento), ou ainda de *àkará* (o bolinho) + *je* (comer).

Adefantó

Forma comum (algumas vezes, pejorativa) como são conhecidos os homossexuais masculinos nos terreiros.

Adjá

Sineta de metal, com cabo e duas ou mais campânulas, usada para diversos fins, dentre eles, chamar Orixás, Guias e Guardiões. O vocábulo vem do iorubá *ààjà*, que designa uma espécie de chocalho ritualístico.

Afundar

Termo popular para a desincorporação dos Exus, em oposição a subir, utilizado para Orixás e Guias.

Vale destacar que, embora hierárquica e evolutivamente os Exus se encontrem abaixo dos Orixás e sejam frequentemente associados ao Diabo cristão, essas entidades não são consideradas malignas nas tradições afro-brasileiras. A associação em geral é feita porque os Exus habitariam as profundezas da terra.

No entanto, segundo a cultura, a mitologia e a teologia iorubás, em muitos itãs, quando algum Ancestral mítico se torna Orixá, o chão se abre e o Ancestral aí mergulha. Daí a importância e força do chão nos terreiros.

Agô

Agô é palavra de origem iorubana que significa tanto pedido de perdão como pedido de licença. Corresponde mais ou menos ao nosso "desculpe" (pedido de perdão: "Desculpe-me por algo"; pedido de licença: "Desculpe, posso lhe falar um pouquinho?").

Aguidavi

Baquetas com que se tocam os atabaques, por influência do Candomblé Ketu. Provavelmente, o termo deriva de *agida* ou *ogidan*, nome pelo qual era conhecido um tipo de tambor no antigo Daomé[19], ao qual se acrescentou a partícula "vi", com o sentido de "filho" ou "criança". Dessa forma, a baqueta, enquanto complemento de toque, seria como "filha" do tambor.

Alguidar

Vasilha de barro utilizada para vários fins em terreiros de Umbanda, notadamente para oferendas para determinados Orixás, aparador para Pretos-Velhos e abafador de velas (dois vasilhames).

Alabê

Por influência dos Cultos de Nação, algumas casas de Umbanda chamam de *alabê* o responsável pelos Ogãs, pela *curimba*. O vocábulo, inicialmente indicou, especialmente na Mina maranhense, o tocador de *agbê*, significando "o dono da cabaça".

Aluá

Bebida refrescante à base de milho torrado, farinha de arroz ou casca de abacaxi. Para fermentar, acrescenta-se água e açúcar mascavo ao milho de pipoca torrado e moído. Depois de sete dias fermentando, são acrescidos gengibre e açúcar a gosto.

Amalá

Comida ritualística de Xangô, cuja base é o quiabo. Por extensão, em algumas regiões, designa toda e qualquer comida de Santo, o que

---

19 *Daomé*: referente ao antigo Reino do Daomé, atual Benim, país situado na costa oeste do continente africano, de onde vieram muitos dos negros trazidos como escravos ao Brasil.

reforça a popularidade do Orixá Xangô, o qual, ainda, chega a ser sinônimo de determinado Culto de matriz africana em Pernambuco e Alagoas.

O vocábulo designaria pirão ou papa de farinha de arroz, mandioca ou inhame, presentes no caruru (prato à base de quiabo) de Xangô, passando, por extensão, a designar o próprio caruru, o *amalá ilá* (*ilá* significa "quiabo"). Do iorubá, *àmala* (pirão de inhame).

Aruanda

Plano espiritual, onde se encontram Orixás e Guias. Etimologicamente, o termo parece derivar do topônimo angolense "Luanda".

Aunló

O vocábulo deriva do iorubá *ayún* (ida, partida) + *lo* (partir, deixar). Dizer que um Orixá, por exemplo, vai "aunló" significa que vai desincorporar e, para isso, serão cantados pontos específicos. Já dizer que alguém foi "aunló" significa que a pessoa desencarnou.

Azeite de dendê

Também conhecido como "azeite de cheiro" ou "epô pupa" (por vezes, apenas "epô"), é ingrediente comum na ritualística e na cozinha de Santo, extraído do fruto do dendezeiro.

Azeite doce

Óleo de oliva. Ingrediente utilizado na ritualística e na cozinha de Santo. Também é conhecido como "epô".

Baixar

Incorporar, descer.

Barco

Turma de um mesmo recolhimento, obrigação, iniciação.

Bori

Cerimônia do Candomblé também presente em algumas casas de Umbanda. Bori é o ritual de alimentar a cabeça, o Ori, para a iniciação religiosa, para equilíbrio, tomada de decisões, harmonização com os Orixás, etc.

Em tradução livre do iorubá, borí pode ser entendido como "cultuar a cabeça de alguém".

Calunga grande

Mar.

Calunga pequena

Cemitério.

Cavalo

Médium.

Chacras

Por serem ecológicas, as religiões de matriz africana visam à saúde física, ao padrão de pensamento e ao desenvolvimento espiritual de cada indivíduo.

O corpo humano traz em si os quatro elementos básicos da natureza, aos quais se ligam os Orixás. É o envoltório, a casa do espírito; sente dor e prazer. É, ainda, o meio (médium) pelo qual a Espiritualidade literalmente se corporifica, seja por meio da chamada incorporação ou da intuição, psicografia, etc. Portanto, deve ser tratado com equilíbrio, respeito e alegria.

Assim como na tradição hebraico-cristã, segundo a qual Deus e os seres humanos viviam juntos no Éden, a tradição iorubá relata que havia livre acesso aos seres humanos entre o *Aiê* (em tradução livre, o plano terreno) e o *Orum* (em tradução livre, o plano espiritual). Com a interrupção desse acesso, foi necessário estabelecer uma nova ponte, por meio do Culto aos Orixás (em África) - o que se amalgamou e resultou, no

Brasil, no Candomblé e, em linha histórica diacrônica (para a Espiritualidade, o *timing* é sincrônico e em espiral), nas demais religiões de matriz africana.

Em termos gerais, *chacras* (rodas) são centros de energia físico-espirituais (espalhados por diversos pontos dos corpos físico e espiritual), que revestem o corpo físico. Os chacras mais conhecidos são 7. Além destes, os que estão nas mãos e pés são também muito importantes para o exercício da mediunidade.

Embora haja variações de conceitos na relação entre chacras e Orixás, de modo geral, tem-se a seguinte correspondência:

1º. Chacra

Nome em sânscrito: *Muladhara* (Base e *fundamento*; suporte).
Nomes mais conhecidos em português: Base ou Básico; Raiz; Sacro.
Regentes: Exu, Obaluaê, Pretos-Velhos

Localizado na base da coluna, na cintura pélvica, quando ativo tem a cor vermelho-fogo. Seu elemento correspondente no mundo físico é a terra. Seu som correspondente (*bija*), segundo segmentos religiosos tradicionais indianos, é LAM. O centro físico do chacra Base corresponde às glândulas supra-renais, as quais produzem adrenalina e são responsáveis por prover a circulação, equilibrar a temperatura do corpo, de modo a prepará-lo para a reação imediata. Trata-se do centro psicológico para a evolução da identidade, da sobrevivência, da autonomia, da auto-estima, da realização e do conhecimento. Além disso, acumula impressões, memórias, conflitos e atitudes geradas pelos esforços para conseguir individualidade. Quando em desequilíbrio, produz, dentre outros, anemia, leucemia, deficiência de ferro, problemas de circulação, pressão baixa, pouca tonicidade muscular, fadiga, insuficiência renal e excesso de peso.

2º. Chacra

Nome em sânscrito: *Swadhistana* (Morada do prazer).

Nomes mais conhecidos em português: Gênito-urinário; Esplênico.

Regente: Oxóssi.

Localizado na região de mesmo nome, quando ativo tem a cor laranja. Seu elemento correspondente no mundo físico é a água. Seu som é VAM. O centro físico desse chacra corresponde às glândulas sexuais (ovários, próstata e testículos), responsáveis pelo desenvolvimento das características sexuais masculinas e femininas e pela regulagem do ciclo feminino. Trata-se do centro psicológico para a evolução do desejo pessoal e da força emotiva, da vontade de ter, amar, pertencer, vivenciar a estabilidade (material e emocional) e da necessidade de afeto e segurança. Além disso, acumula padrões negativos decorrentes dos esforços para estabelecer um sistema de apoio para viver e amar. Quando em desequilíbrio, produz, dentre outros, TPM, artrite e disfunções ligadas aos órgãos reprodutivos, tais quais mioma e pólipos.

3º. Chacra

Nome em sânscrito: Manipura (Cidade das jóias).

Nomes mais conhecidos em português: Plexo Solar; Umbilical.

Regentes: Ogum,Oxum.

Localizado na região do diafragma, pouco acima do estômago, quando ativo tem a cor amarela. Seu elemento correspondente no mundo físico é o fogo. Seu som é RAM. O centro físico do plexo solar corresponde ao pâncreas, responsável pela transformação e digestão dos alimentos. O pâncreas produz o hormônio insulina, o qual equilibra o açúcar no sangue e transforma o hidrato de carbono. Além disso, as enzimas isoladas pelo pâncreas são fundamentais para a assimilação de gorduras e proteínas. O plexo solar é o centro psicológico para a evolução da mente pessoal e da vontade de saber, aprender, comunicar e participar. Acumula padrões negativos decorrentes dos esforços para desenvolver a inteligência, a expressão de idéias, pensamentos e sonhos. Quando em desequilíbrio, produz, dentre outros, desordens no trato digestivo, diabetes, alergias, sinusite, insônia.

4º. Chacra

Nome em sânscrito: *Anahata* (O invicto; o inviolado).
Nome mais conhecido em português: Cardíaco.
Regentes: Xangô, Iansã.

Localizado na porção superior do peito, quando ativo apresenta a cor verde. Seu elemento correspondente no mundo físico é o ar, enquanto seu som é YAM. O centro físico do chacra Cardíaco é o timo, responsável pela regulação do crescimento, pelo sistema linfático e por estimular e fortalecer o sistema imunológico. Trata-se do centro psicológico para a evolução do idealismo, da capacidade de amar e doar, da visão real do mundo, do auto-conceito, além de constituir um ponto de transferência das energias dos chacras inferiores e superiores. Quando em desequilíbrio, produz, dentre outros, palpitação, arritmia cardíaca, rubor, ataque de pânico, pressão alta, intoxicação, problemas no nível de colesterol e acidose.

O Cardíaco é o chacra das emoções, que não devem ser reprimidas, precisam ser buriladas para que não se tornem destrutivas, nem para o "eu", nem para o próximo. O chacra Cardíaco, o quarto dos sete ditos principais, seria o fiel da balança (outra correlação para ser regido por *Xangô*) entre os outros chacras, interligando--os, de modo a demonstrar que o equilíbrio está na correlação entre o inferior e o superior, sem qualquer juízo depreciativo do que está abaixo em relação ao que está acima.

5º. Chacra
Nome em sânscrito: *Vishudda* (O purificador).
Nomes mais conhecidos em português: Laríngeo; Cervical.
Regentes: Xangô, Iansã.

Localizado no centro da garganta, próximo ao pomo-de-adão, quando ativo tem a cor azul-claro. Seu elemento correspondente no mundo físico é o éter, enquanto seu som é HAM. Por sua vez, o centro físico do chacra Laríngeo corresponde à tireóide, importante para o crescimento do esqueleto e dos órgãos internos, além de regular o metabolismo, o iodo e o cálcio no sangue e nos tecidos (em outras palavras, a tireóide desempenha papel fundamental no crescimento físico e mental). O chacra Laríngeo é o centro psicológico da evolução da criatividade, da autodisciplina, da iniciativa, da responsabilidade, da ação transpessoal. Além disso, apresenta a força vibratória responsável pela formação da matéria, de modo a interligar pensamento e forma, mente e matéria. Quando em desequilíbrio, produz, dentre outros, resfriados, herpes, dores musculares ou de cabeça, congestão linfática, endurecimento do maxilar, problemas dentários, além de aumentar a suscetibilidade a infecções virais ou bacterianas.

6º. Chacra
Nome em sânscrito: *Ajna* (Centro do comando).
Nome mais conhecido em português: Frontal.
Regentes: Iemanjá, Nanã, Iansã.

Localizado no meio da testa, quando ativo apresenta a cor azul escuro (índigo). Não tem um elemento correspondente no mundo físico. Seu som é OM. Seu centro físico corresponde à pituitária/hipófise, responsável pela função das demais glândulas. O chacra Frontal é o centro psicológico para a evolução do desejo de liderança, integração ao grupo, poder e controle. Liga o corpo inconsciente e o físico (mental). Quando em desequilíbrio, produz, dentre outros, vícios de drogas, álcool, compulsões, problemas nos olhos (cegueira, catarata etc.) e surdez.

7º. Chacra

Nome em sânscrito: *Sarashara* (Lótus das mil pétalas).
Nomes mais conhecidos em português: Coronário; Sublime.
Regente: Oxalá.

Localizado no topo da cabeça, quando ativo tem a cor violeta, com matizes brancas. Não possui som correspondente no mundo físico, já que possui a mesma condição do Universo, de Deus. Seu centro físico corresponde à glândula pineal, que atua no organismo todo (quando falha, dá-se a puberdade tardia). O chacra Coronário é o centro psicológico para a evolução da capacidade intuitiva, da experiência espiritual e do sentido de unificação; do divino. Por ser uma ponte entre o inconsciente coletivo e o inconsciente individual, possibilita o acesso ao registro coletivo (*akásico*) e a libertação da necessidade de controle. Quando em desequilíbrio, produz, dentre outros, desordens no sistema nervoso, insônia, neurite, enxaqueca, histeria, disfunções sensoriais, possessão, obsessão e neuroses.

Congá Vivo

Consiste na montagem de um altar (congá) em que atores interpretam os Orixás tais quais são representados e/ou sincretizados na Umbanda.

O Congá Vivo surgiu por iniciativa de Pai Ronaldo Linares, no início da década de 1970, como uma minipeça contando o nascimento da Umbanda. A partir daí, passou a ser apresentado em diversas ocasiões.

Corpos

Conceitos com que se trabalha na medicina holística, os quais se popularizaram com conhecimentos vindos do Oriente, da Teosofia e de outras fontes. A esse respeito, observem-se, em especial, os trabalhos dos Mentores de Cura.

Corpo físico (Soma) – Estrutura de carne, músculos, nervos, ossos, vasos e pele, a partir da qual se estabelece uma sequência de estruturas sutis que permitem ao espírito manifestar-se no invólucro físico.

Corpo duplo Etérico – Fonte geradora de energias, é responsável pelos chamados automatismos vitais. Constitui-se na sede dos chacras.

Corpo Astral (Modelo Organizador Biológico – Serve de molde para a constituição do corpo físico) – Sede das emoções, recebe e executa programações estabelecidas em memórias anteriores, a fim de que o encarnado possa evoluir de acordo com o reajuste de propósitos e ações.

Corpo Mental Inferior – Compreende os atributos dos cinco sentidos e da intelectualidade.

Corpo Mental Superior – Rege a vontade e a imaginação.

Corpo Búdico – Banco de dados da consciência, responsável pelo armazenamento das experiências do espírito. Nele se traçam as diretrizes do projeto de vida a ser empreendido pelo espírito quando encarnado.

Corpo Átmico (Mônada ou Centelha Divina) – Princípio e motor da vida.

Outra forma de entender os diversos corpos:

Etérico - contém a energia dos órgãos, expandindo-se ou retraindo-se conforme o seu funcionamento. Filtro sutil das emoções e dos pensamentos em harmonia, quando saturado, exporta as desarmonias para o corpo físico, que funciona como filtro mais denso. O corpo etérico constitui-se de linhas de força responsáveis por modelar e firmar a matéria física dos tecidos do corpo.

Emocional – de estrutura mais fluida que a do corpo etérico, associa-se aos sentimentos e apresenta contornos semelhantes aos do corpo físico. Nele arquivam-se as sensações, emoções, sentimentos relacionados a esta encarnação, desde o momento da concepção. Por outro lado, não arquiva processos de ideias e/ou pensamentos, função do mental. Constitui-se de nuvens coloridas em contínuo movimento.

Mental – contém a estrutura das ideias e, por essa razão, associa-se a pensamentos e processos mentais. Funciona como uma verdadeira biblioteca, uma vez que arquiva toda sorte de pensamentos, padrões individuais, familiares, sociais, assim como a habilidade do raciocínio lógico. Em equilíbrio, apresenta-se translúcido, como emanações douradas semelhantes a bolhas.

Extra-sensorial – abarca as percepções oriundas de formas não-materiais, como a intuição, a visão de outros planos, a sensibilidade ao meio ambiente ou a outros seres, a projeção da consciência (a outros lugares ou épocas) e a leitura do campo eletromagnético planetário ou astral. É formado por nuvens multicoloridas.

Etérico Superior – neste campo de energia desenvolve-se o corpo físico. Apresenta, portanto, as formas padronizadas e definidas para a reencarnação. Formado de linhas transparentes sobre um fundo azul escuro (espaço sólido), nele o som cria a matéria.

Emocional Superior – nível responsável pelo êxtase espiritual, este plano de identificação com o divino é formado por pontas de luz. Contém os arquivos das emoções de toda a existência do ser, assim como a clara percepção do porquê da vida presente do encarnado.

Mental/causal – armazena as impressões de vidas anteriores e contém os corpos áuricos relacionados à encarnação atual do indivíduo, de modo a protegê-los e mantê-los unidos. Nível mais forte e elástico do campo áurico, contém, ainda, a corrente principal de força que se desloca ao longo da espinha, que liga o encarnado à energia primordial.

Curiar

Beber. Palavra interessante que vem do quimbundo, *ku-dia*, que corresponde a *kulya*, em umbundo.

Datas comemorativas

Trata-se das principais festas, que se destacam entre trabalhos, obrigações e outros. O calendário varia bastante: por região, por influência dos Cultos de Nação e pelo cronograma específico de cada casa. Contudo, geralmente é guiado pelo calendário católico.

PRINCIPAIS DATAS COMEMORATIVAS (Homenagens e festas)	
Oxóssi	20 de março São Sebastião
Ogum	21 de abril São Jorge
Pretos Velhos	13 de maio Abolição da Escravatura
Ogum	13 de junho Santo Antônio
Exu	13 de junho Santo Antônio
Santa Sara e Povo Cigano	24 de maio Santa Sara
Nanã	26 de julho São Joaquim e Sant'Ana
Xangô	30 de setembro São Jerônimo
Obaluaê	15 de agosto São Roque
Ibejada	27 de setembro São Cosme e São Damião
Xangô	30 de setembro São Jerônimo

Oxum	12 de outubro Nossa Senhora Aparecida
Ibejada	25 de outubro São Crispim e São Crispiniano
Dia da Umbanda	15 de novembro Dia da Umbanda
Iansã	04 de dezembro Santa Bárbara
Iemanjá	08 de dezembro Nossa Senhora da Imaculada Conceição
Obaluaê	17 de dezembro São Lázaro
Oxalá	25 de dezembro Natal

Decá

No Candomblé, e também em alguns terreiros de Umbanda, "receber o decá" significa ser investido na função de Pai ou Mãe-de-Santo. Nessa cerimônia, o(a) novo(a) sacerdote(a) recebe uma cuia contendo navalha, faca e tesoura, símbolos do poder de raspar filhos-de-santo. Na Umbanda, muitas vezes, "receber o decá" significa tornar-se sacerdote, sem necessariamente os elementos associados ao corte ritualístico.

O termo "decá" teria origem numa cerimônia semelhante realizada no Benim e conhecida como *dô non dê ka me*, sendo as palavras *dê* e *ka* traduzidas respectivamente por "fruto, noz de dendezeiro" e "cabaça" ou "cuia".

Demanda

Confusões, desentendimentos, dificuldades, mal estar, etc. provocados pela ação de outrem. A demanda pode ocorrer contra alguém, uma instituição, uma casa religiosa. O equilíbrio energético (pensamento, palavras, atos) e trabalhos específicos de defesa e proteção auxiliam a evitar os efeitos indesejáveis de demandas.

Desenfeitiçar

Anular a ação de um feitiço. Pela Lei de Ação e Reação, um trabalho de quebra de demanda ou feitiço, na Umbanda, jamais enviará de volta a seu autor a energia deletéria projetada contra outrem. Ou ela se desagrega, ou retorna a seu autor conforme a afinidade, o carma ou determinação de aprendizado espiritual permitido pela própria Espiritualidade.

Desobsessão

Processo no qual a Espiritualidade e os médiuns buscam desalojar Entidades espirituais que vibram em energia deletéria que ajam sobre pessoas, animais, ambientes, etc. Além de ajudar os obsedados, a desobsessão busca também auxiliar os obsessores, doutrinando-os e encaminhando-os para tratamento espiritual ou, quando renitentes, para locais específicos no plano espiritual onde possam meditar sobre seus atos a fim de que, quando estiverem prontos, recebam o devido auxílio. O exorcismo, por outro lado, é o ritual por meio do qual algumas religiões expulsam o que consideram o "demônio" do corpo de pessoas, animais, ambientes, reencaminhando-o para o inferno, onde, segundo a doutrina dessas religiões, viveriam em eterno afastamento de Deus.

Dias

Segunda-feira	Exu, Obaluaê, Pretos-Velhos.
Terça-feira	Ogum.
Quarta-feira	Xangô e Iansã
Quinta-feira	Oxóssi, Ossaim, Logun-Edé e Caboclos.
Sexta-feira	Oxalá (influência dos Cultos de Nação), Pretos-Velhos e Almas (influência do Catolicismo).
Sábado	Iabás, Santa Sara e Povo Cigano.
Domingo	Oxalá (influência do Catolicismo) e Ibejada.

Diabo

Por influência do Catolicismo, muitas vezes o Diabo, como anjo caído e fonte do mal, conforme interpretação literal do texto bíblico, é crença comum em alguns segmentos umbandistas. Por outro lado, também é forte, por influência do Espiritismo (Kardecismo), a leitura simbólica do Diabo como representação e síntese de espíritos que ainda vibram predominantemente de forma negativa, buscando causar o mal a outros, mas que, ao longo do tempo e das experiências, também evoluirão.

O Diabo é, muitas vezes, associado preconceituosamente a Exu, até mesmo por alguns umbandistas, em especial os que ainda temem desenvolver e trabalhar a Esquerda.

Ebó

Oferenda, entrega, em especial à Esquerda. Vem do iorubá *ebo*, que significa sacrifício.

O termo, por vezes, é utilizado de forma pejorativa em relação às religiões de matriz africana.

Ectoplasma

Fluido fornecido pelos médiuns para a Espiritualidade agir em diversos sentidos. Talvez o mais conhecido e popular seja a materialização, contudo há outros tantos procedimentos realizados com a ajuda do ectoplasma. Segundo Ramatís, o ectoplasma é o "fluido animalizado produzido no duplo etérico e decorrente do metabolismo biológico do equipo físico".

Egunitá

Qualidade de Iansã. Para alguns segmentos umbandistas, Orixá independente, associado ao fogo.

Encruzilhada

Cruzamento de ruas ou estradas, um dos principais pontos de força da Esquerda, onde são realizadas entregas e cerimônias litúrgicas.

Há encruzilhadas masculinas (em forma de +) e femininas (em forma de T). As segundas são específicas para Pombogiras.

Energias masculina e feminina

Por uma questão de equilíbrio energético que não tem nada a ver com homossexualidade ou bissexualidade, há casas em que médium masculino não incorpora Orixá/Guia/Guardião com energia feminina. Segundo orientações espirituais, a mulher suporta com precisão a energia dita feminina de Orixás, Guias e Guardiões. Já o homem tem um choque energético muito grande, que pode abalar sua emotividade. Contudo, tal abordagem em nada invalida a seriedade de casas onde médiuns masculinos incorporam Iabás ou Guias e Guardiões com energia feminina.

Ao contrário do que comumente se pensa, a homossexualidade é uma orientação sexual do médium, não estando atrelada ao Orixá. Quem tem um Orixá dito "metá metá" (energia masculina e feminina), por exemplo, não será necessariamente homossexual ou bissexual.

Por sua vez, a forte presença de homossexuais, tanto masculinos quanto femininos, na Umbanda, no Candomblé (e, claro, em outras religiões) deve-se à acolhida, à compreensão e ao fato de não serem segregados, discriminados ou apontados, o que, além de falta de caridade, denota infração a diversos direitos civis.

Enredo

Relação energética e/ou mitológica entre Orixás. Exemplo: *Xangô Airá* tem enredo com Oxalá; *Iansã Igbale* tem enredo com Obaluaê etc.

Entidade

Guia e Guardião. O termo também pode se referir a Orixá.

Equede

Em casas de Umbanda com forte influência dos Cultos de Nação ou ditas cruzadas, muitas vezes encontram-se "Equedes", correspondentes femininas aos Ogãs do Candomblé, responsáveis por cuidar das vestes dos Orixás, por enxugar o rosto de iaôs em festas públicas etc. O vocábulo vem do iorubá "èkeji", com o sentido de "acompanhante".

Espírito

Substância não-corpórea individual e inteligente que, encarnada num corpo físico, recebe o nome de alma.

Falange

Em linhas gerais, uma falange é a subdivisão de uma linha. No cotidiano, porém, o vocábulo também pode ser empregado como sinônimo de Linha.

Federação

A Umbanda não possui uma estrutura como as de religiões que apresentam uma autoridade central. Cada templo é autônomo e, mesmo quando não registrado ou federado, não é menos legítimo em suas práticas espirituais, desde que sejam voltadas para o bem e a evolução.

Por outro lado, são muitas as federações e outras agremiações de Umbanda, muitas delas compreendendo casas de Candomblé e/ou de outras religiões de matriz africana. Geralmente as federações se unem em torno de um órgão que as congregue, mas mesmo essa agremiação não é única, por exemplo, num mesmo Estado da federação.

Filho(a)-de-Fé

Umbandista.

Filho(a)-de-Santo

Umbandista que já passou por alguns processos de desenvolvimento, incluindo obrigação maior para seu Orixá de Cabeça.

Folclorização

Assim como as demais religiões de matriz africana, a Umbanda passa pelo processo de folclorização, que nada mais é do que a intolerância mascarada ou explícita. Conceitos, rituais, valores, expressões linguísticas são constantemente evocados pelo senso comum e pela mídia como supostamente umbandistas. Nesse contexto, pessoas que, por exemplo, jamais estiveram numa casa de Umbanda, apresentam-se como especialistas. Estudiosos das Ciências Humanas muitas vezes também descrevem a Umbanda de modo folclorizado. Infelizmente, contribuem para esse olhar estereotipado volantes, propagandas e outros de supostos "dirigentes espirituais" que prestam "atendimentos religiosos" que ferem o livre-arbítrio, a ética e o bom senso.

Fundamento

Força mágico-espiritual-ritualística e o próprio conhecimento a respeito dela, que fundamentam a tradição, a prática, a liturgia e outros tantos elementos das religiões de matriz africana.

Inicialmente, fundamento significava o recipiente ou o local onde se colocavam os elementos e objetos do Orixá.

O vocábulo também é empregado como sinônimo de "enredo". Exemplo: *Oxum Apará* tem fundamento com Iansã.

Guia

Espírito condutor, inspirador, responsável pela orientação espiritual, tais como Caboclo, Preto-Velho e outros. Por vezes, no cotidiano dos terreiros, os Orixás também são chamados de Guias, bem como os Guardiões (Exus), uma vez que, por extensão, todos eles são responsáveis por orientações, apoios, inspirações na caminhada espiritual.

Homem das encruzilhadas

Exu (Guardião).

Horas

Com variação de concepções entre segmentos e casas umbandistas, os horários para determinados rituais, trabalhos, oferendas, são divididos em horas abertas e horas fechadas.

Horas abertas

Seis horas da manhã, meio-dia, seis horas da tarde e meia-noite.

Horas fechadas

Todas as que não são horas abertas.

Hora grande

Meia-noite.

Iaô

Por influência do Candomblé Ketu, nome dado em algumas casas de Umbanda ao médium iniciante. O vocábulo deriva do iorubá "iyàwó", com o sentido de "recém-casada" ou "esposa mais jovem", o que reforça a ideia de que, independente de gênero, o desenvolvimento e/ou a iniciação espiritual demanda receptividade (aspecto da energia do feminino).

Imagens

Principalmente em virtude do sincretismo, são utilizadas imagens católicas nos templos de Umbanda. Contudo, há templos que se utilizam de imagens com representações ditas africanas dos Orixás, enquanto outros não usam imagem alguma, mas apenas quartinhas com pedras correspondentes (otás), por exemplo.

Interessante notar que mesmo nos templos que se valem de imagens católicas (a maioria), a imagem de Obaluaê costuma figurar ao lado das imagens de santos católicos aos quais esse Orixá é sincretizado, notadamente São Lázaro e São Roque.

Também é comum se encontrarem bustos de Allan Kardec, codificador do Espiritismo, e de Dr. Bezerra de Menezes, médico espírita brasileiro que, no plano espiritual, trabalha na Linha da Cura.

Incorporar

Forma popular com que se refere ao fenômeno mediúnico em que um ser do plano espiritual (superior ou inferior) coordena os movimentos do corpo do médium (postura, gestos, palavras, etc.). Para tanto, em linhas gerais, o espírito do médium se afasta (mas não se desprende totalmente, ou haveria óbito) para que o ser espiritual possa plasmar-se e comandar os movimentos.

Conforme o estado de acompanhamento do médium em relação ao fenômeno, a incorporação pode ser consciente, inconsciente ou semiconsciente, havendo, portanto, médiuns que se mantêm conscientes, inconscientes ou semiconscientes durante a incorporação. O desenvolvimento mediúnico deve ser orientado e seguro para que não haja dúvidas ou mistificações.

Inquices

Os Inquices são divindades dos cultos de origem banta. Correspondem aos Orixás iorubanos e da Nação Ketu. Dessa forma, por paralelismo, os Inquices, em conversas do povo-de-santo, aparecem como sinônimos de Orixás.

Também entre o povo-de-santo, quando se usa o termo Inquice, geralmente se refere aos Inquices masculinos, ao passo que Inquice Amê refere-se aos Inquices femininos.

O vocábulo Inquice vem do quimbundo *Nksi* (plural: Mikisi), significando "Energia Divina"". Mais conhecidos no Brasil:

ALUVAIÁ, BOMBO NJILA OU PAMBU NJILA

Intermediário entre os seres humanos e o outros Inquices. Na sua manifestação feminina, é chamado Vangira ou Panjira. Paralelismo com o Exu nagô. De seu nome originou-se o vocábulo "Pombogira".

NKOSI, ROXI MUKUMBE OU ROXIMUCUMBI

Inquice da guerra e senhor das estradas de terra. Paralelismo com o Orixá Ogum. Mukumbe, Biolê, Buré são qualidades de Roximucumbi.

NGUNZU

Inquice dos caçadores de animais, pastores, criadores de gado e dos que vivem embrenhados nas profundezas das matas, dominando as partes onde o sol não penetra.

KABILA

O caçador e pastor. Aquele que cuida dos rebanhos da floresta. Paralelismo com o Orixá Oxóssi.

MUTALAMBÔ, LAMBARANGUANGE OU KIBUCO MUTOLOMBO

Caçador, vive em florestas e montanhas. Inquice da fartura, da comida abundante. Paralelismo com o Orixá Oxóssi.

MUTAKALAMBÔ

Senhor das partes mais profundas e densas das florestas, onde o Sol não alcança o solo por não penetrar pela copa das árvores. Paralelismo com o Orixá Oxóssi.

GONGOBIRA OU GONGOBILA

Jovem caçador e pescador. Paralelismo com o Orixá Logun-Edé.

KATENDÊ

Senhor das Jinsaba (folhas). Conhece os segredos das ervas medicinais. Paralelismo com o Orixá Ossaim.

NZAZI, ZAZE OU LOANGO

Inquice do raio e da justiça. Paralelismo com o Orixá Xangô.

KAVIUNGO OU KAVUNGO, KAFUNGÊ, KAFUNJÊ OU KINGONGO

Inquice da varíola, das doenças de pele, da saúde e da morte. Paralelismo com o Orixá Obaluaê.

NSUMBU

Senhor da terra, também chamado de Ntoto pelo povo de Congo.

HONGOLO OU ANGORÔ (MASCULINO) OU ANGOROMÉA (FEMININO)

Auxilia na comunicação entre os seres humanos e as divindades, sendo representado por uma cobra. Paralelismo com o Orixá Oxumaré.

KINDEMBU OU TEMPO

Rei de Angola. Senhor do tempo e estações. É representado, nas casas Angola e Congo, por um mastro com uma bandeira branca. Paralelismo com o Orixá Iroco. Tempo é patrono da Nação Angola.

KAIANGU OU KAIONGO

Tem o domínio sobre o fogo. Paralelismo com o Orixá Iansã. Nomes/qualidades: Matamba, Bamburussenda, Nunvurucemavula

Guerreira, tem domínio sobre os mortos (Nvumbe).

KSIMBI OU SAMBA

A grande mãe. Inquice de lagos e rios. Paralelismo com o Orixá Oxum.

NDANDA LUNDA OU DANDALUNDA

Senhora da fertilidade, da Lua, confunde-se, por vezes, com Hongolo e Kisimbi. Paralelismo com os Orixás Iemanjá ou Oxum.

KAITUMBA, MIKAIA OU KOKUETO

Inquice do Oceano, do mar (Calunga Grande). Paralelismo com o Orixá Iemanjá.

NZUMBARANDÁ, NZUMBA, ZUMBARANDÁ, GANZUMBA OU RODIALONGA

A mais velha dos Inquices femininos, relacionada à morte. Paralelismo com o Orixá Nanã.

NVUNJI

A mais jovem dos Inquices, senhora da justiça. Representa a felicidade da juventude e toma conta dos filhos recolhidos. Paralelismo com os Ibejis nagô.

LEMBA DILÊ, LEMBARENGANGA, JAKATAMBA, NKASUTÉ LEMBÁ OU GANGAIOBANDA

Ligado à criação do mundo. Paralelismo com o Orixá Oxalá.

Intolerância religiosa

Como as demais religiões de matriz africana, a Umbanda sofre com a intolerância religiosa. Uma das maneiras mais eficazes de diálogo é a promoção de atividades culturais que evidenciem a cultura (toques, cores, culinária, etc.) características da Umbanda, seja no Teatro, na Dança, na Literatura, na participação de eventos como o Mês da Consciência Negra, atos ecumênicos e inter-religiosos e as celebrações de Treze de Maio, além, é claro, das festas públicas de cada casa, sendo as mais populares as de Cosme, Damião e Doum.

Por ser uma religião sincrética, a Umbanda valoriza o ecumenismo e o diálogo inter-religioso. Por isso é cada vez mais comum encontrarmos, por exemplo, templos umbandistas participando de missas promovidas pelas Pastorais Afros, e irmãos dessas Pastorais em cortejos e festas promovidos por tendas de Umbanda.

Irmão(irmã)-de-Santo

Membros de uma mesma família de Santo, sob responsabilidade de um(a) mesmo(a) dirigente espiritual.

Irradiação
Forte influência energética de Orixá, Guia, Guardião e de espíritos em geral, mas não em estado de incorporação, por vezes precedendo-a ou sucedendo-a.

Jira
Embora a etimologia evoque o vocábulo quimbundo *nijra* (caminho) e ambas as formas, "gira" e "jira", sejam dicionarizadas, o uso mais corrente é a grafia "gira", inclusive pela semelhança e aproximação com o verbo "girar".

Jurema
Nome de Cabocla. Planta da família das leguminosas, utilizada no preparo de bebida indutora do transe em cultos afro-brasileiros. Religião também conhecida como *Jurema Sagrada*, *Jurema Nordestina* e *Catimbó*.

Legbara
Forma como também são conhecidas e chamadas as Pombogiras.

Lei de Pemba
Conjunto de pontos riscados com pemba, os quais identificam características específicas de Orixás, Guias e Guardiões.

Livre-arbítrio
Princípio amplamente respeitado na Umbanda, seja nas escolhas pessoais de cada um, seja nas intenções de preces, trabalhos, oferendas e outros, isto é, respeita-se o próprio livre-arbítrio e o dos demais.

Macaia
Mata. Floresta. Folhas. Tabaco. Do quimbundo *makaya*, plural de *ekaya* (folha ou folha de fumo).

Madrinha

Dirigente Espiritual feminina. O vocábulo também é empregado em sua acepção mais conhecida, como no caso de Batismo.

Magia

Emprego das forças naturais ou ocultas, para o bem ou para o mal.

Maioral

Forma comum com que se refere ao Exu mais poderoso (para alguns, Satanás ou Diabo).

Maleme

Pedido de perdão, misericórdia. Do quicongo *ma-lembe* (voto de saúde, paz, etc.), relacionado ao quimbundo *ma-lembe* (suave).

Mandinga

O vocábulo é tanto empregado para ação mágica positiva ("Os Pretos-Velhos usam mandingas."), quanto negativa ("Fulano usou mandinga para derrubar Sicrano na empresa."). Qualidade de jogo de capoeira. Do quicongo *ndinga* (praga).

Marafo

Aguardente. Do quimbundo *malufo* (vinho).

Marmotagem

Em linhas gerais, trata-se de atitudes extravagantes que fogem aos fundamentos das religiões de matriz africana. A marmotagem não deve ser confundida com a diversidade de elaboração e expressão de fundamentos religiosos.

Exemplos de marmotagem: simulação de incorporação; Pombogira fazendo compras em shopping center; Baianos e Boiadeiros bebendo em barracas de praia durante festa de Iemanjá; Caboclo ensinando filho-de-santo a usar máquina fotográfica durante uma gira; Preto-Velho passando número de celular de médium para consulente, etc.

Médium

Todo ser humano é médium, ou seja, instrumento de conexão com a Espiritualidade, captando energias afins. Existem diversas qualidades de médiuns, posto que muitos são os dons mediúnicos.

Médium de firmeza

Médium que não incorpora (ou pode incorporar, mas também trabalhar não incorporado em determinadas ocasiões como médium de firmeza), que tem diversas tarefas, como os cambones e Ogãs.

Médium de transporte

Médium preparado para receber espíritos obsessores, que, com o choque energético, podem se comunicar, ser doutrinados e/ou encaminhados.

Mediunidade

Contato com o mundo espiritual por diversas maneiras e métodos, conforme os dons de cada um e as afinidades energéticas e vibratórias.

Metá metá/metametá

São assim denominados os Orixás de natureza dupla, que carregam a energia masculina e feminina, certamente também pela semelhança com o vocábulo português "metade". Contudo, em iorubá, "méta-méta" significa "três ao mesmo tempo". No caso de Logun-Edé, por exemplo, seria metá metá porque traz em si a sua natureza, a do pai (Oxóssi) e a da mãe (Oxum).

Mironga

Mistério, segredo, feitiço. Do quimbundo "milonga", plural de "mulonga" ("mistério").

Mistificação

Ver **Marmotagem.** Há formas de mistificação menos elaboradas, como falsos ensinamentos e informações para engrandecer o ego de médiuns e Dirigentes Espirituais, encenação de incorporações, atitudes sem fundamentos espirituais etc.

Monokó

Forma comum (algumas vezes, pejorativa) como são conhecidos os homossexuais femininos nos terreiros.

Muzenza

Termo do Candomblé Angola correspondente ao "iaô" do Candomblé Ketu. Termo pouco utilizado na Umbanda.

Obi

Coleeira ou noz-de-cola, utilizada em alguns rituais por influência dos Cultos de Nação.

Ori

Cabeça, elemento muito importante no culto aos Orixás ("Senhores da Cabeça"), que pede cuidados e responsabilidades em todas as religiões de matriz africana, o que não seria diferente na Umbanda.

A cabeça humana, na tradição iorubá, receptáculo do conhecimento e do espírito, é tão importante que, naquela cultura (e também segundo os Cultos de Nação), cada Orixá tem seu Ori, sendo alimentado, como no caso do Bori, a fim de manter-se equilibrado.

Trata-se, ainda, da consciência presente em toda a natureza e seus elementos, guiada pelo Orixá (força específica). Sede do chacra coronário.

Ori

Banha/sebo de carneiro ou manteiga de carité. Por vezes, esta substitui aquele(a).

Origem
Identidade de Orixá, Guia ou Guardião.

Orobô
Tipo de noz utilizada em alguns rituais por influência dos Cultos de Nação.

Padê
Oferenda a Exu, variando de água e farofa a carne, pimenta, bebidas e outros elementos, conforme o contexto. O "padê", em algumas casas de Umbanda, é oferecido antes da abertura da gira (geralmente água e farofa), quando se firma a tronqueira (velas, cigarros e bebidas), por exemplo, ou pouco depois, não para afastar (despachar) Exu, como pensa o senso comum, mas para ativar seu trabalho de proteção.

Já no Candomblé, "ipadê" é o ritual que antecede todos os demais, no qual o Orixá Exu é firmado como guardião do Axé, a fim de proteger a casa e as pessoas. Para tanto, são utilizadas comidas típicas de Exu, como o padê (farofa especialmente preparada), vela e água. Após cantos e danças, a quartinha com água, a vela e o padê são levados para fora do barracão. Os demais rituais têm prosseguimento. Em iorubá, "pàdé" significa reunião. A distinção entre "ipadê" e "padê" não é consenso em todas as casas de Candomblé.

Padrinho
Dirigente Espiritual masculino. O vocábulo também é empregado em sua acepção mais conhecida, como no caso de Batismo.

Peji
Altar ou pequeno santuário de cada Orixá, geralmente localizado dentro da casa de cada Orixá. O vocábulo também significa a própria casa de cada Orixá, ou simplesmente o altar do tempo.

Pemba

Espécie de giz com que se desenham pontos riscados, são feitos cruzamentos e outros procedimentos. Para diversos fins, é utilizada também a pemba em pó. Do quicongo *mpemba* (giz), com correspondente quimbundo *pemba* (cal).

Perispírito

Elemento de ligação entre o corpo e o espírito. O conceito foi difundido pela Doutrina Espírita e acolhido por diversos segmentos espiritualistas e religiosos.

Pólvora

A principal função da pólvora é desagregar energias deletérias, que se apresentam de diversas formas. Por isso é empregada em descarrego, estouros e outros rituais de limpeza, defesa e proteção.

Pontos da natureza

Pontos de forças naturais, tais como pedreiras, matas, cachoeiras etc.

Pontos de força

Locais que funcionam como verdadeiros portais para a Espiritualidade. Cada centro de força corresponde a determinado Orixá, Guia ou Guardião, por afinidades de elementos. Além dos pontos da natureza, há outros como cemitérios e estradas, por exemplo.

Porteira

Tronqueira. Entrada de um terreiro. Também se chama "porteira" ou "porta" o espaço entre a assistência e o espaço dedicado aos médiuns de uma casa.

Prova de fogo

Prática hoje em desuso de que algumas casas se valiam para provar que o médium realmente estava incorporado: deveria colocar a mão em recipiente com azeite de dendê fervendo, ou beber cachaça com fogo, por exemplo, sem se machucar.

Psicografia

Escrita ditada ou intuída pelo plano espiritual. Muitas vezes a mecânica da mão, como na incorporação, fica à disposição do espírito responsável pelo texto, e mesmo a caligrafia difere da do médium.

Psicometria

Faculdade segundo a qual um médium, em contato com determinado objeto, é capaz de relatar o histórico desse objeto e de seus donos.

Quartilhão

Espécie de vaso utilizado para assentamentos e outros fundamentos. Os chamados quartilhões fêmea têm duas asas, enquanto os quartilhões machos, nenhuma.

Quartinha

Vaso de louça onde se coloca água para diversas finalidades ritualísticas, de firmeza e fundamento. As chamadas quartinhas fêmeas têm duas asas, enquanto as quartinhas macho, nenhuma.

Quiumba

Espírito obsessor, zombeteiro, com baixa vibração energética, que busca provocar confusão, arruaça, vingança etc., necessitando de encaminhamento e/ou doutrinação. Do quicongo *kiniumba* (espírito).

Quiumbanda

Prática maléfica, associada a quiumbas. No cotidiano, o termo é utilizado como sinônimo de Quimbanda/Esquerda, gerando confusão.

Reencarnação

Retorno do espírito ao mundo material, em nova existência, por meio do nascimento num corpo físico, para novos aprendizados e missões.

Religião

Conjunto de crenças religiosas e procedimentos com vistas a promover a (re)ligação individual e coletiva com o Divino.

Rezar

Além de sinônimo de "orar" ou "dizer preces", rezar também significa "benzer".

Roncó

Quarto de recolhimento para iniciação e outros rituais. O termo resulta do aportuguesamento do vocábulo "hounko", que entre os Fons do antigo Daomé significa "quarto de reclusão". Também conhecido como "camarinha".

Roupagem fluídica

Forma de apresentação de seres espirituais. Quando se trata de espíritos que encarnaram, geralmente se utilizam de roupagem fluídica de uma de suas encarnações. A esse respeito, veja-se o caso do Caboclo das Sete Encruzilhadas, que, em sua primeira comunicação pública, foi visto como um sacerdote por um dos médiuns, de fato também uma de suas encarnações.

O senso comum afirma que Caboclos e Pretos-Velhos não incorporam em centros espíritas. Na verdade, "baixam" com roupagens fluídicas diversas. Vale lembrar que a Umbanda nasceu "oficialmente" a partir da rejeição de Caboclos e Pretos-Velhos em mesas mediúnicas espíritas. De qualquer forma, com a ampliação do diálogo ecumênico e inter-religioso e, portanto, da fraternidade entre encarnados, têm ocorrido mais manifestações mediúnicas de Caboclos e Pretos-Velhos em casas espíritas.

Segurança

Médium coroado destinado a trabalhar como segurança de canto, porta, frente e outros.

Seita

Vocábulo que geralmente se refere de forma pejorativa a grupos de pessoas com práticas espirituais que destoem das consideradas ortodoxas.

Muitas vezes, no cotidiano dos terreiros, a Umbanda é chamada de seita, contudo sem a acepção negativa, mas como sinônimo de religião.

Senhora da Luz Velada

Forma como a Umbanda é chamada na Umbanda Esotérica. A esse respeito, há uma célebre oração:

Oração da Senhora da Luz Velada

Oh Senhora da Luz Velada!
UMBANDA DE TODOS NÓS!
Que acolhes em teu seio as lágrimas e os
gemidos dos desesperados e aflitos
de todos os planos.
Oh, tu que revelas em tua própria luz a
dor nascente das causas e efeitos!
Em súplica vibramos nossos pensamentos
através de tua grande lei e pedimos a teus
Orixás, Guias e Protetores, Irmãos que não
mais resgatam na penumbra da forma,
interceder por nós aos pés da cruz do meigo Oxalá,
imploramos ainda , por intermédio deles,
aos Sete Espíritos de Deus, derramarem sobre as
dores, o conforto de suas vibrações originais.
E dê-nos sempre esta luz-força que pedimos e sentimos.
Quando na simplicidade de nossos congás, um
humilde Pai Preto nos fala de Zâmbi, Estrela Guia, amor e perdão.
Recebe portanto, oh Senhora da Banda, a soma das
nossas ações que pesam na balança de nossos
renascimentos desde as noites da eternidade.

Sessão
Gira.

Subir
Desincorporar.

Surra de Santo
A chamada popularmente "surra de Santo" ou "couro" é um choque energético causado pela incompatibilidade entre a energia do Orixá, Guia ou Guardião e seu médium, o que pode ocasionar mal estar e, por exemplo, queda de médium já experiente e coroado (com determinadas obrigações feitas) no momento da desincorporação. Por vezes, ocorre o afastamento temporário (principalmente na incorporação) por parte de Orixás, Guias e Guardiões em virtude da incompatibilidade vibratória ocasionada por determinadas posturas do médium. A isso se dá o nome popular de "dar as costas".

Tapete
Prática hoje em desuso de que algumas casas se valiam para provar que o médium realmente estava incorporado: colocavam-se cacos de vidro no chão, à maneira de um tapete, onde o médium andava ou rolava o corpo sem se machucar.

Trindade
Em linhas gerais, a Trindade representa nascimento, vida (e/ou morte) e renascimento, estando presente nas mais diversas culturas. A Trindade Católica é a mais comum na Umbanda (Pai, Filho, Espírito Santo), embora algumas casas se valham de Olorum, Oxalá e Ifá. Por sua vez, a *Umbanda Almas e Angola* concebe a Trindade Divina dessa maneira: Zâmbi (Deus, criador do universo), Orixás (divindades) e Guias ou Entidades Espirituais (espíritos de luz).

Trabalho

Ação mágica com objetivo definido, tanto para o bem quanto para o mal. A Umbanda realiza trabalhos apenas para o bem individual e comum, portanto sempre respeitando o livre-arbítrio: harmonia, saúde, abertura de caminhos, equilíbrio energético etc.

Tupã

De modo genérico, Deus, na concepção tupi. Vocábulo utilizado por muitos Caboclos com a mesma acepção de Zâmbi ou Olorum.

Umbral

Região do astral onde se agrupam espíritos com vibrações deletérias, por vezes, na prática do mal. Outros, pouco a pouco, começam a meditar sobre seus atos a fim de que, quando estiverem prontos, recebam o devido auxílio.

Voduns

Voduns são as divindades do povo Fon (do antigo Daomé). O nome refere-se tanto aos ancestrais míticos, quanto aos ancestrais históricos. No cotidiano dos terreiros, por paralelismo, o vocábulo é empregado também como sinônimo de Orixá (é bastante evidente a semelhança de características entre os mais conhecidos Orixás, Inquices e Voduns). "Vodum" é a forma aportuguesada de "vôdoun".

Ji-vodun	(Voduns do alto), chefiados por Sô (Heviossô).
Ayi-vodun	(Voduns da terra), chefiados por Sakpatá.
Tô-vodun	Voduns próprios de determinada localidade. Diversos.
Henu-vodun	Voduns cultuados por certos clãs que se consideram seus descendentes. Diversos.

Mawu (gênero feminino) é o Ser Supremo dos povos Ewe e Fon, que criou a terra, os seres vivos e os Voduns. Mawu associa-se a Lissá (gênero masculino), também responsável pela criação, e os Voduns são filhos e descendentes de ambos. A divindade dupla Mawu-Lissá é chamada de Dadá Segbô (Grande Pai Espírito Vital).

Mais conhecidos no Brasil:

LOKO

É o Vodum primogênito, representado pela árvore sagrada *Ficus idolatrica* ou *Ficus doliaria* (gameleira branca).

Paralelismo com o Orixá Iroco.

GU

Vodum dos metais, da guerra, do fogo e da tecnologia.

Paralelismo com o Orixá Ogum.

HEVIOSSÔ

Vodum dos raios e relâmpagos.

Paralelismo com o Orixá Xangô.

SAKPATÁ

Vodum da varíola.

Paralelismo com o Orixá Obaluaê.

DÃ

Vodum da riqueza, representado pela serpente e pelo arco-íris.

Paralelismo com o Orixá Oxumaré.

AGUÉ

Vodum da caça e protetor das florestas.

Paralelismo com o Orixá Oxóssi ou com o Orixá Ossaim.

AGBÊ

Vodum dono dos mares.

AYIZAN

Vodum feminino dona da crosta terrestre e dos mercados.

AGASSU
Vodum que representa a linhagem real do Reino do Daomé.

AGUÊ
Vodum que representa a terra firme.

LEGBA
Caçula de Mawu e Lissá, representa as entradas e saídas e a sexualidade.
Paralelismo com o Orixá Exu.

FÁ
Vodum da adivinhação e do destino.
Paralelismo com o Orixá Orunmilá.

Vodunce
O mesmo que iaô (Ketu) e muzenza (Angola). Termo pouco utilizado na Umbanda.

Xoxô
Azeite de dendê.

ANEXOS

Como nascem os deuses

O panteão das tradições antigas resultou na interação dos dois princípios cósmicos universais: o masculino, representado pelo Pai Céu, e o feminino, personificado pela Mãe Terra. O casamento sagrado desses pólos gerou formas energéticas secundárias, polarizadas pela influência das forças telúricas, cósmicas, planetárias e dos fenômenos da Natureza. Quando modeladas pela egrégora mental de um conjunto racial, tribal ou grupal, essas energias se manifestam como arquétipos divinos, imbuídos de características e atributos específicos, e com apresentações e nomes que variam conforme o lugar de origem.

A existência e a sobrevivência dos arquétipos de determinado panteão dependem da intensidade com que são cultuados e da duração desse culto. Sem essa conexão e nutrição recíproca, as matrizes etéreas se enfraquecem e acabam desaparecendo com o passar do tempo.

Apesar de as divindades dependerem da egrégora humana, elas não são mero fruto de nossa imaginação: são expressões reais de poderosos campos energéticos e vórtices de energia cósmica. Elas existem em uma realidade diferente do mundo tridimensional, chamada pelos xamãs de nagual ou "realidade incomum" (ou extrafísica), e têm o poder de existir e agir independentemente da vontade humana.

Esses centros de energia cósmica, sutis e inteligentes, denominados divindades (sejam elas deuses, vibrações originais, devas[20] ou Orixás), supervisionam o livre-arbítrio coletivo e auxiliam nas decisões tomadas pelos indivíduos, dentro dos limites, valores e regras do ambiente ao qual pertencem. Isso significa que elas não interferem no livre-arbítrio, nem agem contra os interesses do agrupamento humano que as "criou" e que continua "alimentando-as" por meio

20 no vedismo (período inicial da religião indiana), espírito benigno pertencente ao grupo dos devas, uma das subdivisões do panteão hindu, menos importante que os deuses.

de invocações, oferendas, cultos e rituais. Existe uma necessidade de intercâmbio energético permanente entre a origem e o resultado da criação, entre o criador e a criatura.

Uma divindade deixará de existir apenas quando não tiver mais nenhum ser humano que invoque sua presença ou acredite em sua existência. Quando isso ocorrer, o campo energético por ela representado não se extingue no espaço, mas se desloca ou volta à sua origem, podendo servir como substrato para a criação de um novo arquétipo, em lugar ou tempo diferente.

Os deuses e as deusas não são arquétipos estáticos, eles evoluem e se modificam de acordo com o progresso cultural e tecnológico e a trajetória espiritual humana. As mudanças na percepção e interpretação de suas manifestações e a compreensão expandida de seus atributos e funções levam à readaptação dos mitos e a sua adequação às novas necessidades mentais, psicológicas e sociais da comunidade a que pertencem. São as projeções e as formas mentais humanas que determinam a "metamorfose" das divindades, que acompanham, de maneira simbiótica, o desenvolvimento de seu povo e o surgimento de novos valores e hábitos comportamentais, morais e sociais. Compreende-se, assim, o porquê das diferenças nos mitos de um mesmo deus ou deusa e os variados nomes a eles atribuídos.

Mirella Faur

Sobre a expressão "Religiões de Matriz Africana"

Embora o mais comum seja referir-se hoje ao Candomblé, à Umbanda e a outras religiões similares como "Religiões Tradicionais de Terreiro", ainda é bastante empregada a expressão "Religiões de Matriz Africana", embora esta matriz não seja a única a constituir tais religiões.

Nesse sentido, é bastante esclarecedor o questionamento do professor Ildásio Tavares transcrito abaixo, no qual procura denominar as religiões de terreiro como *jeje-nagôs-brasileiras*, o que, pelo último termo, a meu ver, incluiria também a Umbanda e a Nação Angola:

OS NOMES QUE NÃO NOMEIAM

"Fala-se com muita segurança, empáfia (e até injúria) em religião negra, religião africana, religião afro-brasileira, ou culto, mais pejorativamente. Essa terminologia é facciosa, discriminatória, preconceituosa, redutiva e falsa. Auerbach dizia que os maus termos, em ciência, são mais danosos que as nuvens à navegação. Negro é um termo que toma por parâmetro uma cor de pele que nem sequer é negra. Que seria religião negra? Aquela praticada por negros, apenas, ou aquela criada por negros e praticada por brancos, negros mulatos ou alguém com algum dos 514 tipos de cor achados no Brasil por Herskovits? "Religião negra" é um termo evidentemente racista, quer usado pelos brancos para discriminar e inferiorizar o negro, quer usado pelo negro para se autodiscriminar defensivamente com uma reserva de domínio rácico e cultural.

'Africano' é absurdamente generalizante, na medida em que subsume uma extraordinária pluralidade e diversidade cultural em um rótulo simplista e unívoco. Nelson Mandela é frequentemente mencionado como um líder africano. Jamais alguém chamaria Adolf Hitler de um líder europeu ou de um líder branco, apesar de ele ser um defensor da superioridade dos arianos, que não são necessariamente brancos, uma vez que a maioria dos judeus é de brancos, assim como os poloneses; e Hitler os tinha como inferiores, perniciosos e queria eliminá-los da face da Terra. Este rótulo redutivo lembra-me o episódio de nosso grotesco e absurdo presidente Jânio Quadros chamando o intelectual sergipano Raimundo de Souza Dantas para ser embaixador do Brasil na África por ele ser de pele escura. Quando o perplexo Raimundo replicou: "Excelência, a África é um continente! Como posso ser embaixador do Brasil em um continente?" O burlesco presidente respondeu: "Não importa, o senhor vai ser embaixador do Brasil na África." E foi. Sediado em Gana. Este é o típico exemplo de absurdo brasileiro, de seu surrealismo de hospício que muitos adotam como postura científica, para empulhar os tolos, os ingênuos e os incautos, armadilha perpetrada por canalhas para capturar os obtusos, diria Rudyard Kipling ao deixar o colonialismo para definir o Super Homem.

O rótulo "afro-brasileiro" também é falacioso. Aprendi no curso primário que o povo brasileiro está composto basicamente de três etnias: a dos índios, vermelha; a dos europeus, branca, e a dos africanos, preta. Por definição, portanto, brasileiro é a combinação de índio, africano e europeu; branco, vermelho e preto, em proporções variáveis, é claro. Já se disse, jocosamente, que as árvores genealógicas no Brasil (em sua maioria ginecológicas, matrilineares) ou dão no mato ou na cozinha, ou dão em índio ou em negro, para satirizar a falsa, a ansiada brancura de nosso povo, que nem a importação de italianos e alemães conseguiu satisfazer - muito pelo contrário, eles é que escureceram, ao menos culturalmente, assim como os amarelos, haja vista a presença de Babalorixás na Liberdade, São Paulo, no Paraná e em Santa Catarina, para não falar de Escolas de Samba de olhos oblíquos.

Ora, se brasileiro já quer dizer parte africano, afro-brasileiro é redundante. Resolvendo a equação, temos: B = A + I + E, ou seja,brasileiro é igual a africano + índio + europeu. Logo AB (afro-brasileiro) será igual a A + AIB (Africano + Índio + Brasileiro). Tem africano demais nessa equação. Eliminando o termo igual, discriminaremos o afro-brasileiro. A única solução é especificar a origem cultural (ou etnográfica, se quiserem) da religião. Para mim seria adequado dizer religiões brasileiras de origem africana, índia ou judaico-europeias, todas nossas. Mas como seria longo demais e detesto siglas, prefiro falar religiões *jeje-nagôs-brasileira*. É mais adequado. Pode não ser preciso. Mas a precisão é um desiderato dos relógios suíços, dos mísseis, dos navios que não afundam e dos filósofos positivistas. Não tenho simpatia por nenhum dos quatro."

Qualidades

Tipos de determinado Orixá. São diversas qualidades, com variações (fundamentos, Nações, casas, etc.). Há, inclusive, variação muito grande do Candomblé para a Umbanda e na maneira de se trabalhar as qualidades, inclusive na forma de nomeá-las.

Enquanto, por exemplo, Iansã Topé caminha com Exu, Iansã Igbale caminha com Obaluaê. Xangô Airá, por sua vez, caminha com Oxalá.

A fim de não deixar o assunto passar ileso e a título de exemplo, estão abaixo qualidades de Oxum no Candomblé, algumas delas bastante presentes nos templos umbandistas.

ALGUMAS QUALIDADES DO ORIXÁ OXUM	
Oxum Jimun	Qualidade que pode ter filhos, mas não incorpora neles. Assentada separadamente de outros Orixás, ligada a Ia Mi Oxorongá.
Oxum Ajagira	Caminha com Exu.
Oxum Pandá	Qualidade guerreira, manca de uma perna.
Oxum Karê	Também qualidade guerreira de Oxum.
Oxum Apará	Guerreira, caminha com Iansã e Ogum. Apresenta quizila com Iemanjá Oguntê, o que representa o encontro das águas (rio e mar).
Oxum Abotô	Qualidade de Oxum que gosta de leque.
Oxum Abalô	Ligada aos Ibejis, gosta de crianças. Tanto seus assentamentos quanto suas obrigações podem ser acompanhadas de brinquedos. Embora seu assentamento não contenha areia, gosta desse elemento, recebendo oferendas na areia do rio ou da praia. Propicia filhos e favorece bons partos.
Oxum Toquén	Qualidade calma de Oxum.

Oxum Ianlá	Caminha com Oxalá e se veste de branco. Suas comidas não são temperadas com dendê, mas com azeite doce.
Ieiê Okê	Esposa de Odé, mãe de Logun-Edé.
Ieiê Ogá	Qualidade velha de Oxum, brigona, resmungona.
Oxum Merim	Jovem, vaidosa, rainha.
Oxum Oloxá	Caminha com Nanã. Seu ponto da natureza/ponto de força é o fundo do lago. Cultuada em separado das outras qualidades de Oxum.
Ieiê Olokó	Ligada ao Orixá Ossaim.
Ieiê Sissi	Caminha com Obaluaê, sendo também ligada a Xangô.
Ieiê Odô	Ligada a Iemanjá, pode ser cultuada em águas salgadas.

No caso de Oxum, com variações, costumam aparecer 16 qualidades. Por essa razão (e a título de curiosidade), apresenta-se a lista acima, mais completa, sistematizada por Carlos Alexandre de Camillis, o Cacau, Ogã e escritor.

O corte

"Corte" é como é conhecido o sacrifício ritual.

Na Umbanda, em cuja fundamentação não existe o corte, embora diversas casas dele se utilizem, por influência dos Cultos de Nação, os elementos animais, quando utilizados (há casas que não os utilizam nem mesmo nas chamadas entregas aos Orixás), crus ou preparados na cozinha, provêm diretamente dos açougues. No primeiro caso, utilizam-se, por exemplo, língua de vaca, sebo de carneiro (por vezes confundido com e/ou substituído por manteiga de carité), miúdos, etc. No segundo, nas palavras de Rubens Saraceni,

> "(...) Mas só se dá o que se come em casa e no dia a dia. Portanto, não há nada de errado, porque a razão de ter de colocar um prato com alguma comida 'caseira' se justifica na cura de doenças intratáveis pela medicina tradicional, causadas por eguns e por algumas forças negativas da natureza.(...) Observem que mesmo os Exus da Umbanda só pedem em suas oferendas partes de aves e de animais adquiridos do comércio regular, porque já foram resfriados e tiveram

decantadas suas energias vitais (vivas), só lhes restando proteínas, lipídios, etc., que são matéria."

Os animais criados em terreiros de Candomblé para o corte são muito mais bem cuidados e respeitados do que aqueles criados enjaulados, com alimentação inadequada para engordar, etc. O animal, para o corte, não pode sofrer. Algumas partes são utilizadas para rituais; as demais são consumidas como alimento pela comunidade e pelo entorno.

Há casas de Candomblé que não cortam, cortam pouco ou se utilizam, como na Umbanda, de elementos animais comprados no comércio (algumas casas de Ketu com esse procedimento são chamadas de Ketu frio em contraposição às de Ketu quente, ou seja, as que cortam). Todas as casas sérias precisam ser respeitadas, pois seus fundamentos são estabelecidos com a Espiritualidade, adaptados ou não. Fundamento é fundamento, diferente de modismos. Por outro lado, há casas que cortam demais, que se vangloriam do número de animais cortados. Contudo, não é a quantidade que faz uma ceia sagrada e comunal saborosa, mas a qualidade do alimento, o preparo com amor, etc.

Nesse contexto, despontou o chamado Candomblé Vegetariano, modalidade com fundamentos adaptados para o vegetarianismo, capitaneada por Iya Senzaruban (Ile Iya Tunde). Difere do chamado Ketu frio (onde se utilizam elementos animais, mas sem o corte). Embora diversas casas, ao longo de sua história, tenham extinguido o corte de seus fundamentos, a casa de Iya Senzaruban e as de seus filhos ganharam notoriedade, inclusive pelo número de críticas feitas pela parcela do Povo de Santo que se posiciona totalmente contrária à abolição do corte no Candomblé.

Com relação ao corte, diálogo, respeito e compreensão são fundamentais para que todos se sintam irmanados, cada qual com sua individualidade e seus fundamentos. Diferenças não precisam ser necessariamente divergências.

Além do sangue propriamente dito (ejé, menga, axorô), importante no Candomblé para a movimentação do Axé, há outros elementos também conhecidos como sangue (vermelho, branco e preto), associados aos reinos animal, vegetal e mineral. Todos são importantíssimos condensadores energéticos, o que não significa que todos sejam usados no dia a dia dos terreiros. É importante perceber que estão em toda parte, nos chamados três reinos, movimentando o Axé.

SANGUE VERMELHO	
Reino animal	Sangue propriamente dito.
Reino vegetal	Epô (óleo de dendê), determinados vegetais, legumes e grãos, osun (pó vermelho), mel (sangue das flores), etc.
Reino mineral	Cobre, bronze, otás (pedras), etc.

SANGUE BRANCO	
Reino animal	Sêmen, saliva, hálito, plasma (em especial do ibi, tipo de caracol), etc.
Reino vegetal	Seiva, sumo, yierosun (pó claro), determinados vegetais, legumes e grãos, etc.
Reino mineral	Sais, giz, prata, chumbo, otás, etc.

SANGUE PRETO	
Reino animal	Cinzas de animais.
Reino vegetal	Sumo escuro de determinadas plantas, waji (pó azul), carvão vegetal, determinados vegetais, legumes, grãos, frutos, raízes, etc.
Reino mineral	Carvão, ferro, otás, areia, barro, terra, etc.

Para legitimar a não-utilização do corte na Umbanda, Miriam de Oxalá se vale dos estudos e de citação de Fernandez Portugal. Para a autora,

> "(...) vale a pena citar de Fernandez Portugal, renomado escritor africanista, em seu livro Rezas-Folhas-Chás e Rituais dos Orixás, publicado pela Ediouro, o item 'Ossaiyn, O Senhor das Folhas': 'Segundo

a tradição yorubá, sem ejé e sem folhas não há culto ao Orixá, mas pode-se iniciar um Orixá apenas utilizando-se folhas, pois existem folhas que substituem o Ejé.' O grifo é nosso e tais conceitos são, para nós umbandistas, bem conhecidos."

Observe-se, noutro contexto, como ecoam tanto as palavras de Portugal quanto as de Miriam de Oxalá. Para Orlando J. Santos,

> "Para se fazer um EBÓ ('tudo que a boca come'), é preciso ter esgotado todas as possibilidades de resolver o caso a partir das ervas: akasá, obi, orobô etc. Sabemos que obi, orobô e certas folhas, quando oferecidos aos Orixás dentro do ritual, valem por um frango, cabrito, carneiro. Portanto, em muitos casos, substitui o EJÉ (sangue animal)."

No Candomblé, por sua vez, e ao contrário do que sustenta o senso comum, o qual associa a religião à "baixa magia", prefere-se a criação própria, mais integrada e ecológica. A respeito do aproveitamento do elemento animal em rituais e no cotidiano do Ilê, Iya Omindarewa afirma:

> "Uma parte é oferecida ao Orixá, fica aos seus pés até o dia seguinte e depois é dividido entre as pessoas da comunidade. Essa carne é cozida e preparada num ritual muito absoluto, e é totalmente aproveitada. O restante é para alimentar o povo da festa, gente da casa e os vizinhos. Tem um sentido, nada é feito à toa. É oferecida ao animal uma folha; se ele não comer, não será sacrificado, pois não foi aceito pelo Orixá."

Mãe Stella de Oxóssi, quando perguntada se o século XXI corresponderia ao fim do uso de animais em rituais do Candomblé, responde:

> "Mas neste século XXI o que mais tem é churrascaria! Mata-se o boi, a galinha e o carneiro para comermos. Só porque usamos animais em nossos rituais, ficam falando que deve acabar. O animal mais bem

aproveitado é aquele que é morto nos rituais de Candomblé, porque se aproveita tudo: a carne, que alimenta muita gente, o couro..."

Em síntese, o corte no Candomblé está associado à ceia comunal: come o Orixá e comem fiéis e convidados do mesmo prato. A base desse fundamento é a utilização do sangue (ejé, menga, axorô) para a movimentação do Axé, o que, aliás, não ocorre apenas em situações de ceia comunal, mas também em ebós, quando apenas os Orixás ou Entidades comem.

Nas palavras de Iya Omindarewa,

> "Está na cabeça da gente que não se pode fazer o sacrifício, pegar energia de uma coisa viva e passar para outra. Admite-se comer um bom bife, uma galinha ou porco para alimentar o corpo. Mas não se admite captar a energia dos animais, das folhas, da Natureza toda para fortalecer sua cabeça. Isso não faz sentido; vamos andar descalços porque não se pode usar o couro? Não vamos comer folhas, milho, carne porque são da Natureza? E como o ser humano vai viver? A vida não é uma luta? Pega-se uma coisa pela outra e depois não retorna tudo para a terra? Isso tudo é uma grande bobagem. O sacrifício significa dar ao Orixá uma certa energia que ele devolve em troca. Tudo depende das ocasiões; não é durante toda a vida que vamos matar bichos, mas em grandes momentos, como nas Feituras, quando é necessário."

Umbanda e Candomblé: religiões irmãs

É fato que as Religiões de Matriz Africana são alvo de preconceito, discriminação e intolerância, em vários níveis, por grande parte da sociedade. Contudo, o que mais fere e enfraquece é a desunião entre irmãos.

Enquanto umbandistas pensarem e declararem "Eu não gosto do Candomblé!" ou "Se o pessoal do Candomblé for, eu não vou..."; enquanto candomblecistas acreditarem e afirmarem "A Umbanda é fraquinha..." ou "Essas umbandinhas que estão por aí...", dificilmente caminharemos juntos sob o manto branco de Oxalá.

Dias desses ouvi alguém dizendo a um irmão de outra casa: "Embora não seja a forma de sincretismo como o Orixá é tratado em nossa casa, gostaria de parabenizar etc...". Ora, como posso ir ao encontro de um irmão iniciando meu gesto com um "embora" ou um "apesar de"? Onde está o respeito à diversidade? Essa inconsciência me lembrou a fala de um amigo reverendo anglicano, que comentava o quanto é triste ver irmãos católicos romanos presentes em ordenações de reverendas anglicanas negando-se a participar da mesa da comunhão.

Aceitar e respeitar a diversidade não significa perder a identidade. Umbandistas e candomblecistas, se vivenciarmos o respeito entre nós, o amor e o diálogo cidadão e legal (em todos os sentidos) certamente se propagarão em outras esferas.

Juntos, somos mais fortes.

Axé!

Ademir Barbosa Júnior

(Dermes)

Por que temer a Umbanda?

Uma das bases do preconceito (talvez a mais visível) é a ignorância. Literal e etimologicamente, ignorar significa "não saber". O que não conhecemos nos provoca medo. Nos campos da Espiritualidade e da Religião não deveria haver espaço para o medo, mas, sim, para o respeito e o diálogo, seja interna ou externamente. No âmbito interno, cada vez mais se repensam responsabilidades e atitudes, a fim de se vivenciar a fraternidade, e não o autoritarismo e o "bullying espiritual". No âmbito externo, o diálogo inter-religioso se pauta tanto pela compreensão e pela caridade quanto pela consciência dos direitos individuais e civis.

Recebi de Mãe Nara de Oxum Ypondá um link muito interessante (http://rerumtemplaria-antiumbanda.blogspot.com). Se o reproduzo, é para suscitar o diálogo, e não para provocar polêmica ou arrivismo, o que seria contraditório com tudo o que Espiritualidade e Religião representam para mim.

Trata-se de uma associação para o que se chama de "sagrado extermínio de Umbandas", algo extremamente agressivo e pautado pela ignorância (não-saber) em relação aos Orixás, à Umbanda, ao Candomblé, à África, dentre outros. Ler esse manifesto fundamentalista num dia em que, em meio ao trabalho, pude ler parte de um texto tão amoroso de um Dirigente Espiritual de Umbanda do Sul do país, me fez pensar em por que temer a Umbanda, se até os espíritos mais empedernidos (encarnados ou não) são aí recebidos com o coração aberto, ainda que com o senso de vigilância da Espiritualidade e dos médiuns bastante apurado. Resposta: ignorância (não-saber).

Mais do que nunca, vamos deixar a gira girar!

Ademir Barbosa Júnior
(Dermes)

Sincretismo

Em célebre entrevista concedida ao jornal "A Tarde", em 24 de junho de 2001, o zelador de Santo Agenor Miranda trata de diversos temas que apareceram em entrevistas anteriores. Duas perguntas tratam de sincretismo e devoção a santos católicos. As mesmas declarações a respeito do sincretismo no Candomblé poderiam, certamente, ser aplicadas ao sincretismo na Umbanda.

P – Na Bahia do Senhor do Bonfim, o sincretismo religioso está muito presente. Qual a sua opinião sobre o sincretismo, considerando que o senhor é um zelador de Santo, filho de pais católicos?

R – "Não há crime nenhum no sincretismo, porque, se não fosse o sincretismo, não haveria Candomblé hoje. Essa é que é a verdade. As Mães-de-Santo e os Pais-de-Santo não querem o sincretismo. Mas tem que haver. Se não fosse o sincretismo, como é que o Candomblé iria sobreviver até hoje? Teria morrido. Agora, eles não gostam quando eu falo isso. Mas eu falo o que sinto. Não falo pelos outros, falo por mim".

P – O senhor é devoto de Santo Antônio e de São Francisco de Assis e vai sempre à cidade de Assis, na Itália, venerar São Francisco. Como é que o senhor lida com isso dentro do Candomblé? Existe preconceito?

R – "Se há preconceitos, é com eles. Eu sou eu. Nunca tive conflito. E, agora, tem mais uma coisa: eu sou do Santo, católico e espírita. Assim como na família: nem todos são iguais, mas convivem bem. Não é isso? É uma questão de fé".

Não apenas o sincretismo, mas também a convivência (nem sempre pacífica, é verdade) entre religiões em solo e corações brasileiros, a partir da entrevista de Agenor Miranda, evocam, ainda, os seguintes versos de Zeca Pagodinho ("Ogum"):

Sim, vou à igreja festejar meu protetor
E agradecer por eu ser mais um vencedor
Nas lutas nas batalhas
Sim, vou ao terreiro pra bater o meu tambor
Bato cabeça, firmo ponto sim senhor
Eu canto pra Ogum

A espiritiualidade do povo brasileiro é bastante dialógica, sincrética e dinâmica.

Cargo e função

Todos somos especiais, porém, por vezes, muitos de nós nos achamos mais especiais que os outros. Lutamos para sermos os melhores, ou, ainda, melhores do que os outros, mas a tarefa evolutiva necessita que sejamos hoje melhores do que fomos ontem. Numa casa religiosa, existem funções, e não cargos. Mas, se usarmos a palavra "cargo", comum às religiões de matriz africana em geral, embora pouco comum na Umbanda, devemos nos lembrar de que "cargo" é aquilo que se carrega, mas não como peso, e sim como presente, responsabilidade, talento a ser desenvolvido, multiplicado e compartilhado.

Ademir Barbosa Júnior
(Dermes)

Natal na Umbanda

Natal: o despertar do Cristo interior

Para Roger Bottini Paranhos

O Natal é uma data simbólica, fixada, que celebra o nascimento de Jesus, sua encarnação. Grosso modo, há os que o veem como o Unigênito, o Salvador, enquanto outros o concebem como um espírito evoluído, o qual, assim como nós, palmilhou as trilhas da evolução até chegar à mestria interior. Para os umbandistas, o Divino Mestre conduz a Linha de Oxalá e, por vezes, confunde-se com esse Orixá.

Independentemente de religião ou tradição espiritual, o grande convite do Mestre, a cada celebração natalina, é para realmente deixarmos nascer em nós o Cristo interior, criança tão cheia de luz, capaz de transformar uma manjedoura em ponto de força espiritual. O alimento dessa criança? O amor.

Buscando uma vida plena (e não perfeita, já que a perfeição não é desse mundo), o amor é a medida. Perdoar a quem nos ofende, por exemplo, na medida e no tempo de cada um e, é amar a si mesmo, não apenas ao outro. Afinal, guardar rancor ou mágoa de alguém, nada mais é do que dar poder para que outros governem nossas vidas. Desapego (e não indiferença) libera, torna a vida mais leve. Se alguém não entende um gesto de amor e carinho, desapegue-se, deixe o outro ir, transforme a si mesmo, pelo desapego, em vez de tentar transformar o outro, forçando-o a entender você. O Cristo interior vai se fortalecer, sua manjedoura interna certamente vai ficar mais confortável para ele.

(...) ninguém é o centro do universo/assim é maior o prazer (Guilherme Arantes). Amar o Cristo-menino interior não é mimá-lo, mas deixar que se desenvolva e seja, além de crístico, crítico. Crítico significa consciente, e não julgador, implacável, chato, redutor (alguém que tente separar o mundo, por meio do dedo-fálico-em-riste, em dois: aquele que está "certo", isto é, que se pauta por "meus" valores, e o errado, o que se conduz pelos valores "dos outros"). Rigidez é

coisa de cadáver: o menino Jesus está aí, flexível e brincalhão. Ele sabe brincar de viver, como sugere o título da canção de Guilherme Arantes. E, quando adulto, dirá: "Deixe que os mortos enterrem seus mortos". Desapego sempre.

O Natal, portanto, é um momento muito especial para auto--aperfeiçoamento, por meio da alegria, partilha, comunhão, retrospectiva (agradecer pelo que foi bom e perdoar/perdoar-se/pedir perdão pelo que não foi). No verdadeiro Natal não há espaço para o sentimentalismo barato de quem explora e oprime o irmão nos outros dias (em nível social, afetivo etc.) e uma vez ao ano derrama lágrimas e olha o próximo como se "realmente" fosse seu irmão.

Podemos celebrar o Natal todos os dias, em qualquer lugar, em qualquer época da História, em qualquer planeta, qualquer cultura, uma vez que pode haver Natal sem Jesus, mas não pode haver Natal sem Cristo.

O Cristo que habita em mim saúda o Cristo que habita em você!

Que o Menino Jesus nos ensine a brincar de viver!

Desejo um Feliz Natal aos que me amam e me desamam: todos são excelentes mestres em minha caminhada evolutiva! Beijos para todos e muito Axé!

Ademir Barbosa Júnior
(Dermes)

Meditações da Galera Umbandista

Médium não é X-Men, não tem poderes, e sim dons, que precisam ser desenvolvidos, trabalhados e colocados à disposição da comunidade.

Orixá não é personagem de card, com super-poderes que vão detonar os inimigos, ou seja, aqueles que nos fazem mal ou discordam de nós. Orixás são divindades, procedem da Fonte Divina, agem em nome dessa Fonte para o equilíbrio.

Guia no pescoço não é correntinha, bijuteria ou piercing. É proteção, tem função litúrgica, é símbolo de ligação com os Orixás, Guias, Guardiões.

Roupa de Santo não é *fashion week* de Orixá, é uniforme de trabalho, de serviço, forma de se apresentar aos Orixás, aos Guias, aos Guardiões para serviço de autoconhecimento, equilíbrio e caridade para com o próximo.

Ponto cantado não é samba, não é funk, não é pagode, nem forma de seduzir alguém do templo ou da assistência: é firmeza do Orixá, para a casa e o próprio médium.

Dançar para o Santo não é fazer bailão, coreografia de programa de auditório ou dança de salão: é manifestar a alegria e comungar do Axé de cada Orixá, de cada Linha.

Sejam realmente filhos de Orixá, irmãos de todos e, ao mesmo tempo, aprendizes e mestres, pois todos temos experiências para trocar e crescer juntos, na fé e na fraternidade.

Ademir Barbosa Júnior
(Dermes)

BIBLIOGRAFIA

Livros

AFLALO, Fred. *Candomblé: uma visão do mundo*. São Paulo: Mandarim, 1996.

BARBOSA JÚNIOR, Ademir. *A Bandeira de Oxalá – pelos caminhos da Umbanda*. São Paulo: Nova Senda, 2013.

____________. *Baralho Cigano*. Material fotocopiado e ainda inédito como livro, utilizado em cursos e palestras.

____________. *Curso essencial de Umbanda*. São Paulo: Universo dos Livros, 2011.

____________. *O essencial do Candomblé*. São Paulo: Universo dos Livros, 2011.

____________. *Guia prático de plantas medicinais*. São Paulo: Universo dos Livros, 2005.

____________. *Iemanjá*. São Bernardo do Campo: Anúbis, 2014.

____________. *Manual Prático de Tarô*. São Paulo: Nova Senda, 2014.

____________. *Mitologia dos Orixás: lições e aprendizados*. São Bernardo do Campo: Anúbis, 2014.

____________. *Nanã*. São Bernardo do Campo: Anúbis, 2014.

____________. *Obaluaê*. São Bernardo do Campo: Anúbis, 2014.

____________. *Oxumaré*. São Bernardo do Campo: Anúbis, 2014.

___________. *Para conhecer a Umbanda*. São Paulo: Universo dos Livros, 2013.

___________. *Para conhecer o Candomblé*. São Paulo: Universo dos Livros, 2013.

___________. *Reiki:* a Energia do Amor. São Paulo: Nova Senda, 2014.

___________. *Transforme sua vida com a Numerologia*. São Paulo: Universo dos Livros, 2006.

___________. *Umbanda – um caminho para a Espiritualidade*. São Bernardo do Campo: Anúbis, 2014.

___________. *Xangô*. São Paulo: Universo dos Livros, 2013.

___________. *Xirê:* orikais – canto de amor aos Orixás. Piracicaba: Editora Sotaque Limão Doce, 2010.

BARCELLOS, Mario Cesar. *Os Orixás e a personalidade humana*, Rio de Janeiro: Pallas, 2007.

BORDA, Inivio da Silva *et al.* (org.). *Apostila de Umbanda*. São Vicente: Cantinho dos *Orixás*, s/d.

CABOCLOOGUM DA LUZ (Espírito). *Ilê Axé Umbanda*. São Bernardo do Campo: Anúbis, 2011 (psicografado por Evandro Mendonça).

CACCIATORE, Olga Gudolle. *Dicionário de Cultos Afro-brasileiros*. Rio de Janeiro: Forense Universitária, 1977.

CAMARGO, Adriano. *Rituais com ervas: banhos, defumações e benzimentos*. Rio de Janeiro: Livre Expressão, 2013.

CAMPOS JR., João de. *As religiões afro-brasileiras:* diálogo possível com o cristianismo. São Paulo: Editora Salesiana Dom Bosco, 1998.

CARYBÉ. *Iconografia dos deuses africanos no Candomblé da Bahia*. São Paulo: Editora Raízes, 1980 (com textos de Jorge Amado, Pierre Verger e Valdeloir Rego).

CHEVALIER, Jean e GHEERBRANT, Alain (orgs.). *Dicionário de símbolos.* Rio de Janeiro, José Olympio, 2008 (tradução: Vera da Costa e Silva *et al.*).

CIPRIANO DO CRUZEIRO DAS ALMAS (Espírito). *O Preto-Velho Mago:* conduzindo uma jornada evolutiva. São Paulo: Madras, 2014 (psicografado por André Cozta).

CONGO, Pai Thomé do (Espírito). *Relatos umbandistas.* São Paulo: Madras, 2013 (anotado por André Cozta).

CORRAL, Janaína Azevedo. *As Sete Linhas da Umbanda.* São Paulo: Universo dos Livros, 2010.

__________. *Tudo o que você precisa saber sobre Umbanda* (volumes 1, 2 e 3). São Paulo: Universo dos Livros, 2010.

FAUR, Mirella. *Mistérios nórdicos:* deuses, runas, magias, rituais. São Paulo: Pensamento, 2007.

FERAUDY, Roger (obra mediúnica orientada por Babajiananda/Pai Tomé). *Umbanda, essa desconhecida.* Limeira: Editora do Conhecimento, 2006.

D'*IANSÃ*, Eulina. *Reza forte.* Rio de Janeiro: Pallas, 2008.

GASPAR, Enedia Duarte. *Tarô dos Orixás – Senhores do Destino.* Rio de Janeiro: Pallas, 2006.

LEONEL (Espírito) e Mônica de Castro (*médium*). *Jurema das Matas.* São Paulo: Vida & Consciência, 2011.

LIMAS, Luís Filipe de. *Oxum:* a mãe da água doce. Rio de Janeiro: Pallas, 2007.

LINARES, Ronaldo (org.). *Iniciação à Umbanda.* São Paulo: Madras, 2008.

__________. *Jogo de Búzios.* São Paulo: Madras, 2007.

LOPES, Nei. *Enciclopédia brasileira da Diáspora Africana.* São Paulo: Selo Negro, 2004.

LOURENÇO, Eduardo Augusto. *Pineal, a glândula da vida espiritual – as novas descobertas científicas.* Limeira: Editora do Conhecimento, 2010.

MAGGIE, Yvonne. *Guerra de Orixá:* um estudo de ritual e conflito. Rio de Janeiro: Jorge Zahar Editor, 2001.

MALOSSINI, Andrea. *Dizionario dei Santi Patroni.* Milano: Garzanti, 1995.

MARTÍ, Agenor. *Meus oráculos divinos:* revelações de uma sibila afrocubana. Rio de Janeiro: Bertrand Brasil, 1994 (tradução de Rosemary Moraes).

MARTINS, Cléo. *Euá.* Rio de Janeiro: Pallas, 2001.

____________. *Nanã.* Rio de Janeiro: Pallas, 2001.

MARTINS, Giovani. *Umbanda de Almas e Angola.* São Paulo: Ícone, 2011.

____________. *Umbanda e Meio Ambiente.* São Paulo: Ícone, 2014.

MARSICANO, Alberto e VIEIRA, Lurdes de Campos. *A Linha do Oriente na Umbanda.* São Paulo: Madras, 2009.

MOURA, Carlos Eugênio M. de (org). *Candomblé:* religião do corpo e da alma. Rio de Janeiro: Pallas, 2000.

____________. *Culto aos Orixás, Voduns e Ancestrais nas Religiões Afro-brasileiras.* Rio de Janeiro: Pallas, 2006.

MUNANGA, Kabengele e GOMES, Nilma Lino. *Para entender o negro no Brasil de hoje:* história, realidades, problemas e caminhos. São Paulo: Global: Ação Educativa Assessoria, Pesquisa e Informação, 2004.

NAPOLEÃO, Eduardo. *Yorùbá – para entender a linguagem dos Orixás.* Rio de Janeiro: Pallas, 2010.

NASCIMENTO, Elídio Mendes do. *Os poderes infinitos da Umbanda.* São Paulo: Rumo, 1993.

NEGRÃO, Lísias. *Entre a cruz e a encruzilhada*. São Paulo: Edusp, 1996.

OMULUBÁ. *Maria Molambo na sombra e na luz*. São Paulo: Cristális, 2002.

ORPHANAKE, J. Edson. *Os Pretos-Velhos*. São Paulo: Pindorama, 1994.

OXALÁ, Míriam de. *Umbanda:* crença, saber e prática. Rio de Janeiro: Pallas, 2007.

PARANHOS, Roger Bottini (ditado pelo espírito Hermes). *Universalismo crístico*. Limeira: Editora do Conhecimento, 2007.

PIACENTE, Joice (*médium*). *Dama da Noite*. São Paulo: Madras, 2013.

____________. *Sou Exu!:* Eu sou a Luz. São Paulo: Madras, 2013.

PINTO, Altair. *Dicionário de Umbanda*. Rio de Janeiro: Livraria Editora Eco, 1971.

PIRES, Edir. *A Missionária*. Capivari: Editora EME, 2006.

PORTUGAL FILHO, Fernandez. *Magias e oferendas afro-brasileiras*. São Paulo: Madras, 2004.

PRANDI, Reginaldo. *Mitologia dos Orixás*. São Paulo: Companhia das Letras, 2001.

RAMATÍS (Espírito) e PEIXOTO, Norberto (*médium*). *Chama crística*. Limeira: Editora do Conhecimento, 2004.

____________. *Diário mediúnico*. Limeira: Editora do Conhecimento, 2009.

____________. *Evolução no Planeta Azul*. Limeira: Editora do Conhecimento, 2005.

____________. *Mediunidade e sacerdócio*. Limeira: Editora do Conhecimento, 2010.

____________. *A Missão da Umbanda*. Limeira: Editora do Conhecimento, 2006.

______. *Umbanda de A a Z*. Limeira: Editora do Conhecimento, 2011 (org.: Sidnei Carvalho).

______. *Umbanda* pé no chão. Limeira: Editora do Conhecimento, 2005.

______. *Vozes de Aruanda*. Limeira: Editora do Conhecimento, 2005.

RIBEIRO, Darcy. *O povo brasileiro:* a formação e o sentido do Brasil. São Paulo: Companhia das Letras, 1995.

RISÉRIO, Antonio. *Oriki Orixá*. São Paulo: Perspectiva, 1996.

RUDANA, Sibyla. *Os mistérios de Sara:* o retorno da Deusa pelas mãos dos Ciganos. São Paulo: Cristális, 2004.

SAMS, Jamie. *As cartas do caminho sagrado*. Rio de Janeiro: Rocco, 2003 (tradução de Fabio Fernandes).

SALES, Nívio Ramos. *Búzios*: a fala dos Orixás. Rio de Janeiro: Pallas, 2005.

SANTANA, Ernesto (org.). *Orações umbandistas de todos os tempos*. Rio de Janeiro: Pallas, 2006.

SANTOS, Orlando J. *Orumilá e Exu*. Curitiba, Editora Independente, 1991.

SARACENI, Rubens. *Rituais umbandistas: oferendas, firmezas e assentamentos*. São Paulo: Madras, 2007.

SELJAN, Zora A. O. *Iemanjá:* mãe dos Orixás. São Paulo: Editora Afro-brasileira, 1973.

SGARBOSSA, Mario e GIOVANNINI, Luigi. *Um santo para cada dia*. São Paulo: Paulus, 2011 (tradução: Onofre José Ribeiro).

SILVA, Carmen Oliveira da. *Memorial Mãe Menininha do Gantois*. Salvador: Ed. Omar G., 2010.

SILVA, Vagner Gonçalves da. *Candomblé e Umbanda:* caminhos da devoção brasileira. São Paulo: Ática, 1994.

SOUZA, Leal de. *O Espiritismo, A Magia e As Sete Linhas de Umbanda*. 2 ed., Limeira: Editora do Conhecimento, 2008.

____________. *Umbanda Sagrada*. São Paulo: Madras, 2006.

SOUZA, Marina de Mello. *África e Brasil Africano*. São Paulo: Ática, 2008.

SOUZA, Ortiz Belo de. *Umbanda na Umbanda*. São Paulo: Editora Portais de Libertação, 2012.

TAQUES, Ivoni Aguiar (Taques de *Xangô*). *Ilê-Ifé:* de onde viemos. Porto Alegre: Artha, 2008.

TAVARES, Ildásio. *Xangô*. Rio de Janeiro: Pallas, 2002.

VVAA. *Educação ambiental e a prática das religiões de matriz africana*. Piracicaba, 2011.

VVAA. *Orientações e ações para a educação das relações étnico-raciais*. Brasília: SECAD, 2006.

VVAA. *Plano Nacional de Desenvolvimento Sustentável dos Povos e comunidades tradicionais de matriz africana 2013 – 2015*. Brasília: Secretaria de Políticas de Promoção da Igualdade Racial, 2013.

VERGER, Pierre. *Orixás – deuses iorubas na África e no Novo Mundo*. Salvador: Corrupio, 2002 (tradução de Maria Aparecida da Nóbrega).

WADDELL, Helen (tradução). *Beasts and Saints*. London: Constable and Company Ltd., 1942.

Jornais e revistas

A sabedoria dos Orixás – volume I, s/d.

Folha de São Paulo, 15 de julho de 2011, p. E8.

Jornal de Piracicaba, 23 de janeiro de 2011, p. 03.

Revista Espiritual de Umbanda – número 02, s/d.

Revista Espiritual de Umbanda – Especial 03, s/d.

Revista Espiritual de Umbanda – número 11, s/d.

Sites na Internet

http://alaketu.com.br

http://aldeiadepedrapreta.blogspot.com

http://answers.yahoo.com

http://apeuumbanda.blogspot.com

http://aumbanda.webnode.com/pontos-de-oxumare/

http://babaninodeode.blogspot.com

http://www.casadeoxumare.com.br

http://catolicaliberal.com.br

http://centropaijoaodeangola.net

http://colegiodeumbanda.com.br

http://comunidadeponteparaaliberdade.blogspot.com.br

http://espaconovohorizonte.blogspot.com.br/p/aumbanda--umbanda-esoterica.html

http://eutratovocecura.blogspot.com.br

http://fogoprateado-matilda.blogspot.com.br

http://umbandadejesus.blogspot.com.br

http://fotolog.terra.com.br/axeolokitiefon

http://genuinaumbanda.com.br

http://jimbarue.com.br

http://juntosnocandomble.blogspot.com
http://letras.com.br
http://luzdivinaespiritual.blogspot.com.br
http://mundoaruanda.com
http://ocandomble.wordpress.com
http://ogumexubaraxoroque.no.comunidades.net
http://okeaparamentos.no.comunidades.net
http://opurgatorio.com
http://orixasol.blogspot.com
http://oyatopeogumja.blogspot.com
http://povodearuanda.blogspot.com
http://povodearuanda.com.br
http://pt.fantasia.wikia.com
http://pt.wikipedia.org
http://religioesafroentrevistas.wordpress.com
http://templodeumbandaogum.no.comunidades.net
http://tuex.forumeiros.com
http://xango.sites.uol.com.br
http://www1.folha.uol.com.br
http://www.brasilescola.com
http://www.desvendandoaumbanda.com.br
http://www.dicio.com.br
http://www.guardioesdaluz.com.br
http://www.igrejadesaojorge.com.br
http://www.ileode.com.br
http://www.kakongo.kit.net
http://www.maemartadeoba.com.br
http://www.oldreligion.com.br
http://www.oriaxe.com.br
http://www.orunmila.org.br

http://www.pescanordeste.com.br
http://www.priberam.pt
http://www.religiosidadepopular.uaivip.com.br
http://www.siteamigo.com/religiao
http://www.terreirodavobenedita.com
http://www.tuccaboclobeiramar.com.br

O AUTOR

Ademir Barbosa Júnior (Dermes) é autor de diversos livros e revistas especializadas, idealizador e um dos coordenadores do *Fórum Municipal das Religiões Afro-brasileiras de Piracicaba.* Mestre em Literatura Brasileira pela Universidade de São Paulo, onde também se graduou em Letras. Mestre em Reiki, tarólogo e numerólogo. Umbandista, filho do *Templo de Umbanda Caboclo Pena Branca e Mãe Nossa Senhora Aparecida*, em Piracicaba, SP. Terapeuta holístico, ex-seminarista salesiano, com vivência em casas espíritas, participa amorosamente do diálogo ecumênico e inter-religioso e mantém uma coluna sobre Espiritualidade no site Mundo Aruanda. Coordenador Cultural do "Projeto Tambores no Engenho", desenvolvido pela *Federação de Umbanda e Candomblé* Mãe Senhora Aparecida e pelo *Templo de Umbanda Caboclo Pena*

Branca e Mãe Nossa Senhora Aparecida, acredita que a postura mais interessante na vida é a de aprendiz. É membro da 1ª. gestão do *Conselho de Participação e Desenvolvimento da Comunidade Negra de Piracicaba*, tendo participado da comissão responsável por sua implementação. Produziu os curtas-metragens *Águas da Oxum* (Adjá Produções/fora de catálogo); *Mãe dos Nove Céus* (Bom Olhado Produções), *Mãe dos Peixes, Rainha do Mar* (Bom Olhado Produções) e *Xangô* (Bom Olhado Produções). Coordena o curso virtual "Mídia e Religiosidade Afro-brasileira" (EAD Cobra Verde – Florianópolis – SC). Em 2012, recebeu o Troféu Abolição (Instituto Educacional Ginga – Limeira, SP). Em 2013, o Diploma Cultura de Paz – Categoria Diálogo Inter-religioso (Fundação Graça Muniz – Salvador, BA). É presidente da Associação Brasileira de Escritores Afrorreligiosos – Abeafro.

Leia também:

CURSO ESSENCIAL DE UMBANDA

- História, tradições e cantos;
- Linhas da Umbanda;
- Oxalá – Iemanjá – Oxóssi – Ossaim – Nanã Buruquê – Omolu – Oxum – Ibejis – Iemanjá – Iansã – Xangô – Ogum – Exu – Pombogira – Preto Velho – Cigano – Caboclo.

A Umbanda é uma religião formada dentro da cultura religiosa brasileira, que une diversos elementos, inclusive de outras religiões como o catolicismo e o espiritismo. Mesmo assim, é um mistério para quem não a conhece e seus seguidores ainda são vítimas de preconceito.

Mas afinal, o que é a Umbanda? Esta agradável leitura ensina que a doutrina umbandista pode ser facilmente aprendida e vivenciada. Aqui você encontrará as explicações para todas as entidades e elementos: Orixás, Ogum, Exu, Iemanjá, Pombagira, Preto-Velho e muito mais. Além de ensinar a história da Umbanda, suas tradições e personagens; este livro trata também de questões controversas, como o uso de bebidas e a realização ou não de sacrifício de animais nos cultos.

O livro mostra que a Umbanda é muito mais do que uma religião: é uma miscigenação da cultura e da fé do povo brasileiro.

Leia também:

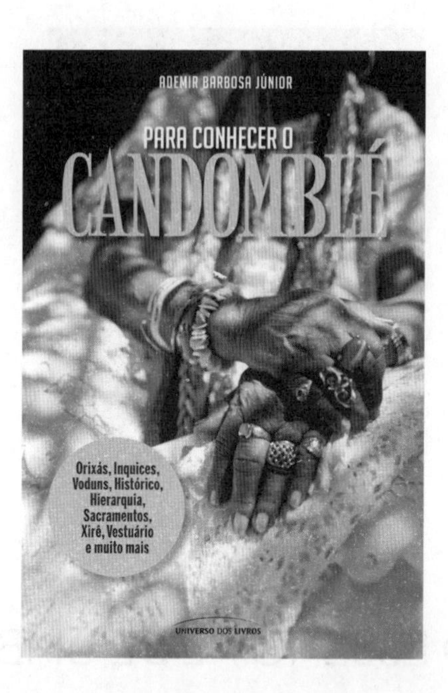

PARA CONHECER O CANDOMBLÉ

O candomblé é uma religião com teologias e rituais próprios, sempre valorizando os aspectos ligados à ancestralidade. Sua prática tem sido cada vez mais reconhecida e influencia diversos setores da cultura brasileira, como a música, a culinária e a medicina popular.

Para conhecer o Candomblé apresenta um panorama geral sobre os orixás, seus mitos, as principais cerimônias e elementos do culto, entre outras curiosidades sobre o assunto.

Sendo você um praticante do candomblé ou não, este guia irá mostrar de forma bastante didática e esclarecedora suas origens e quais são os seus principais valores e práticas.

Leia também:

PARA CONHECER A UMBANDA

A Umbanda é um espaço de convivência de fontes religiosas tão diversas que só poderia mesmo ter nascido no Brasil: associa práticas do cristianismo, africanismo, indianismo, kardecismo e de outras fontes, num conjunto muito singular de crenças e rituais.

Embora a maioria das pessoas comente a respeito desse culto, poucas conhecem as suas origens, o que de fato ocorre nos rituais, o que são as suas entidades espirituais e o que estas representam.

Sendo você um praticante da Umbanda ou não, este guia irá mostrar de forma bastante didática e esclarecedora como surgiu esse culto e quais são os seus principais valores e práticas.